TAIR RHEOL
ANHREF*N*

TAIR RHEOL ANHREFN

DANIEL DAVIES

y Lolfa

I fy mam, Nanna, fy nhad, Joe, fy chwaer, Jennifer, fy nghymar, Linda, a fy ffrind, Snwff.

Dymuna'r awdur ddiolch i Llenyddiaeth Cymru am ddyfarnu Ysgoloriaeth i Awduron er mwyn cwblhau'r nofel hon. Diolch hefyd i Alun, Nia a'r Lolfa am eu gwaith caled.

Argraffiad cyntaf: 2011

Dymuna'r cyhoeddwyr gydnabod cymorth ariannol Cyngor Llyfrau Cymru

Diolch i Nina Cadwaladr Watkins am gael dyfynnu 'Y Gorwel' gan Dewi Emrys

Cynllun y clawr: Sion Ilar

Rhif Llyfr Rhyngwladol: 978 1 84771 403 9

Cyhoeddwyd ac argraffwyd yng Nghymru ar ran Llys Eisteddfod Genedlaethol Cymru gan Y Lolfa Cyf., Talybont, Ceredigion SY24 5HE
gwefan www.ylolfa.com
e-bost ylolfa@ylolfa.com
ffôn 01970 832 304
ffacs 832 782

TAIR RHEOL ANHREFN

Rheol 1: Allwch chi ddim ennill y gêm

Rheol 2: Yr unig ganlyniad posib fydd colli'r gêm

Rheol 3: Allwch chi byth ddianc rhag y gêm

RHAN 1

1

Roedd Paul Price ar ben ei ddigon. Roedd hi'n dri o'r gloch brynhawn dydd Gwener, y pymthegfed o Ebrill 2011. Eisteddai yn ei hoff gadair esmwyth yn gwylio'r rasys ceffylau o Ayr ar y teledu a gweddillion pryd o fwyd Indiaidd ar y bwrdd o'i flaen. Yn ei law chwith roedd remôt a reolai deledu plasma deugain modfedd. Yn ei law dde roedd teclyn a reolai deledu LCD deugain modfedd.

Bu Paul yn difyrru'i hun drwy'r prynhawn yn cymharu nodweddion y ddau deledu.

Wrth iddo wylio'r ras deng munud i dri rhyfeddai o weld bod ansawdd llun y teledu LCD gymaint gwell nag un y teledu plasma. Roedd ffurf y ceffylau i'w weld yn gliriach a lliwiau gwisgoedd llachar y jocis yn seicadelig o glir. Roedd yr ansawdd hyd yn oed yn well na'r dechnoleg 3D roedd Sony newydd ddechrau'i marchnata.

Wrth i'r ras orffen clywodd ddrws yr ystafell yn agor.

– Damio. Pwy enillodd y ras? gofynnodd Mansel, gan gerdded at gadair esmwyth arall yn ymyl Paul. Gollyngodd fag yn llawn poteli cwrw i'r llawr cyn eistedd yn y gadair.

Er bod Mansel Edwards yng nghanol ei chwedegau, fel llawer o bobl oedd yn ifanc yn ystod y chwedegau mynnai wisgo jîns a chrys-T un o'i hoff fandiau o'r cyfnod hwnnw. Crys-T Captain Beefheart a wisgai heddiw.

Gwisgai Paul yntau ddillad ychydig yn wahanol i ddyn deg ar hugain mlwydd oed, sef trowsus Bermuda a chrys pinc golau. Roedd e'n casáu gwisgo'r fath ddillad ond mynnai ei gariad, Llinos, y dylai arbrofi â'i ddillad am ei bod hi'n meddwl bod Paul yn tyfu'n hen cyn ei amser. Roedd e hefyd wedi ildio i'w dymuniad iddo dyfu barf, a fyddai'n gwneud iddo edrych yn fwy golygus, yn ôl Llinos.

– Arctic Court, 11/2, atebodd Paul wrth i Mansel dynnu dwy botelaid o gwrw o'i fag.

– Damio. Faint o'r gloch yw hi? gofynnodd hwnnw gan daflu ei docyn betio i gornel yr ystafell cyn agor potelaid o gwrw Hobgoblin.

– Ugain munud wedi tri.

– Blydi hel, Paul, mae *America's Next Top Model* mlân... newid y sianel.

– Na, ry'n ni wedi gweld yr holl gyfres droeon yn ystod y mis diwethaf.

– Dim ond ar gyfer ein hymchwil, Paul, dim ond ar gyfer ein hymchwil, atebodd Mansel gan godi'i aeliau'n awgrymog cyn agor potelaid arall a'i hestyn i Paul.

Anelodd Paul y ddau remôt at y ddau deledu fel petai ganddo ddryll ym mhob llaw. Ymhen eiliad roedd y ddau'n gwylio rhaglen arall.

– *My 60-year-old Baby*?

– Na, meddai Mansel.

Daeth rhaglen wahanol ar y sgrin.

– *Real-life Werewolves*?

– Na.

– *Freaky Eaters 12*?

– Ymmm... na.

Gwenodd Mansel pan welodd y rhaglen *X Factor* yn ymddangos ar sgriniau'r ddau deledu.

– On'd yw'r datblygiadau technolegol diweddara 'ma'n wych, Paul? Whiw, meddai wrth iddo wylio Dannii Minogue ar y sgrin.

– Edrych ar y gwahaniaeth rhwng y ddau deledu. Ti'n gallu gweld y rhychau ar wyneb honna'n hollol glir ar y teledu LCD.

— Ti'n iawn, Mansel. Ond pa athrylith fu'n gyfrifol am ddatblygu'r fath dechnoleg? Ai tîm o wyddonwyr yn Tokyo?

— Nage.

— Ai *geeks* yn Nyffryn Silicon yng Nghaliffornia?

— Nage.

— Ai athrylith o India?

— Nage, nage, nage. Dweda i pwy sy'n gyfrifol am y datblygiad arloesol yma, Paul.

— Pwy?

— Ni. *Cheers*, Dr Price, meddai'r Athro Mansel Edwards.

— *Cheers*, Proffesor Edwards, ategodd Paul wrth i'r ddau glecian eu poteli.

2

Safai'r Athro Mansel Edwards ger ffenest ei swyddfa yn labordy cemeg Prifysgol Aberystwyth. O'i flaen roedd un o olygfeydd mwyaf godidog y dref y bu Mansel yn byw ynddi ers iddo ddod yn fyfyriwr i'r brifysgol o sir Benfro yn 1965.

Yn y pellter gwelai adfeilion castell Aberystwyth – gwaddol y cwmni rhyngwladol Normaniaid Cyf., oedd wedi estyn ei ryddfraint trwy adeiladu cestyll i ormesu'r Cymry yn ystod y Canoloesoedd.

Ychydig yn nes ato gwelai dŵr cloc yr orsaf drenau – teyrnged i Chwyldro Diwydiannol y bedwaredd ganrif ar bymtheg, sef dechrau dirywiad y gymdeithas Gymraeg ym marn Mansel.

A gerllaw'r orsaf gwelai barc busnes Aberystwyth – cartref cwmnïau rhyngwladol fel Argos, Matalan a Costa Coffee a fyddai, yn ei dyb ef, yn claddu iaith a diwylliant Cymru am byth yn y pen draw.

Adeiladwyd y castell yn 1282 a thŵr y cloc yn 1886 ond dim ond ddegawd yn ôl yr adeiladwyd y parc busnes. Teimlai Mansel ers amser fod clefyd cyfalafiaeth yn bygwth y brifysgol, a'r adran Gemeg yn arbennig, a bod ei werthoedd ef, sef addysg bur a rhyddid meddwl, yn cael eu sathru dan draed. Ddwy flynedd ynghynt roedd Cyngor y Brifysgol wedi penderfynu cau'r adran Gemeg gan fod cyn lleied o fyfyrwyr am ddilyn cwrs gradd yn y pwnc.

Felly, yn ystod y ddwy flynedd ddiwethaf, gwelsai Mansel ei gyd-ddarlithwyr a myfyrwyr ymchwil yr adran yn gadael Aberystwyth i ddilyn gyrfaoedd newydd mewn ardaloedd eraill. Roedd Cyngor y Brifysgol hefyd wedi penderfynu y byddai'r adran Ffilm, Theatr a Theledu yn ymgartrefu yn y labordai cemeg o fis Medi 2011.

Gan mai bwriad Mansel oedd ymddeol ym mis Awst 2011, penderfynodd y Cyngor y câi orffen ei waith ymchwil a chaniatawyd iddo ef a'i gyd-weithiwr, Dr Paul Price, ddefnyddio swyddfa ac un labordy tan ei ymddeoliad.

Cawsai Paul gynnig gwaith yn adran Cemeg Ffisegol Prifysgol Manceinion, ond penderfynodd fod yn driw i'w fentor oherwydd credai y gallai'r ddau fod yn gyfrifol am ddatblygiadau arloesol yn eu maes, sef datblygu crisial hylifol newydd ar gyfer y diwydiant teledu.

Roedd penderfyniad Paul yn wrthun i'w gariad, Llinos Burns, gan ei bod hi'n argyhoeddedig fod gan Paul yrfa ddisglair o'i flaen ac mai ffwlbri sentimental oedd ei deyrngarwch i Mansel. Hefyd, câi ymrwymiad Paul i'w waith yn Aberystwyth effaith andwyol ar berthynas Paul a Llinos. Ond gan fod Paul wedi gwneud ei benderfyniad, am unwaith bu'n rhaid i Llinos ildio.

Er hynny, aflwyddiannus fu gwaith ymchwil Paul a Mansel nes iddynt ddarganfod, chwe mis ynghynt, fod cyfuno tri chemegyn penodol mewn cymhareb uniongyrchol yn creu crisial hylifol o ansawdd gwych ar gyfer sgriniau teledu a chyfrifiaduron.

Ers hynny bu'r ddau wrthi'n ddyfal yn arbrofi yn eu labordy. Y prawf terfynol oedd adeiladu eu teledu LCD eu hunain. Y canlyniad fu creu llun o ansawdd gwell nag un teledu plasma deugain modfedd hyd yn oed. Yn bwysicach na hynny, roedd ansawdd y llun yn wych ar sgrin pedair modfedd ar hugain, pedair modfedd ar ddeg a hyd yn oed ar ffôn symudol. Gwyddai'r ddau fod y darganfyddiad yn un pwysig dros ben a fyddai'n debygol o arwain at dranc technoleg plasma.

Trodd Mansel i wynebu Paul. Roedd hwnnw'n wên o glust i glust wrth iddo agor potelaid arall o gwrw.

– Cymer ofal. Beth yw honna, y drydedd? Gei di lond pen 'da Llinos, rhybuddiodd.

– Y bedwaredd, a dweud y gwir: Hobgoblin, Sneck Lifter, Speckled Hen a nawr Spitfire. Doedd 'na neb yn credu ynddon ni, ac ry'n ni wedi llwyddo, Mansel. *Top of the world*, gwaeddodd Paul, wedi meddwi ar ei lwyddiant ym mhob ystyr, gan na fyddai byth, bron, yn yfed alcohol.

– Gawn ni weld, Paul, meddai Mansel gan eistedd gyferbyn â'i gyd-weithiwr.

– Beth ti'n feddwl? Ry'n ni wedi creu'r teledu gorau yn y byd. Methodd Muller a Fischer yn Berlin, tîm Zukov ym Moscow, tîm Braun a Diffring yn Nyffryn Silicon, a'r un oedd hanes Xiang a Deng yn Beijing. Ond fe lwyddon ni… na, fe lwyddest ti, Mansel. Ro't ti'n iawn i ddilyn y trywydd wnest ti.

– Hap a ffawd, Paul. *Serendipity…* 'run fath â Fleming yn darganfod penisilin neu Curie a Curie'n datblygu cemeg ymbelydredd, atebodd Mansel yn ddiffuant gan roi gwên fach.

– Mansel, ti 'di bod yn gweithio am faint… deugain mlynedd i gael y fath lwyddiant. Be sy'n bod?

Cododd Mansel ei ben i edrych ar Paul. Hoffai ddweud,

– Ydyn, ry'n ni wedi llwyddo i greu'r dechnoleg teledu orau yn y byd gan ddefnyddio crisial hylifol sy'n rhad iawn i'w gynhyrchu. Ond, o ganlyniad, bydd mwy o bobl yn gwylio'r teledu ac yn ynysu eu hunain yn hytrach na threulio'u hamser yng nghwmni eu cyd-ddyn.

Ond doedd e ddim am roi dŵr oer ar frwdfrydedd ei ffrind. Yn hytrach, meddai,

– Dim byd. Hwrê! Agora botelaid arall o gwrw i fi.

– Champion Ale?

– Addas iawn.

Agorodd Paul y botel a'i hestyn i Mansel cyn dweud,

– Ta beth, nid y diwydiant teledu'n unig fydd ar ei ennill. Bydd y dechnoleg yn golygu bod modd cynhyrchu sgriniau rhatach ar gyfer y diwydiant iechyd hefyd.

Gwenodd Mansel gan nodio'i ben. Ni allai ddweud y gwir plaen wrth Paul. Roedd e am ddweud,

– Yn anffodus, Technotrust UK roddodd y grant i ni, a hynny i gynhyrchu setiau teledu a dim byd arall. Fydd rheolwyr y cwmni ddim yn fodlon rhannu syniad mor werthfawr â hwn ac o dan amodau'r cytundeb arwyddais i, dim ond iddyn nhw y gallwn ni gyflwyno'r syniad. *Fait accompli.*

Yn hytrach dywedodd,

– Ti'n iawn, Paul, ma'r Champion Ale 'ma'n hyfryd: yr hen lesmeiriol beint; cyrraedd, ac yna ffarwelio, ffarwelio, – och na pharhaent!

Erbyn hyn roedd Paul ar dân wrth iddo sylweddoli holl oblygiadau'r datblygiad.

– Blydi hel, Mansel, faint o waith fydd hyn yn ei greu? Bydd plasma, fel Betamax a'r Sinclair C5, yn mynd i fin sbwriel hanes a bydd hyn yn golygu y gallwn ni fwrw mlân â'n gwaith fan hyn.

Cymerodd Mansel ddracht hir o'i Champion Ale, oedd erbyn hyn yn chwerw ar ei dafod.

Roedd am ddweud,

– Mae'n rhaid i fi fod yn hollol onest 'da ti, Paul. Rwyt ti'n iawn; ro'n i'n argyhoeddedig fy mod i ar y trywydd cywir, ond oherwydd mai dim ond dwy flynedd oedd gen i ar ôl cyn ymddeol roedd telerau cytundeb Technotrust UK yn eitha pitw. Doedden nhw ddim yn meddwl bod gen i'r gallu i fod yn arloesol bellach, felly maint y grant oedd fy nghyflog i a tithe am dair blynedd, a £30,000 ar gyfer y gwaith. Dwi wedi gwario fy nghynilion i gwblhau'r gwaith, ac yn bwysicach na hynny, Technotrust UK sy'n berchen ar hawlfraint y gwaith, felly fyddwn ni ddim yn ennill ceiniog am hyn.

Yn hytrach dywedodd,

– Dwi ddim yn siŵr, Paul. Fe ddarllena i'r cytundeb eto dros y penwythnos. Falle bydd Technotrust UK yn ddiolchgar ac yn talu bonws i ni.

– Ydyn ni'n sôn am filoedd? Degau o filoedd? Cannoedd o filoedd? Mwy? Os felly, gallwn ni ailfuddsoddi yn yr adran a denu myfyrwyr gradd 'nôl, awgrymodd Paul yn eiddgar.

Edrychodd Mansel yn hir ar Paul gan feddwl.

– Da ti, 'machan i. Y gwyddonydd puraf i mi ei gyfarfod erioed. Dwyt ti'n poeni am ddim ond y gwaith, yr adran a dyfodol gwyddoniaeth. Dim gair amdanat ti dy hunan.

Cododd a cherdded at silff lyfrau y tu ôl i Paul.

– Anghofia am y dyfodol am nawr. Rwyt ti wedi gweithio'n galed iawn dros y misoedd diwethaf ac yn haeddu dy bythefnos o wyliau'n cerdded arfordir sir Benfro.

– Ond...

– Dim 'ond' amdani. Rwyt ti wedi bwcio'r meysydd gwersylla ers wythnosau. Neith e les i ti gael seibiant o'r gwaith. Gwranda ar dy fòs, meddai Mansel gan dynnu amlen drwchus o'r tu ôl i res o lyfrau ar y silff.

– Gyda llaw, pen-blwydd hapus, Paul, ychwanegodd gan roi amlen drwchus iddo.

– Beth?

– Pen-blwydd hapus. Mae'n nos Wener, y pymthegfed o Ebrill. Rwyt ti'n ddeg ar hugain, ac mae'n bum munud i bump, amser *Crackerjack*. Cer adre.

– Damio, ynghanol yr holl gyffro ro'n i wedi anghofio'n llwyr.

– Cer adre at Llinos, Paul... ta beth, mae'n hen bryd i ti ofyn iddi.

– Dwi ddim yn siŵr alla i ofyn iddi. Beth os dwedith hi 'na'?

– Paid â phoeni. Os yw hi'n dy garu, wneith hi mo hynny.

– O'r gore, meddai Paul gan godi o'i sedd a cherdded braidd yn sigledig trwy'r drws.

– A dwi ddim eisiau i ti gysylltu â fi chwaith. Rwyt ti angen saib oddi wrth bawb a phopeth. Wela i ti mewn pythefnos, meddai Mansel gan gau'r drws a symud yn ôl at ffenest y swyddfa. Gwelai fod y ddau ddyn fu'n eistedd mewn fan wen ym maes parcio'r adran Ffilm, Theatr a Theledu ers y bore hwnnw'n dal yno'n cadw golwg arno.

– ... os byw ac iach, ychwanegodd yn dawel.

3

Roedd Paul ryw ganllath o ddrws y fflat a rannai gyda'i gariad, Llinos Burns, pan gafodd syniad. Bu'n bwriadu gofyn y cwestiwn y cyfeiriodd Mansel ato ers amser ond roedd arno ofn cael ei wrthod. Heno fyddai'r cyfle olaf a gâi cyn i'r ddau fynd ar eu gwyliau ben bore y diwrnod wedyn.

Penderfynodd y byddai un ddiod arall yn rhoi cyfle iddo roi trefn ar ei syniadau. Felly galwodd am beint yn y dafarn agosaf at ei gartref, sef yr Hen Lew Du.

Dim ond pedwar dyn oedd yn y dafarn heblaw am y barmon, dyn tal, tenau yn ei dridegau hwyr a'i wallt hir wedi'i glymu'n gynffon tu ôl i'w ben. Roedd y cwsmeriaid yn eistedd yn dawel yn y bar cefn a'u pennau i fyny yn gwylio'r teledu uwchben y bar, fel cywion mewn nyth yn aros am fwyd.

Prynodd Paul beint o gwrw cyn eistedd mewn cornel dawel yn y bar ffrynt. Wrth iddo eistedd gwelodd ddyn arall yn dod i mewn i'r dafarn, anelu at y bar a phrynu fodca ac oren a dau baced o Scampi Fries.

Cofiodd Paul am anrheg Mansel ac agorodd yr amlen drwchus. Y tu mewn iddi roedd CD ac amlen arall. Ar glawr y CD roedd Mansel wedi ysgrifennu 'Goreuon Mozart: Divertimento yn F – K138, Symffoni Rhif 40 yn G leiaf –

K550, Serenata Notturna yn D – K239 a Symffoni Rhif 41, y Jupiter, yn C – K551'. Dewis gwahanol, meddyliodd Paul. Fel arfer, byddai Mansel yn rhoi CD o un o'i hoff fandiau o'r chwedegau iddo fel anrheg ben-blwydd neu anrheg Nadolig – *Trout Mask Replica*, *Pet Sounds*, *Led Zeppelin III*, *After the Gold Rush* ac yn y blaen.

Penderfynodd lwytho'r traciau i'w iPod cyn gynted ag y cyrhaeddai adref a gwrando arnyn nhw yn ystod ei wyliau, rhag ofn i Mansel ofyn am ei farn arnyn nhw, yn ôl ei arfer.

Cododd ei ben a gweld bod y dyn oedd wedi prynu'r fodca ac oren yn eistedd wrth fwrdd cyfagos. Er ei fod yn darllen papur newydd, teimlai Paul ei fod yn cadw llygad arno yntau hefyd.

Agorodd Paul yr ail amlen. Y tu mewn iddi roedd taflen o bapur ac arni restr o bedwar ar ddeg o gwestiynau. Gwenodd Paul wrth sylweddoli bod ei fentor wedi gosod tasg ddyddiol iddo'i chyflawni tra byddai'n cerdded arfordir sir Benfro. Cododd y daflen a'i darllen:

> Gan fy mod i'n dod o sir Benfro, meddyliais y byddai'n ddifyr i ti geisio datrys y cliwiau rydw i wedi'u gosod
> · mewn ymgais bitw i gadw dy ymennydd yn siarp a'th feddwl oddi ar waith. Mae pob cliw'n gysylltiedig â'th daith ddyddiol. Felly, mae cliw 1 yn ymwneud â'th daith o Lan-rhath i Benalun ar y diwrnod cyntaf... ac yn y blaen. Bydd yr holl atebion, o'u rhoi at ei gilydd, yn cynnig ychydig o ddoethineb i ti hefyd, gobeithio.
> Pen-blwydd hapus,
> Mansel.

Gwyddai Paul fod Mansel yn hoff iawn o bosau. Yn wir, deallai iddo fod yn un o'r tîm anrhydeddus fu'n gosod croeseiriau'r *Daily Telegraph* am gyfnod yn ystod yr wythdegau. Teimlai'n falch fod ei fentor wedi ffwdanu creu'r fath ddifyrrwch iddo ar gyfer ei wyliau. Cododd ei ben a gweld bod Mr Fodca ac Oren yn ei wylio'n darllen nodyn Mansel. Wrth i Paul godi'i ben trodd y llall ei lygaid 'nôl at ei bapur newydd.

Roedd Paul yn amau iddo weld y dyn yn gynharach y diwrnod hwnnw ond ni allai gofio ymhle na pha bryd. Teimlai braidd yn anghyffyrddus yn ei gwmni, felly cleciodd ei beint. Erbyn hyn, teimlai'n ddigon hyderus i ofyn y cwestiwn hollbwysig i Llinos. Cododd a gadael y dafarn.

Rai eiliadau'n ddiweddarach, llyncodd Mr Fodca ac Oren ei ddiod a dilyn Paul. Roedd yntau hefyd yn teimlo'n well ar ôl ymweld â'r dafarn. Nid oedd wedi bwyta nac yfed dim y diwrnod hwnnw am iddo dreulio'r diwrnod cyfan yn eistedd mewn sedd flaen fan ym maes parcio adran Ffilm a Theledu Prifysgol Aberystwyth tra oedd ei gyd-weithwyr yng nghefn y fan yn gwrando ar sgyrsiau'r Athro Mansel Edwards a Dr Paul Price.

4

Wrth i Llinos aros i Paul gyrraedd adref i'r fflat roedd hi'n berffaith hapus. I ddechrau, doedd dim rhaid iddi boeni am ei gwaith fel athrawes Astudiaethau Busnes yn yr ysgol uwchradd leol am bythefnos. Y prynhawn hwnnw roedd yr ysgol wedi cau am wyliau'r Pasg a hithau wedi trefnu pob dim ar gyfer y gwyliau yn sir Benfro. Roedd wedi pacio rycsac yr un i'r ddau ohonynt, yn cynnwys pabell, sachau cysgu, dillad, cyfarpar coginio a mapiau.

Ar ben hynny, roedd hi wedi llwyddo i gyfuno'r gwyliau â phen-blwydd Paul drwy brynu rycsac newydd iddo ar gyfer y daith gerdded a'i lenwi â dillad cerdded newydd. Yn olaf, roedd Llinos wedi trefnu parti syrpréis i ddathlu pen-blwydd Paul. Yn eistedd ar un ochr i fwrdd y gegin yn aros i Paul ddod adref roedd ei fam a'i dad a phlant ei chwaer, Gethin a Caryl Wyn, efeilliaid pum mlwydd oed.

Yn eistedd yr ochr arall i'r bwrdd roedd rhieni Llinos a'i brawd, Noel, 32 mlwydd oed, oedd mewn cadair olwyn oherwydd ei fod yn dioddef o'r clefyd ME.

Heblaw am y ffaith fod hwn yn barti pen-blwydd ar gyfer Paul, roedd yr achlysur yn un arbennig am mai dyma'r tro cyntaf i'r ddau deulu gyfarfod â'i gilydd.

Ar ôl cyflwyno pawb i'w gilydd ryw awr ynghynt roedd pethau braidd yn lletchwith ar y dechrau, yn enwedig gan fod Llinos wedi mynnu bod angen gwisg ffansi ar y thema 'gwyddonwyr enwog' ar gyfer parti pen-blwydd Paul.

Felly, gwelwyd Syr Isaac Newton a Marie Curie yn syllu'n swrth ar Albert Einstein a Margaret Thatcher. Ond wedi i'r oedolion ddechrau ar yr ail botelaid o win a'r plant ar eu hail botelaid fawr o Coke, dechreuodd pethau dwymo. Ond, yn anffodus, ar ôl rhannu'r drydedd botelaid, dechreuodd tad Paul, Alun Price, *aka* Syr Isaac Newton, geryddu tad Llinos, Joe Burns, *aka* Albert Einstein, am ddisodli ei ddamcaniaeth ar ddisgyrchiant.

– Ond nid Albert Einstein ydw i. Dwi'n rhedeg garej ym Machynlleth, sgyrnygodd Joe Burns.

– Nag y'ch ddim. Ry'ch chi'n glerc yn y Swistir. Nag y'ch chi wedi clywed am Lee Strasberg a'r Method? gofynnodd Alun yn ffroenuchel, wedi ymgolli'n llwyr yn ei rôl newydd.

Erbyn hyn roedd Llinos yn dyheu am weld Paul yn dychwelyd adref. Gobeithiai y byddai'r achlysur hwn yn ysgogi Paul i ofyn y cwestiwn mawr iddi. Wedi'r cwbl, bu'r ddau'n byw gyda'i gilydd ers dwy flynedd a hanner bellach. Cyflymodd curiad ei chalon wrth iddi glywed yr allwedd yn y drws. Caeodd ddrws y gegin a gorchymyn i bawb fod yn dawel, cyn cerdded i'r lolfa i groesawu Paul.

Pan gerddodd Paul i mewn teimlai ryddhad o weld nad oedd Llinos wedi trefnu parti ar ei gyfer. Cusanodd Llinos ef ar ei foch ac arogli'r alcohol ar ei anadl.

Yr unig adegau y byddai Paul yn cael diod, meddyliodd, oedd pan fyddai'n gorfod ymgymryd â rhywbeth a'i gwnâi'n nerfus, fel siarad yn gyhoeddus neu deithio mewn awyren… neu, efallai, gofyn i'w gymar ei briodi?

– Paid â mynd i'r gegin, mae dy anrheg ben-blwydd di yno, wel, rhan o dy anrheg ben-blwydd ta beth. Mae'r rhan arall fan hyn, meddai Llinos gan godi'r rycsac newydd a'i osod ar fwrdd y lolfa.

– Rycsac newydd yn llawn dillad newydd ar gyfer ein gwyliau. Pen-blwydd hapus, Paul, ychwanegodd, gan agor y rycsac a thynnu trowsus porffor llachar allan ohono.

– Beth ti'n feddwl? *Very* Peter Andre…

Suddodd calon Paul wrth weld lliw benywaidd y dilledyn.

– Diolch, Llinos, lyfli, meddai, ac er mwyn osgoi gweld rhagor o ddillad cerddodd yn sydyn i'r ystafell wely sbâr drws nesaf i'r gegin, a ddefnyddiai'r ddau fel swyddfa. Tynnodd y CD o gerddoriaeth Mozart allan o'r amlen a'i osod yng ngheg dreif caled y peiriant gan ddechrau'r broses o drosglwyddo'r traciau i'w iPod.

Penderfynodd Llinos greu ychydig o hwyl cyn datgelu i Paul fod teulu agos y ddau'n eistedd yn yr ystafell nesaf.

– Gwell i ti ffonio dy rieni, Paul, awgrymodd.

– Pam, wnaethon nhw anfon carden? gofynnodd a'i dafod yn dew.

– Wel, naddo, ond dwi'n siŵr eu bod nhw yma gyda ni yn yr ysbryd, atebodd Llinos yn uchel, i wneud yn siŵr fod pawb yn ei chlywed yn y gegin ac yn gwerthfawrogi'r jôc.

Estynnodd Paul ei iPod o boced ei got a'i gysylltu â'r cyfrifiadur cyn troi at Llinos.

– Mae Mam â'i phig yn *Hello*, mwy na thebyg, tra bod Dad yn ceisio cofio'i eiriau ar gyfer perfformiad arteithiol nesaf ei gwmni am-dram, *Hello, Where's My Trousers?*, meddai er syndod i Llinos, gan na fyddai Paul fel arfer yn feirniadol o'i rieni.

Roedd yr alcohol wedi llacio'i dafod erbyn hyn, a dechreuodd deimlo rhyddhad wrth iddo fynegi teimladau y byddai fel arfer yn eu cadw iddo'i hunan. Penderfynodd ymhelaethu wrth orffen llwytho'r gerddoriaeth i'w iPod.

– Ta beth, dwi'n siŵr y bydd Mam wrthi'n llyncu'i faliwm a Dad yn yfed ddwywaith mwy o Glenfiddich nag arfer. 'Sen i'n yfed 'fyd 'sen i'n gorfod edrych ar ôl dau sbrog fy chwaer tra mae hithe a phwy bynnag mae'n bustachu 'da fe ar hyn o bryd yn treulio pythefnos yng ngwlad Groeg.

Er mwyn ceisio rhwystro pawb yn y gegin rhag clywed Paul, dechreuodd Llinos chwerthin yn uchel ar ganol ei araith am ei rieni.

Yn y gegin roedd 'na ddistawrwydd llethol, er bod wyneb tad Paul yn dechrau cochi wrth iddo arllwys gwydraid mawr arall o win iddo'i hun. Dechreuodd mam Paul ysgwyd ei phen a rholio'i llygaid mewn ymgais i gyfleu bod ei mab yn dipyn o dderyn ac mai esgus bod yn ddilornus o'i rieni yr oedd. Ymateb rhieni a brawd Llinos oedd gwenu'n wan cyn cymryd llymaid o'u gwin.

– A diolch byth nad wyt ti 'di gwahodd dy rieni. 'Na i gyd fydden ni'n 'i glywed drwy'r nos fydde dy dad yn canu 'Whiskey in the Jar' ac yn adrodd straeon am *the old country* cyn meddwi ac awgrymu nad ydw i'n ddigon da i ti.

– Dim ond dangos ei gariad tuag ata i mae Dad… ac mae e'n meddwl lot ohonot ti 'fyd, atebodd Llinos yn uchel.

– Ta beth, mae 'da fi gwestiwn i'w ofyn i ti, meddai Paul gan osod yr iPod 'nôl ym mhoced ei got.

Cyflymodd calon Llinos. Ai hon fyddai'r foment dyngedfennol?

– Llinos.

– Ie.

– Dwi eisiau gofyn ffafr fawr.

– Ie, Paul, unrhyw beth, atebodd Llinos.

– A fyddet ti mor garedig…? dechreuodd Paul, gan deimlo chwys oer yn cronni ar ei dalcen.

– Ie, Paul… ie, er y bydde'n neis petaet ti'n mynd ar dy bengliniau i ofyn.

– Wrth gwrs, Llinos. Reit, Llinos…, meddai, gan ufuddhau i'w dymuniad.

– … a fyddet ti mor garedig â gadael i fi fynd ar fy ngwyliau i sir Benfro ar 'y mhen 'yn hunan?

– O, Paul, wrth gwrs, atebodd Llinos gan roi gwên angylaidd arno.

Yna'n sydyn sylweddolodd beth oedd ei gwestiwn.

– Beth? meddai wrth i'r wên droi'n wep.

– Alla i fynd ar 'y ngwyliau i sir Benfro ar 'y mhen 'yn hunan, Llinos?

Gwgodd Llinos.

– Ti! Ar dy ben dy hunan! Hebdda i! Fe gei di dy flingo'n fyw, meddai.

Anwybyddodd Paul ei sylwadau, gan esbonio am y gwaith arloesol roedd e a Mansel wedi'i gyflawni.

– Gall y syniad yma fod yn werth cannoedd o filoedd o bunnoedd i ni… mwy na hynny, efallai. Mae hwn yn gyfle inni achub yr adran, Llinos, cyfle i ddenu myfyrwyr yn ôl i astudio Cemeg a chael gwared ar yr adran Ffilm a Theledu o'n hadeilad. Mae 'na gymaint i feddwl amdano: dyfodol yr adran, dyfodol fy ngwaith ymchwil i a Mansel. Dwi angen llonydd i feddwl.

– Gad i fi ddeall hyn yn iawn. Rwyt ti a Mansel yn mynd i neud eich ffortiwn o'ch gwaith ac ry'ch chi'n meddwl gwastraffu'r arian ar… fyfyrwyr? meddai Llinos gan grychu'i thrwyn wrth gyfeirio at y myfyrwyr.

– Does dim byd yn sicr eto, ond dwi'n siŵr ei fod yn bosib. Dwi wedi buddsoddi popeth yn y gwaith a 'na pam dwi angen yr amser i feddwl am ein camau nesa.

– Paul, wyt ti'n sylweddoli faint dwi wedi'i fuddsoddi yn y berthynas yma yn ystod y tair blynedd diwethaf?

– Llinos, ti wedi bod yn angor i fi. Dwi'n gwerthfawrogi pob dim.

– Wyt ti wir, Paul? Dwi wedi dy roi di'n gynta bob tro.

– Wel do, y rhan fwya o'r amser, meddai Paul heb sylweddoli nad yw'r gonestrwydd a ddaw law yn llaw â meddwi'n beth doeth bob amser.

– Y rhan fwya o'r amser? Ecsciws mi!

– Wel, ti'n gwbod. Mae'r ddau ohonon ni 'di bod yn brysur iawn a dy'n ni ddim wedi cael rhyw ers amser maith. Falle y bydde seibiant yn gwneud lles i'r ddau ohonon ni gan ein bod ni'n ymddwyn yn fwy fel ffrindiau neu frawd a chwaer yn hytrach na chariadon y dyddie 'ma.

Caeodd Llinos ei llygaid cyn ymateb.

– Paid â chymharu dy hun â 'mrawd i, meddai cyn codi'i llais i wneud yn siŵr fod pawb yn y gegin yn ei chlywed.

– Mae e 'di bod mor ddewr yn dygymod â'i afiechyd.

– Ti wedi newid dy diwn. Dim ond wythnos diwetha ddwedest ti fod dim byd yn bod arno fe.

– Naddo ddim.

– Do, dwedest ti mai nonsens yw ME, mai clefyd y diog ydy e a bod dim rhyfedd fod ME arno fe am mai *me, me, me* o'dd hi 'di bod erioed 'da Davros.

– Paid â galw 'mrawd i'n Davros.

– Dyfynnu ti ydw i. Ti sy'n 'i alw fe'n Davros.

Yn y gegin roedd distawrwydd llethol. Unwaith eto dechreuodd mam Paul ysgwyd ei phen a rholio'i llygaid, cyn gorffen gwydraid arall o win. Roedd Noel yn difaru nad fe oedd Davros, creawdwr y Daleks, mewn gwirionedd, oherwydd gwyddai'n iawn beth yr hoffai ei wneud i Paul.

Sylweddolodd Llinos y byddai'n rhaid iddi wneud rhywbeth yn sydyn i achub ei chroen a'r hyn wnaeth hi, yn ei phanig, oedd dechrau pardduo cymeriad Paul.

– Ti sy'n ei alw fe'n Davros pan fyddi di'n yfed ac yn gweiddi arna i, fel heno. Pam wyt ti wastad fel hyn y dyddie 'ma, Paul?

– Be? Dwi byth yn yfed.

– Ti wedi yfed heno, Paul.

– 'Set ti'n yfed 'fyd 'set ti wedi torri tir newydd yn y byd gwyddonol. Wyt ti ddim yn meddwl y bydde Mrs Muller yn Berlin, Mrs Zukov ym Moscow, Mr Braun yn Nyffryn Silicon neu Mr Xiang yn Beijing yn ymateb fel hyn hefyd?

– Ond nid fi yw Mrs Price ife, Paul? Dyna'r broblem. Falle nad ydw i'n ddigon da i ti rhagor a falle bydde Proff

Edwards yn barod i olchi dy socs, dy fwydo a threfnu dy docynnau trên di, a hyd yn oed yn boddio dy chwantau cnawdol di.

– Felly, ti'n dweud nad wyt ti eisiau dod ar wyliau 'da fi, Llinos? oedd ymateb rhesymegol y gwyddonydd.

– Ydw, a dwi byth eisiau dy weld di 'to, gwaeddodd Llinos gan ddechrau crio.

Agorwyd drws y gegin ar unwaith a gwelodd Paul saith person cyfarwydd o'i flaen.

– O damio, meddai wrth i'w fam a mam Llinos gofleidio'i gymar a hithau'n crio'n dawel.

– Dere 'ma, cariad. Pam na wedest ti wrth Mam ei fod e'n yfed cymaint? meddai mam Llinos, â'i gwisg ffansi Margaret Thatcher yn ddigon tebyg i'w gwisg arferol mewn gwirionedd. Haeddai le ymysg y gwyddonwyr enwog eraill, yn ei thyb hi, am iddi fod yn rhan o'r tîm ymchwil oedd wedi chwyldroi'r byd hufen iâ trwy greu'r enwog Mister Softee.

– Dilyn ei dad mae e, gwaetha'r modd, oedd sylw mam Paul, a hithau newydd yfed potelaid o win. Gwisgai'r un dillad ag arfer, er mai ei chymeriad gwisg ffansi oedd Marie Curie.

Yr un pryd roedd nai a nith Paul wedi dechrau rhedeg o gwmpas yr ystafell gan weiddi.

– Wncwl Paul, Wncwl Paul. Gethin yw'r proton. *Whizz, whizz, whizz*, bloeddiai Caryl Wyn, a wisgai grys-T ac 'E' anferth arno.

– A Caryl Wyn yw'r electron. *Whizz, whizz, whizz*, bloeddiai Gethin yn ei grys-T ac arno 'P' anferth.

Yna llwyddodd tad Paul i wneud ei ffordd drwy'r cwmwl proton-electron a sefyll o flaen ei fab. Gwisgai siwt dandi o'r ail ganrif ar bymtheg, roedd wig wen ar ei ben ac yn ei law chwith roedd afal.

– Pwy uffern wyt ti, William Tell? holodd Paul.

– Na, Syr Isaac Newton, er dylwn i fod wedi dod fel y Brenin Llŷr. '*How sharper than a serpent's tooth it is to have a thankless child*', meddai tad Paul cyn cael ei wthio o'r neilltu gan Noel yn ei gadair olwyn.

– Mae'n flin gen i, Paul, ond doedd dim gwisg Davros yn y siop gwisgoedd ffansi felly roedd yn rhaid i fi ddod fel Stephen Hawking. Sori mai dim ond ME sydd arna i, nid clefyd *motor neurone*.

– Noel, wir i ti, nid fi alwodd ti'n Davros, atebodd Paul gan sylwi mai'r unig wahaniaeth yn ymddangosiad Noel oedd ei fod e'n gwisgo sbectol a'i fod wedi cribo'i wallt i un ochr, fel y gwyddonydd enwog.

– Y cachgi, yn fodlon rhoi'r bai ar y chwaer orau allai unrhyw un ei chael. Petawn i'n holliach, fe fyddwn i'n gosod rhywbeth anghyffyrddus iawn i fyny dy dwll du di, ychwanegodd Noel.

– Ond galla i wneud hynny, Noel, meddai Joe Burns, tad Llinos, a safai erbyn hyn y tu ôl i'w fab.

Edrychodd Paul yn syn ar Joe. Heno roedd ganddo gnwd o wallt gwyn a mwstás mawr yn hongian uwchben ei wefus uchaf, er mai gŵr moel oedd e fel arfer.

– Rwy'n mynd i roi gwers i ti, 'ngwas i. Sneb yn siarad fel 'na 'da 'merch i, meddai gan ddechrau glafoerio.

– Wrth gwrs! Einstein! Ry'ch chi hyd yn oed yn stico'ch tafod mas fel fe. Gwych! meddai Paul cyn sylweddoli nad dyna'r adeg i ganmol dynwarediad trawiadol Joe Burns.

Roedd Joe wedi codi'i ddwrn de'n barod i daro Paul pan wthiwyd ef o'r neilltu gan dad Paul.

– Pam wnest ti 'na'r ffŵl? gwaeddodd Joe.

– Dau reswm. Yn gynta, am mai Einstein chwalodd fy namcaniaeth am ddisgyrchiant, ac yn ail am mai fi ddylai roi cweir i'r diawl dwl.

– Na, mae e wedi fy ypsetio fi'n fwy na ti. Sut alla i fod yn siŵr dy fod ti'n mynd i roi cweir go iawn iddo fe?

– Paid â dechrau, Joe, meddai mam Llinos. Cofia dy fod ti'n dal ar *suspended sentence*.

– Pwy sy'n mynd i hanner lladd pwy? oedd ymateb mam Paul gan glosio atynt.

Sylweddolodd Paul fod pawb wedi anghofio amdano fe wrth drio penderfynu pwy ddylai roi cweir iddo. Gwelodd fod ei nith a'i nai'n mynd â sylw Llinos, a safai o flaen y drws ffrynt.

– Llinos, Llinos, Gethin yw'r proton, bloeddiai Caryl Wyn.

– A Caryl Wyn yw'r electron, *whizz, whizz, whizz*, gwaeddai Gethin wrth i'r ddau redeg o'i chwmpas.

Manteisiodd Paul ar ei gyfle. Heb ddweud gair, cododd ei rycsac, cerdded o'r lolfa, trwy'r gegin ac allan drwy'r drws cefn cyn neidio dros wal yr ardd a diflannu i'r nos.

5

Roedd hi toc wedi saith o'r gloch y bore canlynol. Eisteddai Paul ar sedd gefn bws Arriva oedd newydd ddechrau ar ei daith o ddeunaw milltir ar hyd yr arfordir o Aberystwyth i Aberaeron.

Bu'n rhaid iddo dreulio'r noson cynt yn gorwedd ar un o draethau Aberystwyth yn meddwl am ei gyflafan o barti penblwydd wrth i'r sêr uwchben wincio arno. Roedd angen tawelwch arno i feddwl, a byddai'n cilio i'r traeth i feddwl ers ei ddyddiau coleg.

Cyn gynted ag y cyrhaeddodd y traeth diffoddodd ei ffôn symudol rhag ofn i Llinos geisio cael gafael arno. Ar ôl troi a throsi digwyddiadau'r noson yn ei ben penderfynodd fod ganddo ddau ddewis. Y dewis synhwyrol fyddai dychwelyd i'r fflat, ymddiheuro i bawb am ei ymddygiad, gofyn am faddeuant gan Llinos a derbyn ei gosb.

Ond roedd 'na gryn bosibilrwydd y byddai'r gosb yn cynnwys cweir cachu pants gan dad Llinos, Joe Burns. Daethai Joe i Gymru o dde Iwerddon yn 1967, yn un o giang fu'n adeiladu argae Clywedog ger Llanidloes.

Fel pob Gwyddel gwerth ei halen byddai'n barod iawn i ymladd, hyd yn oed ar ôl iddo briodi â mam Llinos a dechrau rhedeg garej ym Machynlleth ddechrau'r saithdegau. Yn ôl Llinos, er ei fod yn ei chwedegau roedd Joe Burns yn dal i ddefnyddio'i ddyrnau ar gwsmeriaid fyddai'n gwrthod, neu'n methu, talu eu biliau garej.

Y dewis arall oedd bod yn gachgi a rhedeg i ffwrdd.

Ar ôl pwyso a mesur y sefyllfa dewisodd Paul fod yn gachgi. Penderfynodd mai'r peth gorau i'w wneud fyddai osgoi pawb am rai dyddiau a mynd ar ei wyliau i sir Benfro. Cofiodd fod allweddi'i gar yn y fflat felly byddai'n rhaid iddo ddal y bws i Lan-rhath, sef man cychwyn llwybr arfordir sir Benfro. Dyma'r peth callaf i'w wneud nes byddai pawb wedi cael cyfle i bwyllo.

Tynnodd ei sach gysgu allan o'i rycsac ar y traeth a dringo i mewn iddi. Yn fuan wedi hynny, o ganlyniad i gyffro'r diwrnod, saith peint o gwrw a'r awel gysurus a ddeuai o'r môr, syrthiodd Paul i drwmgwsg.

Dihunodd tua chwech o'r gloch y bore canlynol wrth

deimlo'r glaw ar ei wyneb. Ymhen dim roedd hi'n glawio'n drwm ac agorodd Paul ei rycsac i chwilio am got, trowsus glaw a het i'w arbed rhag gwlychu. Gwgodd wrth sylwi unwaith eto ar y lliwiau llachar roedd Llinos wedi'u dewis ar ei gyfer, ond doedd ganddo fawr o ddewis ond eu gwisgo o dan yr amgylchiadau. Felly, cerddodd i lawr y stryd yn ei het goch, ei got felen a'i drowsus glaw glas golau gan edrych fel baner Rwmania. Ymhen chwarter awr roedd wedi cyrraedd gorsaf fysiau Aberystwyth.

Gwelodd yrrwr bws yn darllen papur newydd yn ei gaban a gofynnodd iddo pa un oedd y ffordd orau i gyrraedd Llan-rhath.

– Syml. Dal yr X50 draw fanco, y 7.10 a.m. i Aberaeron. Newid a dal bws y Brodyr Richards i Lanbed, y 7.50. Yna newid a dal bws y Brodyr Jones i Gaerfyrddin, yr 8.40, newid a dal bws y Brodyr Edwards, na, beth sy'n bod arna i, bws y Brodyr Williams i Lan-rhath, y 9.30, a chyrraedd Llan-rhath am 10.10.

– Diolch yn fawr, meddai Paul a cherdded at yr X50 wedi drysu'n lân. Wrth i'r bws adael Aberystwyth ni sylwodd Paul fod y cyfaill a welsai yn y dafarn y noson cynt yn dilyn y bws yn ei gar.

Ar ôl dechrau ar ei siwrnai, teimlai Paul yn euog am benderfynu dianc rhag ei gyfrifoldebau. Mewn ymgais i leddfu'i gydwybod penderfynodd wrando ar y gerddoriaeth roedd Mansel wedi'i rhoi iddo'n anrheg ben-blwydd.

Tynnodd ei iPod o un o bocedi'r rycsac a chwilio am y traciau ar y ddewislen oedd wedi'u nodi ar yr iPod fel 'Mozart 1', 'Mozart 2' ac yn y blaen.

Gwasgodd fotwm i chwarae Mozart 1, sef y Divertimento yn F. Wrth wrando ar y gerddoriaeth glasurol, caeodd ei lygaid a dechrau ar y daith fewnol y bydd y rhan fwyaf o ddynion yn ei chymryd ar ôl gwneud ffyliaid ohonyn nhw'u hunain y noson cynt.

Y cam cyntaf oedd delio â'r euogrwydd, nid yn unig am ei ymddygiad yn ystod y 'parti' ond hefyd am ei ymddygiad yn ystod y misoedd cynt. Ceryddodd Paul ei hun am ganolbwyntio'n ormodol ar ei waith a chau Llinos allan o'i fywyd. Er na fentrodd ddweud wrthi, bu Paul yn feirniadol o Llinos am geisio rheoli'i fywyd ers amser bellach. Ond efallai mai ef oedd ar fai am beidio â dangos digon o ddiddordeb ynddi.

Erbyn iddo gamu oddi ar y bws yn Aberaeron a dringo ar fws moethus y Brodyr Richards teimlai Paul fod ei ymddygiad yn anfaddeuol ac nad oedd yn haeddu cael rhywun fel Llinos yn gariad iddo.

Wrth i'r bws deithio o Aberaeron a thrwy Ddyffryn Aeron i Lanbedr Pont Steffan, dechreuodd Paul wrando ar yr ail ddarn o gerddoriaeth gan Mozart, sef Symffoni Rhif 40 yn G leiaf. Cychwynnodd ar ail gam ei daith fewnol, sef hunangyfiawnder.

Dechreuodd gwestiynu beth roedd wedi'i wneud o'i le. Efallai iddo fod braidd yn rhy onest am bawb y noson cynt, ond ai ef oedd ar fai na allai pobl dderbyn y gwirionedd? Dechreuodd feddwl mai bai Llinos a phawb arall a eisteddai yn y gegin oedd hyn i gyd. Doedd dim rheswm iddo fe deimlo'n euog. Roedd e, Dr Paul Price, wedi cynorthwyo i greu datblygiad arloesol ym myd technoleg teledu ac roedd ganddo bob hawl i ddathlu trwy fwynhau ambell ddiod.

Pwy oedden nhw i'w farnu? Yn enwedig Llinos, oedd wedi ceisio perswadio Paul i droi ei gefn ar Mansel Edwards a derbyn swydd yn y brifysgol ym Manceinion.

Daliai Paul i daranu'n fewnol pan orffennodd y symffoni wrth i'r bws gyrraedd pen y daith y tu allan i dafarn y Llew Du yn Llanbed. Erbyn iddo gamu oddi ar y bws hwnnw ac wynebu'r tywydd ffiaidd oedd yn debycach i dywydd diwrnod o Dachwedd na diwrnod o Ebrill, teimlai Paul fod Llinos yn haeddu cael llond pen ganddo.

Roedd wedi tynnu'i ffôn symudol o'i boced ac ar fin ei ffonio pan gyrhaeddodd bws y Brodyr Jones a bu'n rhaid iddo ddechrau ar drydedd ran ei daith.

Wrth i'r bws adael Llanbed a theithio drwy Lanybydder ac ymlaen i Alltwalis a Chaerfyrddin penderfynodd Paul y byddai gwrando ar y trydydd darn o gerddoriaeth gan Mozart, sef Serenata Notturna yn D, yn ei helpu i anghofio am ymddygiad gwarthus pawb arall y noson cynt. Ond ni chafodd y darn hyfryd hwnnw o gerddoriaeth yr effaith y gobeithiai amdano gan ei fod wedi dechrau ar gam olaf ei daith fewnol, sef hunandosturi.

Penderfynodd Paul ei bod hi'n hen bryd iddo ddechrau bod yn fwy awdurdodol. Roedd wastad wedi bod yn berson gwylaidd a diymhongar. O ganlyniad byddai'n gorfod ildio i bobl eraill, boed yn rhieni, yn athrawon neu'n Llinos. Yr unig le y gallai deimlo'n rhydd oedd yn y labordy pan fyddai mewn byd gwahanol, sef byd pur gwyddoniaeth.

Na, digon oedd digon. Roedd Paul ar ei ffordd i'w Ddamascus personol ac, fel Saul gynt pan syrthiodd y cen oddi ar ei lygaid, roedd y Paul hwn am ddechrau o'r newydd.

Trodd yn sydyn a gweld ei adlewyrchiad yn ffenest y bws. I ddechrau, byddai'n rhaid i'r barf 'na fynd. Roedd Llinos wedi mynnu ei fod yn tyfu barf oherwydd ei bod o'r farn y gwnâi iddo edrych yn fwy urddasol. Yn nhyb Paul edrychai fel Osama bin Laden. Na, byddai'n rhaid iddo fynd at y barbwr y cyfle cyntaf a gâi. Byddai eillio'i farf yn arwydd allanol o'r newid mewnol.

Ymhen rhai munudau cyrhaeddodd y bws orsaf fysiau Caerfyrddin. Wrth i Paul baratoi i adael y bws gofynnodd i'r gyrrwr a wyddai pryd y byddai'r bws nesa'n gadael am Lan-rhath.

– Yr un bach 'na sy'n tynnu mas o'r ranc nawr, atebodd y gyrrwr.

Neidiodd Paul oddi ar y bws a rhedeg y deugain llath tuag at y bws bach. Yn ffodus i Paul roedd y gyrrwr yn un o'r lleiafrif hwnnw sy'n ddigon trugarog i aros am bobl sydd fymryn yn hwyr.

– Diolch… diolch yn fawr, meddai Paul â'i wynt yn ei ddwrn.

– Dim problem, 'achan. Falle bydda i angen cymwynas 'da ti ryw ddiwrnod. Dyna'n athroniaeth i, wastad wedi bod. Ble ti moyn mynd?

Talodd Paul y ddwy bunt a chweugain am ei docyn i Lan-rhath a throdd ac wynebu gweddill y teithwyr, sef dwy hen fenyw a eisteddai wrth ymyl ei gilydd tua chanol y bws a dyn ifanc difywyd oedd yn gorwedd ar y sedd gefn.

Eisteddodd Paul yn y sedd o flaen y ddwy hen fenyw. Er mwyn osgoi gwrando ar eu parablu di-baid am wyrion, pris trydan a chlefydau erchyll eu cyfoedion, penderfynodd wrando ar y darn olaf o gerddoriaeth Mozart roedd Mansel wedi'i roi iddo, sef Symffoni Rhif 41, y Jupiter, yn C.

Caeodd ei lygaid i wrando ar y gerddoriaeth ysbrydoledig gan obeithio y byddai'n syrthio i gysgu nes cyrhaeddai ddiwedd y siwrnai yn Llan-rhath.

Ond ymhen dwy funud agorodd ei lygaid wrth i'r bws stopio yng ngorsaf reilffordd Caerfyrddin. Dim ond un person ddaeth ar y bws, sef dyn barfog yn ei dridegau yn cario rycsac. Talodd hwnnw am ei docyn a throi i edrych am le i eistedd. Gwnaeth Paul y camgymeriad o wenu arno, ac o ganlyniad penderfynodd y dyn eistedd gyferbyn â Paul.

Cyn iddo gael amser i gau ei lygaid a pharhau i wrando ar y symffoni gwelodd Paul fod gwefusau'r dyn yn symud. Tynnodd glustffonau'r iPod o'i glustiau.

– Sori? meddai.

– Ro'n i'n dweud bod gennych chi farf ysblennydd, meddai'r dyn yn Saesneg.

– Un yn steil Garibaldi, ie? ychwanegodd, gan anwesu ei farf ei hun, oedd yn edrych yn dipyn mwy trwsiadus nag un Paul.

– Wel, wn i ddim, dwi ddim yn arbenigwr. Dwedodd fy nghymar, cyn-gymar erbyn hyn mae'n siŵr, y byddai'n gwneud i fi edrych yn fwy golygus. Mae'n debyg bod 'da fi'r math o wyneb sy'n golygu nad oes unrhyw un yn fy nghymryd o ddifri, meddai Paul.

– Ac mae'n cuddio'ch gruddiau hefyd. Wyddoch chi pa fath o farf sy 'da fi?

– Wel, na, dwi ddim yn gwbod llawer am farfau a dweud y gwir. Fel dwedes i, fy nghyn-gariad...

– Y Van Dyck.

– Wir? Da iawn, gwych, meddai Paul.

Estynnodd y dyn ei law i Paul.

– Pleser cyfarfod â chi. Talbot yw'r enw, Max Talbot. Y'ch chi'n cerdded y llwybr cyfan? gofynnodd gan nodio i gyfeiriad rycsac Paul, oedd ar y sedd wrth ei ochr.

– Ymmm, ydw, gobeithio.

– Finnau hefyd... pythefnos o ryddid o'r ddinas, o Fryste

a'r cleientiaid. Dwi'n gweithio i'r CAB. Y'ch chi'n anelu at gerdded y llwybr cyfan mewn pythefnos?

– Ydw, gobeithio.

– Finnau hefyd, gwych. Dwi'n siŵr y byddwn ni'n taro ar ein gilydd yn eitha aml, meddai Max gan wenu.

– Gwych, atebodd Paul gan ofni y byddai ei lonyddwch a'i gyfle i feddwl am ei ddyfodol yn troi'n hytrach yn oriau hir o drafod barfau pobl enwog fel Harri'r Wythfed, Karl Marx a David Bellamy ym meysydd pebyll sir Benfro.

– Roedd gwefan y BBC yn dweud bod rhagolygon y tywydd yn dda, felly fe adawes i fy het law adre. Byw mewn gobaith, marw mewn anobaith, meddai Max gan edrych ar y glaw'n pistyllu i lawr ffenestri'r bws.

– Rwy'n gweld eich bod chi'n fwy arbrofol, meddai gan nodio'i ben i gyfeiriad het law Paul, oedd yn gorwedd ar ei rycsac.

– Rwy'n hoffi'r steil, ychwanegodd.

– Wel, ie… a dweud y gwir, Llinos, fy nghyn-gymar, brynodd hi. Dwi ddim yn ei hoffi o gwbl, meddai Paul cyn cael syniad.

– Gwrandewch, mae 'da fi het law arall yn y rycsac, meddai'n gelwyddog.

– Gallwch chi gael hon, ychwanegodd gan estyn yr het law i Max.

– Y'ch chi'n siŵr? Ry'ch chi'n garedig iawn, meddai Max gan roi'r het ar ei ben.

– Mmmm, mae'n ffitio'n berffaith. Mae'n amlwg fod ein pennau yr un maint, diolch yn fawr.

Cafodd Paul syniad arall. Llinos oedd wedi prynu pob dilledyn oedd yn ei rycsac. Os oedd e'n mynd i ddechrau o'r newydd, byddai'n syniad cael gwared â'i dylanwad cyn gynted â phosib.

– A bod yn onest, ry'n ni'n weddol agos o ran taldra a phwysau, meddai Paul gan agor ei rycsac a thynnu'r trowsus cerdded porffor allan ohono.

– Hoffech chi gael y trowsus cerdded 'ma 'fyd? Mae'n ysgafn iawn, meddai, ac esbonio y byddai Max yn gwneud ffafr ag ef trwy gymryd ychydig o'i ddillad gan ei fod ef a Llinos wedi gwahanu'r noson cynt.

– Ry'ch chi mor garedig. Mae fy rycsac i'n llawn dop, ond os y'ch chi'n siŵr, meddai Max.

Cyn iddo orffen roedd un o'r hen fenywod a eisteddai'r tu ôl i Paul wedi pwyso mlaen i gael golwg fwy manwl ar y trowsus llachar.

– Dere â'r trowsus 'na i fi, cariad, meddai, cyn gofyn,

– Beth yw'r *waist*?

– Ymmm, 36 modfedd dwi'n credu. Llinos sy'n... oedd yn prynu 'nillad i, atebodd Paul gan droi i wynebu'r hen fenyw a'r dilledyn yn ei law.

Cipiodd hithau'r trowsus o'i ddwylo ac astudio'r defnydd fel un o arbenigwyr diemwntau mwyaf craff strydoedd Amsterdam.

– Ymmm... mae Gerald ni'n 38 modfedd ond gall fentro mynd ar ddeiet. Beth wyt ti'n feddwl, Beti? gofynnodd i'w ffrind, oedd hefyd yn astudio'r trowsus erbyn hyn.

Nodiodd honno'n hunanbwysig, fel arbenigwr celf yn cadarnhau dilysrwydd llun.

– M&S, Doreen, does dim amheuaeth, meddai.

Trodd Doreen at Paul a gofyn,

– Faint y'ch chi moyn amdano fe? Mae wedi troeli ychydig, chi'n gwbod, ychwanegodd yn llawn celwydd.

– Gallwch chi 'i gael e… am ddim, atebodd Paul, yn falch o'r cyfle i gael gwared â'r dillad roedd Llinos wedi'u prynu iddo.

– O! Oes unrhyw beth arall chi eisiau cael ei wared? gofynnodd Doreen.

– Am ddim, ychwanegodd Beti.

Cyn pen dim roedd Doreen wedi'i orfodi i wagio holl gynnwys ei rycsac ar lawr y bws er mwyn iddi hi a Beti gael cyfle i dwrio trwyddo.

Saith pâr o sanau; tri phâr o bans; dau bâr o drowsus cerdded, un porffor, un glas golau; cot law felen; un pâr o *chinos* pinc golau; chwe chrys-T, rhai ohonyn nhw mewn lliwiau nas dyfeisiwyd eto; tri chrys; pabell undyn; sach gysgu; radio bach; nodiadur; pecyn cymorth cyntaf; taniwr nwy; tortsh drydan ac offer coginio ar gyfer gwersylla.

Erbyn hyn roedd y dyn ifanc difywyd wedi codi o'r sedd gefn ac wedi ymuno yn y drafodaeth ar gynnwys rycsac Paul.

– Beth sy'n mynd ymlaen fan hyn 'te? holodd gan ddod i sefyll ger Paul, Max a'r ddwy hen fenyw.

– *Closing down sale. Everything must go,* meddai Max, yn llygadu'r crysau-T ac yn ceisio penderfynu oedd 'na le i un neu ddau ohonyn nhw yn ei rycsac.

Yn ystod y pum munud nesaf diflannodd y rhan fwyaf o gynnwys rycsac Paul i rycsac Max, bagiau'r ddwy hen fenyw a bag plastig Tesco'r dyn ifanc.

Yn y cyfamser sylwodd Paul fod y bws yn gwyro o naill ochr y ffordd i'r llall bob hyn a hyn wrth i'r gyrrwr geisio dyfalu beth oedd yn digwydd. Yn y diwedd gwaeddodd y gyrrwr,

– Eisteddwch i lawr, eisteddwch i lawr… ry'ch chi'n torri rheolau'r cwmni!

Ond doedd neb yn gwrando arno am eu bod wedi ymgolli'n llwyr yng nghynnwys y rycsac. Ar ôl mynd heibio Llan-teg, tua phum milltir cyn cyrraedd Llan-rhath, trodd y gyrrwr i mewn i gilfan, stopio'r bws, camu allan o'i gaban ac ymuno â'r teithwyr.

– Reit, beth uffern sy'n mynd mlân 'ma… blydi *bazaar*?

– Mae'r bonheddwr yma'n cael gwared â'i ddillad am fod ei *young lady* wedi'u prynu nhw iddo. Daeth y berthynas i ben neithiwr, meddai Doreen.

– Wel… penderfyniad y ddau ohonon ni oedd gwahanu, a dweud y gwir, dechreuodd Paul, ond boddwyd ei esboniad gan gleber y gweddill.

– Trajic, meddai Beti gan feddwl y byddai'r *chinos* pinc oedd yn ei bag 'jest y peth' i Colin, cariad ei hŵyr, Richard.

– O! Mae'n flin 'da fi, 'machan i, meddai'r gyrrwr wrth sylwi bod rycsac Paul yn gorwedd yn llipa wrth ei ochr.

– Felly rwyt ti'n cael gwared ar bopeth? gofynnodd.

– Wel, na, dwi angen cadw'r babell, y sach gysgu, y radio, y pecyn cymorth cynta a'r rycsac, wrth gwrs, meddai Paul.

– Ie, y rycsac, mae'n un da, oedd ymateb y gyrrwr, gan edrych yn graff ar Paul.

– Faint y't ti moyn amdano? Mae'r ferch newydd orffen yn y brifysgol ac yn bwriadu cymryd blwyddyn mas yn Seland Newydd a Papua New Guinea.

– Wel, a dweud y gwir ro'n i'n meddwl cadw'r rycsac. Mae'n eitha pwysig cael rycsac os y'ch chi'n meddwl cerdded llwybr arfordir sir Benfro, chwarddodd Paul gan edrych i fyny ar y gyrrwr.

Ond chwarddodd hwnnw ddim. Yn hytrach, llyfodd ei wefusau a dweud,

– Dim problem, 'machan i. Paid â phoeni, er mod i wedi gwneud cymwynas â ti dyw talu 'nôl yn amlwg ddim at dy ddant di.

Edrychodd Paul ar y gyrrwr. Roedd e wedi stopio'r bws a gadael iddo ddod arno. Ac os oedd Paul am droi dalen newydd, dylai gael gwared â'r holl bethau roedd Llinos wedi'u prynu iddo.

– Iawn, ewch ag e. Sortiwch e i gyd mas ymysg eich gilydd, meddai gan fynd â'r iPod, y babell, y sach gysgu, y radio, llawlyfr llwybr sir Benfro a'r pecyn cymorth cyntaf gydag ef i gefn y bws. Gorweddodd ar hyd y sedd gefn, rhoi clustffonau ei iPod 'nôl yn ei glustiau ac ailddechrau gwrando ar Symffoni Rhif 41 gan Mozart.

Erbyn i'r symudiad cyntaf orffen ddeng munud yn ddiweddarach roedd wedi syrthio i drwmgwsg.

Toc wedi hynny cyrhaeddodd y bws Lan-rhath, sef man cychwyn llwybr arfordir sir Benfro. Dihunwyd Paul gan y gyrrwr.

– Oi, mêt, Llan-rhath. Diwedd y daith, meddai.

Camodd Paul oddi ar y bws a gweld Doreen, Beti a Max yn cerdded tua chanllath o'i flaen. Roedd hi'n dal i fwrw glaw ac roedd Max wedi rhoi gorchudd melyn dros ei rycsac. Gwenodd Paul wrth weld Max yn gwisgo'r het goch a'r got las golau a gawsai ganddo. Fel 'na byddwn i'n edrych petawn i heb gael gwared â'r dillad brynodd Llinos i fi, meddyliodd.

Tapiodd rhywun e'n ysgafn ar ei ysgwydd. Trodd i weld y dyn ifanc eiddil.

– Gwranda, diolch am y dillad ond dwi'n teimlo bach yn... wel... euog. Dwi wedi cael top, pans, socs ac un o dy gotiau glaw di a dyma ti yn y glaw heb ddim byd. 'Co ti, meddai gan roi ei *hoody* a bag plastig Tesco iddo.

Cyn i Paul gael amser i ddiolch iddo, roedd wedi rhedeg i ffwrdd. Trodd Paul ac wynebu'r gyrrwr.

– Wel, diolch am y rycsac. Seland Newydd amdani! meddai hwnnw cyn tanio injan y bws a dechrau ar ei daith i'w gyrchfan nesaf yn Saundersfoot.

Y tu ôl i'r bws roedd y car a'r teithiwr fu'n dilyn Paul yr holl ffordd o Aberystwyth. Siaradai'r dyn yn ddi-baid ar ei ffôn symudol wrth iddo yrru heibio. Nid edrychodd ar Paul wrth iddo ddilyn Max, Doreen a Beti yn araf.

Yn sydyn, roedd Paul ar ei ben ei hun, a'r un mor sydyn cofiodd eiriau Llinos y noson cynt. 'Ti! Ar dy ben dy hunan! Fe gei di dy flingo'n fyw.'

Roedd ar fin dechrau ar ei daith ar hyd arfordir sir Benfro yn gwisgo *hoody* a chyda phabell, sach gysgu, radio, pecyn cymorth cyntaf a theithlyfr wedi'u stwffio i fag plastig Tesco.

6

Penderfynodd Paul eistedd ar fainc ger toiledau cyhoeddus Llan-rhath cyn dechrau ar ei daith. Roedd angen llonydd arno i feddwl am ychydig. Gwyddai y byddai'n debygol o ddal i fyny â Max Talbot ymhen munudau petai'n dechrau bryd hynny am fod Max yn cario tipyn o bwysau ar ei gefn. Doedd fawr o awydd arno i drafod datblygiad mwstasys drwy'r oesoedd, felly tynnodd ei deithlyfr o'r bag plastig a gweld bod y daith o Lan-rhath i Saundersfoot yn dair milltir dros dir gwastad.

Yna cofiodd am bosau Mansel, a thynnodd y darn papur a'r cliwiau arno o'i boced a darllen y cliw cyntaf:

Gwyddonydd dihafal yn iaith y nefoedd,
Nid y cofnod ohono a'r 'e' ar ei ben,
Y sawl a'm cyflwynodd i swyn Mathemateg,
I gael synnwyr rhaid newid y drefn.

Cofiodd Paul y byddai rhan o'r ateb i'w gael rhwng Llan-rhath a Phenalun y diwrnod hwnnw, felly byddai'n rhaid iddo ganolbwyntio wrth gerdded.

Yna tynnodd ei ffôn symudol o boced ei drowsus a'i droi mlaen gan ofni'r gwaethaf. Wrth i'r sgrin oleuo suddodd ei galon pan glywodd y ffôn yn bip-bipian am ddeng eiliad. Gwelodd fod saith neges wedi cyrraedd.

Gwasgodd y botymau priodol i wrando ar y negeseuon a chymerodd anadl ddofn wrth osod y ffôn ger ei glust chwith.

Anfonwyd y neges gyntaf gan Llinos toc wedi naw'r noson cynt. Yn fras, roedd yn dweud y byddai eu perthynas ar ben os na fyddai Paul yn dychwelyd i'r fflat ymhen awr i ymddiheuro i bawb.

Anfonwyd yr ail neges am funud wedi deg. Llinos eto. Yn gryno, dywedai fod eu perthynas ar ben.

Anfonwyd y drydedd neges gan Joe Burns, tad Llinos, ddeng munud yn ddiweddarach. Roedd y neges yn un fer ond syml: dylai Paul yswirio'i bengliniau cyn gynted â phosib oherwydd byddai'n debygol o'u colli yn y dyfodol agos.

Neges gan Joe Burns oedd y bedwaredd neges hefyd, ddwy funud yn ddiweddarach. Y tro hwn rhoddodd Joe ddisgrifiad manwl o sut y byddai Paul yn colli'i bengliniau.

Erbyn hyn roedd Joe Burns wedi twymo at ei dasg, ac yn y bumed neges, funud yn ddiweddarach, dywedodd pwy fyddai'n datgysylltu pengliniau Paul o'i goesau, sef ffrindiau mileinig iawn fyddai'n fodlon gwneud hynny am ddim. Ychwanegodd y gallai'r anffawd hon ddigwydd yn unrhyw le ac ar unrhyw adeg.

Roedd Paul wedi clywed digon erbyn hyn a gwasgodd y botymau priodol i ddileu'r negeseuon y gwrandawsai arnyn nhw a'r ddwy neges arall yn ogystal, gan dybio y byddai'r rheiny'n dilyn yr un thema.

Penderfynodd y byddai'n cysylltu â Llinos ymhen diwrnod neu ddau, gan ei bod hi a'i thad yn amlwg yn feddw pan anfonwyd y negeseuon. Teimlai'n eithaf hunangyfiawn wrth sylweddoli nad ef yn unig oedd wedi gwneud ffŵl ohono'i hun y noson cynt.

Ond yna, o dipyn i beth, dechreuodd deimlo'n unig a thrist wrth iddo sylweddoli bod ei berthynas ef â Llinos ar ben.

Eto i gyd, nid nawr oedd yr amser i feddwl am hynny gan ei bod yn bryd iddo ddechrau cerdded a throi dalen newydd. Petai'n ailgydio yn ei berthynas â Llinos, ef, Dr Paul Price, fyddai'n gosod y telerau, ac os na fyddai hi, Ms Llinos Burns, yn derbyn hynny, wel, ta-ta amdani.

O leiaf roedd ganddo'i hunan-barch, meddyliodd. Cododd, rhoi'r hwd dros ei ben, codi'i fag Tesco a dechrau ar ei daith.

Teimlai'n well o lawer awr yn ddiweddarach pan gyrhaeddodd Saundersfoot am fod y glaw wedi cilio a'r haul yn tywynnu erbyn hynny. Cerddodd o amgylch y dref, a chan fod gwyliau'r Pasg wedi dechrau roedd y lle'n llawn ymwelwyr. Gwelodd siop yn gwerthu dillad a chyfarpar ar gyfer cerddwyr a gwersyllwyr. Treuliodd hanner awr bleserus yn prynu rycsac newydd, trowsus, crysau, sanau a chot law mewn lliwiau tawel, chwaethus, sef caci a llwydfelyn.

Brasgamodd ar hyd strydoedd Saundersfoot yn ymfalchïo yn ei ddillad newydd, yna gwelodd arwydd siop farbwr o'i flaen. Cerddodd i mewn i'r siop a gweld bod y lle'n wag heblaw am ddyn oedd yn tynnu at ei hanner cant a'i gefn ato'n gwylio criced ar deledu plasma anferth yn y gornel. Am ei fod yn gwisgo siaced wen a bod crib tu ôl i'w glust chwith a siswrn tu ôl i'w glust dde, casglodd Paul, yn ddigon rhesymol, mai ef oedd y barbwr.

Trodd y barbwr a gweld Paul yn syllu arno. Neidiodd o'i gadair ac estyn ei law chwith tuag at un o'r pum cadair a osodwyd yn rhes ar hyd un wal.

– England, 156 am bump. Pietersen allan am 25, meddai gan gyfeirio at y gêm brawf rhwng Lloegr ac India'r Gorllewin yn Antigua ar y sgrin.

– Ddyle fe, Pietersen, ddim fod wedi newid steil ei wallt unwaith eto, ychwanegodd gan wenu.

– Hoffwn i chi eillio'r farf a dwi'n credu gaf i *No. 2 cut* 'fyd, meddai Paul gan edrych ar y sgrin a meddwl y byddai'r barbwr yn gallu astudio gwallt Kevin Pietersen hyd yn oed yn fwy manwl ymhen rhyw flwyddyn neu ddeunaw mis pan fyddai datblygiad arloesol Mansel Edwards ac yntau'n cyrraedd y farchnad.

– Pam lai, syr, meddai'r barbwr gan dynnu'i raser o boced chwith ei got wen a'i rhoi rhwng ei ddannedd. Er bod y barbwr yn sefyll y tu ôl iddo, gallai Paul weld ei adlewyrchiad yn paratoi'r raser yn y drych o'i flaen.

Gosododd y barbwr ei law dde o dan ên Paul cyn tynnu'i ben 'nôl a gosod y raser tua chwarter modfedd oddi wrth ei wddw.

– Wrth gwrs, fe allwn i dorri'ch gwddw chi nawr, fel mochyn, meddai.

Edrychodd Paul yn y drych a gweld gwên ddireidus, filain.

Ni feiddiai symud modfedd wrth i'r barbwr ddechrau eillio'i farf yn araf. Caeodd ei lygaid a theimlo'r raser siarp yn crafu croen ei wddw. Gwyddai fod y barbwr yn dweud y gwir. Gallai ei ladd unrhyw bryd y mynnai. Wrth i'r barbwr barhau â'r eillio dywedodd,

– Wrth gwrs, petawn i'n 'ych lladd chi, bydden i'n gorfod mynd i'r carchar am bum i ddeng mlynedd, ond mae'r demtasiwn yn dal yna. Pŵer bywyd a marwolaeth yn fy nwylo, meddai cyn troi pen Paul a dechrau eillio'r ochr arall.

– Gallwn fod wedi lladd hyd at hanner cant o bobl yr wythnos, dros ddwy fil y flwyddyn am 26 mlynedd, sef 50,000 o ddynion a rhyw ugain i ddeg ar hugain o ferched, ychwanegodd cyn troi pen Paul unwaith eto a dechrau eillio o'r ochr dde.

– Gallwn fod wedi lladd unrhyw un ohonyn nhw, a falle gwna i ryw ddydd, ond nid heddiw, ontefe, syr, meddai gan orffen eillio.

Agorodd Paul ei lygaid a gweld adlewyrchiad y barbwr yn gwenu'n wylaidd arno.

– Sori am godi ofn arnoch chi, syr, ond dros y blynyddoedd dwi wedi dysgu mai'r ffordd orau o beidio â niweidio pobl wrth ddefnyddio'r *cut-throat* yw gwneud yn siŵr nad y'n nhw'n symud modfedd. A'r ffordd orau o wneud hynny yw codi ofn arnyn nhw. Mae'n system dda. Dwi ddim wedi niweidio neb ers y nawfed o Ionawr 1986, heddwch i'w lwch. Nawr 'te, syr, y *No. 2 cut*, meddai'r barbwr.

Ar ôl iddo ddianc o siop y barbwr treuliodd Paul y

chwarter awr nesa'n edrych ar adlewyrchiad ohono'i hun yn ffenestri siopau Saundersfoot.

Teimlai'n hapus wrth weld croen ei wyneb yn llyfn fel cynt, a dechreuodd gerdded y pedair milltir i Ddinbych-y-pysgod â chalon lon.

Ond erbyn iddo gyrraedd Dinbych-y-pysgod ddwy awr yn ddiweddarach doedd e ddim mor hapus. I ddechrau, roedd ei sgidiau newydd braidd yn dynn ac o ganlyniad roedd pothelli'n dechrau codi ar ei draed.

Hefyd, doedd e ddim yn gyfarwydd â cherdded yn cario rycsac oedd yn pwyso dros ddeg pwys ar hugain. O ganlyniad collai ei anadl wrth ddringo rhannau serth y llwybr rhwng Saundersfoot a Dinbych-y-pysgod.

Wrth iddo flino, dechreuodd edrych ymlaen at osod ei babell y noson honno ym maes pebyll Tek It Eezy ym Mhenalun, ddwy filltir o dref Dinbych-y-pysgod. Ond pan gyrhaeddodd frig Monkstone Point, filltir cyn cyrraedd y dref, sylweddolodd fod Llinos ac yntau wedi bwcio'r meysydd pebyll gyda'i gilydd. Felly, roedd Llinos yn gwybod lle byddai'n aros y noson honno. Roedd hynny'n golygu bod tad Llinos yn gwybod hefyd, yn ogystal â'i ffrindiau mileinig. Felly, cyn gynted ag y cyrhaeddodd Ddinbych-y-pysgod prynodd ddau becyn o fatris AA a dau gamera tsiep o siop y gornel, cyn prynu haearn sodro, gwifren gopr a dwy follten o siop nwyddau gyfagos. Dyma'r deunydd crai fyddai'n ei amddiffyn petai rhywun yn ymosod arno tra byddai'n cysgu yn ei babell.

Yna treuliodd hanner awr yn cerdded ar hyd strydoedd y dref. Ond doedd y profiad ddim yn un pleserus gan fod y lle'n orlawn o bobl ifanc yn llawn sŵn a rhialtwch. Er mwyn osgoi cael ei wthio a'i fwrw gan y criwiau swnllyd, meddw, ciliodd Paul i fynwent eglwys yng nghanol y dref.

Ar ei ffordd i'r eglwys gwelodd blac ar y wal yn datgan bod dyfeisydd yr hafalnod a thad Mathemateg ym Mhrydain, sef Robert Recorde, wedi'i eni yn y dref yn 1510.

Gwenodd Paul oherwydd roedd wedi llwyddo i ddatrys rhan o bos cyntaf Mansel.

Awr yn ddiweddarach cyrhaeddodd faes pebyll Tek It Eezy ym Mhenalun. Ymhen deng munud roedd wedi gosod ei babell ac wrthi'n paratoi ei swper o ffa pob a selsig ar ei stof nwy.

Agorodd un o'r camerâu a datgysylltu'r prif fwrdd cylched a chynhwysor y fflach. Yna cysylltodd y rhain â'r pedwar batri cyn eu cysylltu hwythau yn eu tro â botwm y camera, yna sodro'r bolltau wrth y ddyfais. Mor syml oedd creu dyfais allai roi sioc o 400,000 o foltau i unrhyw un fyddai'n cyffwrdd yn y bolltau – sioc fyddai'n cyfateb i bob pwrpas â nerth gwn Taser.

Gan fod Paul wedi prynu dau gamera a dau becyn o fatris, ymhen hanner awr arall roedd ganddo ddau wn Taser.

Roedd creu dyfais o'r fath yn rhwydd i Paul oherwydd ei wybodaeth am dechnoleg electroneg. Gwyddai petai rhywrai'n ceisio dod i mewn i'w babell yn ystod y nos y bydden nhw'n cael sioc drydanol fyddai'n ddigon cryf i'w gwneud yn anymwybodol am rai eiliadau, os nad munudau.

Ac erbyn iddynt ddeffro byddai gan Paul ddyfais arall i ymosod arnyn nhw.

Ar ôl iddo orffen ei swper, edrychodd ar bos Mansel unwaith eto:

Gwyddonydd dihafal yn iaith y nefoedd,
Nid y cofnod ohono a'r 'e' ar ei ben,
Y sawl a'm cyflwynodd i swyn Mathemateg,
I gael synnwyr rhaid newid y drefn.

Gwyddai erbyn hyn mai 'Robat' Recorde oedd y gwyddonydd dihafal yn y Gymraeg, sef iaith y nefoedd. Deallodd hefyd fod yr ail linell yn dweud wrtho am ddiystyru'r cyfenw. Cofiodd fod Mansel wedi sôn am ei fam-gu'n gosod posau mathemategol iddo pan oedd e'n fachgen, a'i henw hi oedd Sal. Ac roedd yn rhaid iddo newid trefn y llythrennau i gael yr ateb. Sylweddolodd fod y llythrennau'n dynodi symbolau cemegau, sef Ba am bariwm, Os am osmiwm, Ar am argon a Tl am thaliwm.

Ai dyna oedd yr ateb? Penderfynodd Paul y byddai'n rhaid iddo aros tan y diwrnod wedyn i ddatrys yr ail gliw, yn y gobaith y byddai hynny'n taflu ychydig mwy o oleuni ar y mater.

7

Roedd bore Sul, 17 Ebrill 2011, yn fore hyfryd. Pan ddihunodd Paul ac edrych allan o'i babell, gwelodd fod glaw a chymylau'r diwrnod cynt wedi diflannu'n llwyr. Edrychodd ar ei wats. Saith o'r gloch. Er ei bod hi'n dal yn oer yr adeg honno o'r bore, gwyddai Paul fod diwrnod poeth o wanwyn yn ei aros.

Erbyn wyth o'r gloch roedd wedi cael cawod a phacio'i sach gysgu a'i babell yn ei rycsac. Gwenodd wrth syllu ar y *multi-pack* o rawnfwyd, gan sylweddoli mai'r penderfyniad pwysicaf y byddai'n rhaid iddo'i wneud y diwrnod hwnnw fyddai ai Rice Krispies, Cocoa Puffs neu Crunchy Nut a gâi i'w frecwast.

Agorodd ail bos Mansel wrth iddo fwyta'i Rice Krispies.

Cyfuna 26 â chant a thri,
Un yn troi yn ei flwch yw ffrind etifedd Maenorbŷr.
Priflythrennau awdur fy hoff ddywediad,
Cymysga'r cyfan a bydd yr ystyr yn glir.

Wrth iddo ddarllen yr ail linell sylweddolodd Paul y byddai, mwy na thebyg, yn gorfod datrys cnewyllyn y pos pan gyrhaeddai Faenorbŷr y prynhawn hwnnw.

Dechreuodd ar ei daith ddeuddeg milltir i Freshwater East gan gerdded ar hyd ymyl maes tanio'r fyddin ym Mhenalun. Ni welodd Paul yr un enaid byw am y tair milltir nesaf wrth iddo gerdded trwy faes carafannau yn Lydstep cyn dringo rhan serth o'r llwybr a chyrraedd Skrinkle Haven.

Uwchben yr hafan honno gwelodd ddau ddyn a menyw yn paratoi ar gyfer diwrnod o ddringo. Roedden nhw'n rhy brysur yn rhoi eu rhaffau a'u cramponau mewn trefn i weld Paul yn cerdded heibio. Roedden nhw'n edrych mor hapus yn mwynhau eu rhyddid, meddyliodd.

Erbyn iddo gyrraedd Maenorbŷr awr a hanner yn ddiweddarach, roedd Paul wedi blino'n lân. Wrth iddo dynnu'i rycsac trwm a chwilio am ei becyn bwyd sylweddolodd nad oedd wedi torri gair â neb drwy'r bore. Nid oedd unrhyw synau wedi tarfu ar ei dawelwch chwaith, ar wahân i gri ambell aderyn a sisial y môr islaw. Dyma oedd rhyddid.

Eisteddodd ar draeth Maenorbŷr a syllu ar y castell lle ganed Gerallt Gymro, crwydryn fel yntau. Ond roedd Gerallt druan wedi gorfod dygymod â'r Archesgob Baldwin ar ei deithiau tra oedd e, Paul, yn rhydd i fynd ar dramp ar ei ben ei hun a bwyta'i frechdan *prawn mayo* mewn heddwch.

Ond wrth i Paul orffen ei frechdan, tarfwyd ar ei fyfyrdod

gan sŵn dau hofrenydd yn hedfan dros Faenorbŷr i gyfeiriad Lydstep a Phenalun. Gobeithiai nad oedd neb wedi cael damwain wrth ddringo'r clogwyni serth y bu ef yn cerdded wrth eu hymyl y bore hwnnw.

Yn sydyn, gwaeddodd,

– Eureka! wrth iddo ddatrys ail bos Mansel.

> Cyfuna 26 â chant a thri,
> Un yn troi yn ei flwch yw ffrind etifedd Maenorbŷr.
> Priflythrennau awdur fy hoff ddywediad,
> Cymysga'r cyfan a bydd yr ystyr yn glir.

Yr ateb i'r rhan gyntaf oedd 'haearn' neu 'Fe', sef rhif atomig 26, a'r elfen â'r rhif atomig 103, sef 'lawrenciwm', neu 'Lr'.

Etifedd Maenorbŷr oedd Gerallt Gymro, a'i ffrind ar ei daith gerdded oedd yr Archesgob Baldwin. O weld gweddill y pos a chan gofio mai hoff ddywediad Mansel oedd 'Gwnewch y pethau bychain' gan Dewi Sant, roedd Paul yn weddol ffyddiog bod yr ateb ganddo, sef 'Fe Lr I C H A R D S'.

'Fel Richards'? Beth yn y byd y gallai hynny ei olygu? meddyliodd Paul, cyn iddo sylweddoli bod holl lythrennau'r ateb i'r ail bos, fel yr un cyntaf, yn symbolau cemegol, sef haearn (Fe), lawrenciwm (Lr), ïodin (I), carbon (C), hydrogen (H), argon (Ar) a darmstadtiwm (Ds).

Edrychai ymlaen at geisio datrys y trydydd pos y diwrnod canlynol, a gwyddai y gallai fwynhau gweddill y diwrnod heb orfod meddwl am ddim byd arall.

Dechreuodd gerdded o Faenorbŷr ac ailymuno â llwybr yr arfordir ag arddeliad. Ond roedd cerdded pedair milltir olaf y dydd i Freshwater East yn dipyn o sialens am fod y dirwedd yn codi ac yn disgyn cymaint. Bu'n rhaid iddo gymryd sawl saib yn ystod y prynhawn, a chyrhaeddodd Freshwater East tua hanner awr wedi pump y noson honno, wedi cerdded ar hyd y traeth hir i gyrraedd y pentref.

Cafodd gyfarwyddiadau i leoliad yr unig faes pebyll yn y pentref gan ddyn oedd yn cerdded ei gi ar y traeth. Ar ôl i Paul ddringo'r rhiw serth i faes pebyll Fferm Pen-bryn roedd bron ag ymlâdd.

Curodd ar ddrws y ffermdy ac ymhen dim daeth dyn i'r drws.

— Paul Price, dwi 'di bwcio lle 'da chi.

Edrychodd y dyn arno'n swrth cyn dechrau gwenu pan welodd pa mor flinedig oedd Paul.

— Roy Pen-bryn, meddai gan afael yn llaw Paul a'i gwasgu'n dynn.

— Cerdded y llwybr, ife? gofynnodd Roy Pen-bryn, oedd wrthi'n bwyta'i swper.

— Ie, atebodd Paul.

— Galetach nag o'ch chi'n meddwl?

— Ydy.

— 'Na ni… unrhyw le wrth y clawdd lawr fanco'n iawn. Sneb lot 'na, y tywydd 'di bod yn wael. Dau *German* gyrhaeddodd gynne, 'na i gyd. Dewch 'nôl i dalu ar ôl i chi setlo. Dwi'n mynd i orffen fy swper a gwylio *Wales Today*. Wela i chi nes mlân.

Cerddodd Paul heibio i adeilad y cawodydd a'r toiledau i gae'r pebyll a'r carafannau. I'r chwith gwelai bum carafán ac, i'r dde, un babell. Y tu allan i'r babell honno safai dyn cydnerth yn ei bedwardegau hwyr. Roedd wrthi'n clymu tywel anferth ac arno lun Ludwig van Beethoven ar y babell mewn ymgais i'w sychu yn y gwynt cryf. Siaradai â menyw tua'r un oedran ag ef a edrychai'n syndod o debyg i'r cymeriad Rosa Klebb yn ffilm James Bond, *From Russia with Love.*

Cyfarchodd Paul y ddau gan weiddi 'Helô' cyfeillgar wrth gerdded heibio. Stopiodd tua deg llath oddi wrth eu pabell, tynnu'i rycsac oddi ar ei gefn a'i osod ar y tir, oedd yn dal i fod yn llaith yn dilyn glaw trwm y diwrnod cynt.

Penderfynodd Paul y dylai godi'i babell tra oedd ganddo ddigon o egni i wneud hynny'n weddol ddiffwdan. Dechreuodd ar y gwaith.

Yn anffodus, roedd y maes pebyll ar dir uchel uwchben y pentref a chafodd Paul drafferth i godi'r babell yn y gwynt cryf. Brwydrodd yn aflwyddiannus am rai munudau cyn sylwi bod rhywun yn sefyll wrth ei ochr.

– Gwyntog iawn heddiw, meddai ei gymydog newydd mewn Saesneg â thinc o acen Ewropeaidd.

– Ydy braidd, atebodd Paul gan barhau i ymgodymu â'r babell.

– Angen help? gofynnodd y dyn.

Cyn i Paul gael cyfle i'w ateb roedd y dyn wedi cymryd y polion o'i ddwylo.

– Daliwch yn dynn yn y babell ac fe rof innau'r pegiau yn y tir, meddai'n llawn hyder.

Ufuddhaodd Paul, wedi blino gormod i ddadlau â'r cyfaill. Ymhen llai na phum munud roedd y babell ar ei thraed. Wrth i'r ddau ohonynt edrych ar ffrwyth eu hymdrechion, cyflwynodd y dyn ei hun.

– Otto Grünwald. Pleser cyfarfod â chi, meddai gan estyn ei law.

– Paul Price, meddai Paul gan estyn ei law yntau.

– Cerdded llwybr yr arfordir? gofynnodd Otto gan wasgu llaw Paul yn dynn i ddangos ei gryfder corfforol.

– Ydw, a chithau? holodd Paul wrth dynnu'i law dde'n rhydd o law anferth Otto.

Meddyliodd Paul fod Otto'n ffitio'r ddelwedd ystrydebol o Almaenwr i'r dim. Roedd yn ddyn cydnerth, tal a'i wallt wedi'i dorri'n drwsiadus o fyr i guddio'r ffaith ei fod wedi moeli. Safai'n gefnsyth. Bron na ddisgwyliai Paul iddo godi monocl i'w lygad a chwerthin yn uchel a sarcastig gan ddatgan bod y rhyfel drosodd, iddo ef, Herr Price.

– Na, na, na, chwarddodd Otto'n uchel a sarcastig.

– Rydw i a'm partner, Lotte Spengler, yn dod yma bob blwyddyn i ddringo. Ydych chi'n gyfarwydd â dringo, Herr Price?

– Nag ydw, dwi ddim, mae arna i ofn.

– Mae'n hobi gwych. Mae rhai o'r creigiau arfordirol gorau yn Ewrop yma yn sir Benfro. Os nad y'ch chi wedi dringo'r Ganymede na'r Flimston Slab, dy'ch chi ddim wedi byw, meddai Otto.

– Falle fod dringo'n hobi rhy gynhyrfus i rywun fel fi. Faint o amser fyddwch chi'n ei dreulio 'ma? gofynnodd Paul.

– Fe fyddwn ni'n dringo yn ardal Bosherston fory cyn mentro i ardal Freshwater West ac Angle ddydd Mawrth, yna'n treulio diwrnod ym mharc antur Prenderw ddydd Mercher i fwynhau cynnwrf ychydig yn wahanol ar y *rollercoasters* yno, cyn croesi i Iwerddon am wythnos o ddringo yn ardal Wicklow. Yna byddwn ni'n troi am adre.

– A ble mae adre? Yr Almaen? gofynnodd Paul yn ddifeddwl.

Rhythodd Otto Grünwald arno am eiliad cyn gwenu unwaith eto.

– Na, Herr Price, Awstria. Mae llawer o bobl yn gwneud yr un camgymeriad. Rydw i a Lotte yn ddarlithwyr yn Universität Wien. Dwi'n arbenigo mewn cerddoriaeth Ewropeaidd arbrofol, fodern, o Weill i Can a Kraftwerk, ac mae Lotte'n arbenigo ar yr oes ramantaidd – Beethoven, Wagner, Schubert ac yn y blaen, meddai, cyn edrych yn graff ar Paul.

– A beth y'ch chi'n ei wneud, Herr Price? gofynnodd, gan edrych i fyw ei lygaid.

Teimlodd Paul ias oer yn mynd i lawr ei asgwrn cefn wrth iddo sylweddoli bod y dyn yma'n gwybod pwy oedd e. Ai Otto Grünwald o Vienna oedd e mewn gwirionedd? Cofiodd Paul neges fygythiol Joe Burns ar ei ffôn symudol. Awgrymodd tad Llinos fod ganddo ffrindiau mileinig fyddai'n fodlon datgysylltu'i bengliniau o'i goesau. Edrychai Otto fel y math o ddyn allai wneud hynny gan ddefnyddio'i ddwylo yn unig.

– Mae'n flin 'da fi, nid Price ydy fy enw i ond Rice, Herr Grünwald, atebodd Paul fel chwip.

– Mae'n ddrwg gen i. Ro'n i'n siŵr mai Paul Price ddwedoch chi.

– Na, Poll-Rice, Roger Poll-Rice. Dwi'n gweithio yn y ddinas yn Llundain a does 'da fi ddim cysylltiad ag Aberystwyth o gwbl, meddai Paul yn ddryslyd.

– Ond wnes i ddim awgrymu bod gennych chi unrhyw gysylltiad ag Aberystwyth, atebodd Otto gan edrych yn syn ar Paul, cyn ychwanegu,

– Falle wela i chi nes ymlaen. Yn ôl perchennog y maes pebyll, mae 'na gwrw da yn nhafarn y pentre. Godwn ni

Stein neu ddau efallai, meddai, gan droi i gerdded 'nôl at ei babell.

– Ie, pam lai, atebodd Paul, gan wybod y byddai'n siŵr o geisio osgoi Otto a Lotte, os mai dyna oedd eu henwau.

Ond cyn iddo gael cyfle i feddwl mwy am y mater gwelodd y ddau fod car yn teithio ar hyd y cae tuag atynt. Wrth i'r cerbyd agosáu sylwodd Paul mai menyw yn ei phumdegau cynnar oedd wrth y llyw. Wrth ei hochr eisteddai dyn a edrychai rai blynyddoedd yn hŷn na hi. Yn ei gôl eisteddai ci Alsatian yn ufudd.

Stopiodd y Vauxhall Vectra tua phymtheg llath islaw pabell Paul a chamodd y fenyw allan gan gyfarch Paul ac Otto.

– Helô. Braidd yn wyntog lan 'ma, gwaeddodd yn Saesneg wrth i'r dyn a'r ci ddod allan o'r modur.

– Dere mlân, Bob. Gwell inni osod y babell, meddai wrth ei chydymaith yn Saesneg, cyn camu at gefn y car a dechrau tynnu'r babell allan.

– Iawn, Jean, atebodd yntau gan wenu'n wan ar Otto a Paul i ddangos ei fod wedi hen ddygymod â chyfarth Jean.

– Ydych chi angen help? gofynnodd Otto gan gamu tuag atynt.

– Gwell i fi fynd i dalu'r perchennog a chael cawod, meddai Paul wrth Otto. Ond roedd hwnnw eisoes wedi cymryd polion y babell oddi ar Bob ac yn dechrau ar ei dasg.

Penderfynodd Paul y byddai'n syniad da iddo gael cawod cyn poeni Roy Pen-bryn, perchennog y maes pebyll. Tynnodd ei fag ymolchi a dillad glân allan o'r rycsac a cherdded yn araf at y cawodydd. Ceryddodd ei hun am fod mor esgeulus â rhoi ei enw iawn i Otto. Gobeithiai fod hwnnw wedi credu'i gelwyddau pan ddywedodd mai Roger Poll-Rice oedd ei enw yn hytrach na Paul Price. Penderfynodd y byddai'n rhaid iddo gadw llygad craff ar Otto a Lotte.

Cyrhaeddodd adeilad cyntefig y cawodydd. Ar ochr chwith yr adeilad roedd drws a arweiniai at gawodydd y dynion. Aeth i mewn a gweld mai dim ond un gawod oedd yno. Yn ffodus roedd yn wag. Camodd i mewn i'r ciwbicl cyfyng a sylwi bod y mesurydd talu'n derbyn darnau hanner can ceiniog. Clodd y drws, dadwisgodd yn gyflym a rhoi ei ddillad ar beg ar gefn y drws. Rhoddodd arian yn y mesurydd talu ac aros i'r dŵr lifo. Hanner eiliad yn ddiweddarach teimlodd y dŵr oer yn bwrw'i gorff. Dechreuodd floeddio geiriau anweddus wrth iddo sylweddoli nad oedd y dŵr yn mynd i dwymo o gwbl. Yn anffodus, doedd dim bwlyn ar y gawod i'w alluogi i droi'r dŵr i ffwrdd nac ychwaith i newid y tymheredd. Yn waeth na hynny, roedd y ciwbicl mor gyfyng fel na allai osgoi'r dŵr rhewllyd oedd yn tywallt drosto. Byddai'n rhaid iddo un ai aros yn y gawod am dair neu bedair munud neu ruthro allan o'r ciwbicl yn noeth. Penderfynodd ymdopi â'r artaith am ddwy funud hir arall cyn iddo glywed clic y mesurydd talu yn dynodi bod ei brofiad annymunol ar ben.

8

Bum munud yn ddiweddarach roedd Paul yn teimlo'n dipyn gwell wrth iddo guro unwaith eto ar ddrws ffermdy Roy Pen-bryn. Roedd wedi dod dros y sioc o gael cawod oer ac wedi gwisgo'i ddillad newydd, sef trowsus caci, sandals, crys-T gwyn a siwmper lwyd golau.

Agorodd Roy y drws a gofyn yn swrth,

– Un noson?

Nodiodd Paul ei ben.

– Un bunt ar bymtheg, os gwelwch yn dda, meddai Roy gan bigo'i ddannedd i geisio disodli darn o gig moch.

– Mae'n ddrwg 'da fi, ond ro'n i'n meddwl taw wyth bunt y noson oedd y lle 'ma, meddai Paul.

– Cywir, ond fe wnaethoch chi fwcio ar gyfer dau berson, Mr Paul Price a Ms Llinos Burns. Yn anffodus, mae'n rhaid i fi godi'r pris a drefnwyd. Nid fy mhroblem i yw hi nad ydy Ms Burns yma, meddai Roy gan godi'i ysgwyddau.

Roedd Paul yn rhy flinedig i ddadlau, felly tynnodd bapur ugain punt o'i waled a'i roi i Roy.

– Ro'n i'n sylwi bod eich cawod... wel, braidd yn oer, meddai wrth i Roy chwilio am newid ym mhoced ei got.

– Alla i ddim rhoi gostyngiad, *no way*. Ta beth, maen nhw'n dweud bod cawod oer yn neud mwy o les i chi na chawod boeth... *character building*, meddai Roy, oedd wedi llwyddo o'r diwedd i ddisodli'r darn cig oedd yn cuddio rhwng ei ddannedd.

– Ry'ch chi wedi camddeall. Ro'n i'n mynd i ofyn a fyddech chi'n fodlon i fi gael cipolwg ar y system wresogi, meddai Paul.

– Beth y'ch chi, plymar? gofynnodd Roy gan hanner cau ei lygaid.

– Na, ond dwi'n deall sut mae systemau gwresogi'n gweithio... *Joule heating* a rheolau thermodynameg. Mae'n eitha diddorol a dweud y gwir, meddai Paul, cyn i Roy ymyrryd.

– Faint fydd e'n gostio?

– Dim, dim byd o gwbl. Dwi'n wyddonydd... mae 'da

fi ddiddordeb, na, obsesiwn a dweud y gwir, mewn datrys pethau fel hyn.

Caeodd Roy ei lygaid unwaith eto cyn ymateb.

– Felly, fe fyddwn i'n gwneud ffafr â chi yn gadael i chi dreial fficso'r boeler?

– Wel… byddech.

– Iawn 'te, wedwn ni ddau beint os llwyddwch chi i'w fficso.

– Does dim rhaid, wir.

– Na, ry'ch chi'n 'y nghamddeall i nawr. Chi fydd yn prynu dau beint i fi os gewch chi'r boeler i weithio. Pedwar peint i gael chwarae 'da fe a methu! *Wear and tear.*

– Pam lai, chwarddodd Paul, cyn dilyn y cybydd at y cawodydd. Aethant i gefn yr adeilad. Tynnodd Roy bentwr o allweddi o boced ei drowsus ac agor drws caban y gwresogydd, oedd rhwng cawodydd y dynion ac ystafell gawodydd y merched.

Trodd Roy y golau mlaen.

– Reit 'te, bant â'r cart, meddai gan edrych ar Paul, oedd yn gwenu'n siriol ar y system wresogi. Edrychai arni fel dyn chwantus yn edrych ar fenyw hardd, yn gwerthfawrogi pob un o'i rhinweddau.

Roedd Paul wedi'i gyfareddu gan y falf nwy, y pwmp cylchredol a'r tanc ehangu. Camodd yn araf at y boeler cyn troi at Roy a dweud,

– Ydych chi wedi clywed am dair rheol thermodynameg?

– Tair rheol beth?

– Tair rheol thermodynameg, neu dair rheol anhrefn. Y rheol gynta yw na allwch chi greu na dinistrio egni. Yr ail reol yw bod yn rhaid i wres deithio o wrthrych poeth i wrthrych oer, ac nid i'r gwrthwyneb, neu'n syml fod entropi wastad yn cynyddu ym mhob system, meddai gan fynd ati i astudio gwahanol rannau'r gwresogydd.

– Wrth reswm, meddai'r ffermwr yn sarcastig, cyn i Paul ychwanegu,

– ... a'r drydedd reol yw ei bod hi'n amhosib oeri system yn gyfan gwbl.

– Ie, ond pam y'ch chi'n dweud hyn i gyd wrtha i, ddyn?

– Am fod y boeler yma'n dibynnu ar gyfuniad o'r tair rheol, a dyna pam mae'r gawod yn boeth... ambell waith, atebodd Paul gan astudio'r thermostat.

– Sai'n deall gair ry'ch chi'n ddweud, meddai Roy, yn dechrau meddwl ei fod yng nghwmni gwallgofddyn.

– Yn syml, mae'r rheol gynta yn dweud na allwch chi ennill y gêm; mae'r ail reol yn dweud mai'r unig ganlyniad posib fydd colli'r gêm; a'r drydedd reol yw na allwch chi byth ddianc rhag y gêm.

– Mae'n swnio fel priodas i fi, meddai Roy.

– Ond allwch chi fficso'r boeler 'ma?

Gwenodd Paul, oherwydd roedd wedi dod o hyd i'r broblem.

– Wrth gwrs. Y thermostat. Mae'r wifren sy'n cysylltu'r thermostat â'r *element* yn y boeler yn rhydd. 'Na i gyd sydd angen ei wneud yw sodro'r wifren wrth y thermostat. Jobyn pum munud unwaith gaf i afael ar fy haearn sodro, meddai gan droi ar ei sawdl a cherdded heibio Roy.

– Ble y'ch chi'n mynd nawr?

– Mae fy haearn sodro i yn y rycsac. Bydda i 'nôl mewn chwinciad.

– Wrth gwrs, ble arall fydde fe? meddai Roy.

Wrth i Paul gerdded 'nôl at ei babell sylwodd fod Otto Grünwald yn helpu rhywun arall i godi pabell tua deg llath i fyny'r cae o'i babell ef a Lotte Spengler.

– Ry'ch chi'n cael noson brysur, gwaeddodd Paul arno.

– Fe fydda i'n haeddu Stein neu bump yn nes ymlaen, gwaeddodd Otto yn ôl.

Gyda hynny gwelodd Paul fenyw yn ei hugeiniau'n dod allan o'r babell.

– Helô, gwaeddodd honno gan wenu arno.

– Helô, gwaeddodd Paul, yn sylwi pa mor brydferth oedd hi. Trodd i ffwrdd rhag ofn iddi feddwl ei fod e'n rhythu arni.

Â'r haearn sodro yn ei law, cerddodd 'nôl at gaban y gwresogydd yn dipyn arafach, gan obeithio cael cip ar y ferch unwaith eto.

Roedd Grünwald wrthi'n bwrw pegiau'r babell i'r ddaear yn frwdfrydig. Llyncodd Paul ei boer gan obeithio nad oedd Otto'n ymarfer ar y pegiau cyn cyflawni'r un weithred ar ei bengliniau.

Roedd y ferch ifanc bellach ar ei gliniau yn gosod y babell fewnol a'i phen-ôl yn yr awyr yn wynebu Paul.

Sylwodd fod ei phen-ôl yr un mor ddeniadol â'i hwyneb ond bu'n rhaid iddo edrych i ffwrdd yn gyflym pan drodd hi ei phen a'i ddal yn syllu arni.

– Helô eto, meddai yn Saesneg a gwenu arno am yr eildro.

– Helô, atebodd Paul gan godi'i law yn drwsgl a cherdded oddi yno'n teimlo fel bachgen ysgol yn ei arddegau.

Wrth iddo agosáu at gaban y gwresogydd ceisiodd gofio

pa bryd oedd y tro olaf iddo ef a Llinos gael rhyw. Allai e ddim cofio.

– Fydda i 'run chwinciad, meddai Paul wrth Roy, a dechrau ar ei waith yn llawn brwdfrydedd.

Wrth iddo drwsio'r thermostat roedd yn hanner gobeithio y byddai'r ferch yn mynd i'r dafarn y noson honno. Efallai y câi gyfle i siarad â hi… efallai y byddai'n meddwl mai ef oedd y dyn mwyaf diddorol iddi ei gyfarfod erioed… ac efallai y byddai ei dad yn ennill gwobr Olivier am ei bortread o Baron Hardup ym mhantomeim Pont-iets 2011.

Daeth Paul allan o'i lesmair wrth i Roy ofyn iddo,

– Odych chi'n symud mlân fory?

– Ydw. Dwi'n anelu am Bosherston, atebodd gan orffen y gwaith sodro.

– O ble daethoch chi heddi 'te?

– Penalun, atebodd Paul wrth ailosod y thermostat yn ei le priodol.

– Ry'ch chi'n lwcus i gyrraedd 'ma o gwbl, ddweden i, ychwanegodd Roy gan chwerthin yn isel.

– Pam? gofynnodd Paul, yn hanner gwrando wrth iddo wasgu'r botwm coch ar y thermostat i gwblhau'r gwaith.

– O'n i'n gwylio *Wales Today* gynne. Cwympodd rhyw fachan dros y clogwyn rhwng Penalun a Maenorbŷr neithiwr. Sblat. Nos da. Dwi 'di gorfod codi buchod a defaid ar ôl iddyn nhw gwympo dros glogwyn. Dyw e ddim yn waith pleserus, meddai Roy.

– Rhywun lleol? gofynnodd Paul wrth iddo aros i'r dŵr ddechrau cynhesu.

– Na, diolch byth. Rhyw foi oedd yn cerdded llwybr yr arfordir, 'run fath â chi. Rhywun o Fryste, dwi'n credu.

Dwi ond yn cofio hynny am fod chwaer 'y ngwraig yn byw yno.

– Bryste? gofynnodd Paul gan gofio'i fod wedi clywed rhywbeth am Fryste yn gymharol ddiweddar.

– Ie, Bryste. Nawr 'te, beth oedd enw'r boi? Oedd e'n gweithio yn swyddfeydd un o'r *do-gooders* 'na.

– Y CAB, meddai Paul yn dawel.

– 'Na ni.

– Max Talbot, meddai Paul yn dawelach fyth.

– 'Na ni, Einstein. Max Talbot oedd 'i enw fe. Blydi hel, ry'ch chi'n giamster ar y thermbingnomics ac ry'ch chi'n damed bach o Derren Brown 'fyd.

– Nadw, nadw. Os nag oes ots 'da chi, mae'n rhaid i fi fynd. Wela i chi nes mlân. Allwch chi ddweud wrtha i ble mae tafarn y pentre?

Rhoddodd Roy Pen-bryn y cyfarwyddiadau i Paul a dweud,

– Fe arhosa i 'ma i sieco yw'r dŵr yn poethi a gwela i chi yn y Freshwater Inn nes mlân. Cewch chi gyfle i ddiolch i fi am adael i chi drwsio'r boeler.

– Wrth gwrs, y ddau beint, meddai Paul gan gerdded allan o gaban y gwresogydd a'i feddwl yn llawn o Max Talbot druan, yn cerdded i ffwrdd yn cario'i rycsac. A dyna ni, rai oriau'n ddiweddarach roedd e'n gelain. Un llithriad bach a dyna hi ar ben arno.

Teimlodd Paul yn benysgafn wrth feddwl pa mor fregus oedd bywyd. Penderfynodd fod angen bwyd a diod arno. Gadawodd y maes pebyll a dechrau cerdded trwy'r pentref i gyfeiriad y Freshwater Inn.

9

Llyncodd Paul y darn olaf o'i bastai cig eidion a gwthio'i blât i'r naill ochr cyn cymryd llwnc o'i siandi. Teimlai ychydig yn well ar ôl bwyta pryd o fwyd sylweddol yng ngardd gwrw y Freshwater Inn.

Safai'r dafarn ar ben clogwyn tua milltir o bentref Freshwater East a rhyw filltir a hanner o'r maes pebyll. Y noson honno roedd yr ardd gwrw'n gymharol lawn o ymwelwyr yn mwynhau pryd o fwyd a diod wrth i'r haul suddo'n araf i'r môr o'u blaenau.

Teimlodd Paul flinder yn lledu trwy'i gorff wrth iddo syllu ar olygfa ogoneddus yr haul yn ymdrochi yn y dŵr. Cofiodd englyn 'Y Gorwel' gan Dewi Emrys, englyn y byddai Mansel Edwards yn ei ddyfynnu byth a beunydd, ac fe'i sibrydodd,

– Wele rith fel ymyl rhod – o'n cwmpas,
    campwaith dewin hynod,
   hen linell bell nad yw'n bod,
   hen derfyn nad yw'n darfod.

Wrth feddwl am Mansel cofiodd fod y cliw ar gyfer y diwrnod canlynol yn ei lawlyfr ar lwybr arfordir sir Benfro. Ond doedd dim awydd arno edrych ar y cliw ar hyn o bryd. Roedd yn dal i feddwl am Max Talbot druan.

Gallai Paul ei weld yn cerdded i'r pellter yn cario'i rycsac, a rai oriau'n ddiweddarach roedd wedi marw. Gan ei bod hi'n amlwg fod Max yn edrych ymlaen at gerdded llwybr yr arfordir roedd hi'n annhebygol iawn iddo ladd ei hun, meddyliodd.

Yn ôl Roy Pen-bryn, roedd Max wedi syrthio i'w farwolaeth rywle rhwng Penalun a Maenorbŷr. Roedd hi'n llithrig iawn dan draed y diwrnod cynt o ganlyniad i'r glaw trwm oedd wedi disgyn yn ystod y dydd. Er hynny, ni allai Paul gofio am unrhyw ddarn o'r llwybr rhwng Penalun a Maenorbŷr oedd yn beryglus o agos at ymyl y clogwyn.

Aeth ias oer i lawr ei gefn wrth iddo sylweddoli y gallai ef fod wedi dioddef yr un anffawd petai wedi penderfynu cerdded i Faenorbŷr y noson cynt.

Lledodd yr ias drwy ei gorff pan gofiodd fod Max yn gwisgo'i got a'i het ef.

– Na, nonsens llwyr, meddai ochr resymegol ymennydd Paul. Un peth oedd meddwl bod Joe Burns yn fodlon talu rhywun i'w niweidio, ond mater arall oedd cyflogi rhywun i'w ladd.

– Ond roedd Max yn gwisgo dy got a dy het di, ac roedd ganddo orchudd glaw dros ei rycsac o'r un lliw â dy rycsac di. Hefyd, roedd Max tua'r un taldra â ti… ac roedd ganddo farf. 'Sen i'n dechrau poeni 'sen i'n ti, meddai ochr afresymegol ei ymennydd.

Cymerodd Paul lwnc arall o'i beint a dechreuodd ochr resymegol ei ymennydd ei geryddu.

– Gwranda. Rwyt ti'n dechrau colli arni. Rwyt ti wedi blino'n lân ar ôl diwrnod caled o gerdded. Hefyd, dwyt ti ddim yn meddwl yn rhesymegol am fod straen y gwaith a'r gwahanu oddi wrth Llinos wedi dechrau effeithio arnat ti, meddai, heb gael unrhyw ymateb y tro hwn gan yr ochr afresymegol.

Byddai'n rhaid iddo ffonio Llinos i drafod pethau. Ond doedd ganddo mo'r egni i wneud hynny'r noson honno. Penderfynodd ei ffonio'r peth cyntaf y bore wedyn ar ôl noson dda o gwsg.

Ac yntau ar fin astudio cliw nesaf Mansel, gwelodd ei

gymdogion yn y maes pebyll, Jean a Bob, a'u ci'n cerdded tuag ato. Sylwodd fod Jean yn cario llwy a'r rhif 12 arni.

– Oes ots gennych chi os gwnawn ni ymuno â chi? gofynnodd Jean.

– Na, dim o gwbl, atebodd Paul, oedd yn falch o gael ychydig o gwmni mewn gwirionedd.

– Steddwch. Rwy'n argymell eich bod yn rhoi cynnig ar y bastai cig eidion, meddai gan roi ei lyfr yn ei boced.

– Ry'n ni wedi archebu. Samwn i fi a stêc i Bob, meddai Jean.

– ... a'r gweddillion i Nesbitt, y ci, ychwanegodd Bob.

Yna cyflwynodd Bob a Jean Runcie eu hunain. Roedd Bob yn gweithio i gwmni mewnforio ac allforio yng Nghaer-gaint a Jean yn athrawes ysgol gynradd yn yr un ddinas. Roedd y ddau wrth eu bodd yn gwersylla, ond dyma'r tro cyntaf iddynt fod ar wyliau yn sir Benfro.

– Mae'n cymharu'n dda iawn â Chernyw hyd yn hyn, meddai Bob.

– Am faint fyddwch chi 'ma? gofynnodd Paul.

– O leia wythnos. Ry'n ni'n bwriadu symud o un lle i'r llall ar hyd yr arfordir... a chi? atebodd Jean.

Esboniodd Paul ei fod yn bwriadu cerdded llwybr yr arfordir.

– Gwych. Ble ry'ch chi'n bwriadu aros nos fory? gofynnodd Bob.

– Yn Bosherston.

– A ni... a'r noson ganlynol? gofynnodd Jean.

– Angle.

– Snap, meddai Bob dan chwerthin.

– Fe fydda i'n cerdded llwybr yr arfordir tra bydd Bob a

Nesbitt yn loetran a hamddena cyn mynd i'r maes pebyll i osod y babell, meddai Jean.

– Mae'r trefniant yn gweithio'n dda. Mae Bob yn hoffi darllen a dwi'n hoffi cerdded. Mae'n bwysig iawn cael ychydig o amser i chi'ch hun ym mhob perthynas. Ydych chi'n cytuno? gofynnodd, gan rythu ar Paul.

– Dwi ddim yn siŵr. Dwi braidd yn ddryslyd ar hyn o bryd, gan mod i newydd orffen 'da 'nghariad, atebodd Paul.

– Mae'n flin gen i. Dwi'n siŵr eich bod chi'n teimlo'n isel felly, meddai Jean gan edrych ar Bob.

– Ydych, mae'n siŵr, ychwanegodd hwnnw.

– Wel... ydw a nadw. Mae'n rhywfaint o ryddhad mewn ffordd, meddai Paul a gwenu'n wan.

– Efallai, ond y'ch chi'n gwbod beth all fod o gysur mawr ar adegau fel hyn? awgrymodd Jean ac edrych unwaith eto ar Bob, oedd yn nodio'i ben.

– Nadw... beth? gofynnodd Paul a sylwi bod Bob yn tynnu llyfr o'i boced a'i roi i Jean.

– Y Beibl, meddai Jean yn dawel gan anwesu'r llyfr.

– Peidiwch â phoeni, ry'n ni'n Gristnogion, ond dim byd eithafol. Dim ond yr hen Church of England mae arna i ofn. Dy'n ni ddim eisiau achub bywydau pobl, ydyn ni, Bob?

– I'r gwrthwyneb, i'r gwrthwyneb. Petai Iesu wedi'i eni yn Swydd Caint yn hytrach nag ym Methlehem, byddai pethau mor wahanol. Roedd *sat-nav* Duw ar gyfeiliorn ar y pryd, mae'n amlwg, meddai Bob.

– Cymrwch e, meddai Jean a gwthio'r Beibl ar draws y bwrdd i gyfeiriad Paul.

– Fersiwn y Brenin Iago yw e. Prydferth, ac mae ambell stori dda ynddo 'fyd, meddai Bob.

– Allwn i byth, atebodd Paul.

– Mae mwy na digon 'da ni. Byddech chi'n ein plesio ni'n fawr iawn petaech chi'n ei gymryd, meddai Jean.

– Wel... os felly, diolch, diolch yn fawr, meddai Paul gan godi'r Beibl.

Gyda hynny clywyd llais y weinyddes yn gweiddi,

– *Table 12... Table 12.*

Cododd Jean y llwy ac ymhen eiliadau roedd bwyd Jean, Bob a Nesbitt wedi cyrraedd.

– Well i fi adael i chi fwyta'ch swper mewn heddwch, meddai Paul, yn teimlo braidd yn anghysurus yng nghwmni'r ddau Gristion selog.

– Wela i chi nes mlân falle, neu fory, meddai gan ffarwelio â'r cwpwl.

– Pob bendith, meddai Bob a Jean gyda'i gilydd a chodi'u gwydrau a'u clecian wrth wylio Paul yn cerdded oddi wrthynt.

– Gwaith da, Jean, meddai Bob.

– *Ditto*, meddai Jean.

10

Cerddodd Paul o'r ardd gwrw i mewn i'r Freshwater Inn, prynu peint arall ac yna eistedd mewn cornel dawel o'r bar i ddarllen am y llwybr rhwng Freshwater East a Bosherston cyn darllen pos Mansel ar gyfer y diwrnod canlynol:

> Diwrnod y tri thrigain
> Yn un â symbolau Rhufain,
> A dim yn gyfanswm,
> Gyda dwy atom yn Bosherston.

Cododd ei ben a gweld bod y bar yn llawn ymwelwyr. Yna sylwodd fod y fenyw ddeniadol a welsai yn y maes pebyll yn gynharach y noson honno yn eistedd wrth fwrdd tua deg llath i ffwrdd. Ni allai Paul weld gyda phwy roedd hi'n eistedd am fod y bar mor llawn. Sylwodd y fenyw ei fod yn syllu arni. Gwenodd yntau a chodi'i law i'w chyfarch. Wrth iddo wneud hynny trodd y ddau a eisteddai gyda'r fenyw i'w wynebu. Pylodd ei wên pan welodd mai Otto Grünwald a Lotte Spengler oedden nhw. Cododd ei law i'w cyfarch hwythau cyn gostwng ei ben i ailddechrau darllen er mwyn cuddio'i embaras am syllu cyhyd ar y fenyw.

Ddeg eiliad yn ddiweddarach, cododd ei ben a gweld y fenyw'n sefyll o'i flaen.

– Helô, meddai.

– Helô, meddai Paul yn swil.

– Ry'ch chi'n gwersylla yn yr un lle â fi, on'd y'ch chi? meddai'r fenyw yn Saesneg gan wenu'n siriol.

Sylwodd Paul unwaith eto ar ei phrydferthwch. Ni allai beidio â sylwi ar ei llygaid gleision a oedd, yn ei dyb ef, yn lasach na hylif copr sylffad. Roedd ei chroen cyn wynned â phowdwr alwminiwm ocsid a'i gwallt cyn ddued â phlwm ocsid.

– Ydw… ydw, diolch, atebodd yn ffwndrus. Pam yn y byd ddwedodd e 'diolch'? meddyliodd.

– Alla i ofyn i chi fod yn *preux chevalier*? gofynnodd y fenyw.

– Wrth gwrs, atebodd. Ni wyddai beth oedd *preux chevalier* ond roedd yn fwy na pharod i helpu'r fenyw.

– Dyw'r bobl dwi'n eistedd gyda nhw ddim wedi gadael llonydd i fi ers i fi gyrraedd y maes pebyll. Am ryw reswm maen nhw wedi penderfynu 'nghymryd i dan eu hadain ond dwi wedi dweud celwydd bach wrthyn nhw, mae arna i ofn. Dwedais i mod i'n eich nabod chi. Fyddech chi mor garedig ag ymuno â ni? Falle gwnân nhw adael llonydd i fi am ychydig. Carla Peel ydw i, gyda llaw.

Yn sydyn teimlai Paul yn hollol fyw. Anghofiodd ei flinder, anghofiodd ei dristwch am farwolaeth Max Talbot ac anghofiodd ei fwriad i ffonio Llinos. Wrth i'r ferch hudolus yma ymbil arno i'w helpu, teimlai fel Congrinero'r Gorllewin, neu James Bond. Pam lai? Roedd eisoes wedi dweud wrth Otto Grünwald mai ei enw oedd Roger Poll-Rice. Pam na allai greu personoliaeth newydd iddo fe'i hunan tra byddai ar ei wyliau? Doedd Paul Price ddim yn cael amser rhy dda ar hyn o bryd; efallai y byddai Roger Poll-Rice yn cael gwell hwyl arni.

– *Charmed, I'm sure.* Yr enw yw Rice, Roger Poll-Rice. Ar eich ôl chi, Carla, meddai gan ddilyn y ferch ac ymuno ag Otto Grünwald a Lotte Spengler.

Cododd Grünwald ar ei draed wrth i'r ddau gyrraedd y bwrdd.

– Ry'ch chi wedi cwrdd â Roger, dwi'n credu, meddai Carla.

– A Herr Paul... Rice, meddai Otto gan wenu'n slei.

Nodiodd Lotte ei phen heb yngan gair na gwenu. Eisteddodd Paul a Carla wrth ymyl ei gilydd yn wynebu Otto a Lotte. Hwn oedd y tro cyntaf i Paul weld Lotte'n agos, ac fe'i trawyd unwaith eto gan y tebygrwydd rhyngddi hi a Rosa Klebb, asiant SPECTRE oedd yn benderfynol o ladd James Bond. Teimlai Paul braidd yn anghyffyrddus, a gobeithiai nad oedd gan Lotte esgid a chyllell gudd ynddi.

– Felly, sut ydych chi'ch dau'n nabod eich gilydd? gofynnodd Otto.

Bu tawelwch am eiliad neu ddwy wrth i Paul a Carla geisio meddwl am gysylltiad rhyngddynt.

– Sgio, meddai Carla o'r diwedd.

Gwingodd Paul gan nad oedd yn gwybod fawr ddim am sgio. Cofiai wylio *Ski Sunday* yn achlysurol yn ystod ei ieuenctid, ac roedd brith gof ganddo fod Franz Klammer yn sgiwr enwog. Sylweddolodd fod Otto wedi gofyn cwestiwn iddo.

– Mae'n flin 'da fi? gofynnodd.

– Gofyn oeddwn i beth roeddech chi'n feddwl o Val d'Isère?

– Gwych, gwych iawn, ond dwi'n meddwl bod Franz Klammer yn well sgiwr na Val, meddai Paul yn hyderus.

O weld ymateb Otto a Lotte, sylweddolodd ei fod wedi gwneud cawl o bethau.

– Nid sgiwr yw Val d'Isère ond canolfan sgio yn ne Ffrainc, meddai Otto cyn i Carla ddechrau chwerthin.

– Maddeuwch i Roger, mae ei hiwmor ychydig ar yr ochr sarcastig, meddai, cyn ychwanegu,

– Wrth gwrs ei fod e'n gwbod am Val d'Isère. Buon ni yno dros y Nadolig ddwy flynedd yn ôl. Mae tua dwsin ohonon ni'n mynd i sgio o leia ddwywaith y flwyddyn.

– Ydyn, o leia ddwywaith y flwyddyn, cytunodd Paul, a deimlai ei fod ar dir saffach erbyn hyn.

– Fi, Carla, Dorian, Andrew, Lionel, meddai.

– Melissa, Harri, Wills, ychwanegodd Carla.

– Huey, Louie… a… a Dewey. Lot o hwyl, gorffennodd Paul gan sylwi bod Otto'n edrych yn graff arno.

– Ydych chi'n sgiwr da, Herr Poll-Rice? gofynnodd Otto. Cyn i Paul gael cyfle i straffaglu am ateb roedd Carla wedi neidio i'r adwy.

– Gwych! Mae'n gallu gwneud y 360, y 540 a'r *backscratcher*, ond mae'n rhy swil i frolio'i hun.

– A beth am y groes haearn? gofynnodd Lotte'n sydyn.

– Wel, dwi ddim wedi cyrraedd y lefel honno eto, ond mae 'da fi fedal efydd am nofio mil o fetrau, atebodd Paul.

Wrth i Carla chwerthin unwaith eto, sylweddolodd Paul ei fod wedi gwneud camgymeriad arall.

– Rwy'n credu'ch bod chi'n cael ychydig o hwyl am ein pennau ni, Herr Poll-Rice.

– Nadw, nadw wir, atebodd Paul.

– Rwy'n credu bod yn well inni fynd 'nôl i'r maes pebyll. Mae gennyn ni ddiwrnod hir o'n blaenau fory. Nos da, Herr Poll-Rice, Frau Peel.

Wrth i Otto a Lotte eu gadael, edrychodd Paul ar Carla a gweld bod dagrau'n llifo i lawr ei gruddiau.

– Diolch, diolch yn fawr. Roedden nhw mor hunangyfiawn, meddai cyn cusanu Paul ar ei foch.

– Diolch am beth?

– Am esgus nad wyt ti'n gwbod dim am sgio.

– Ond dwi ddim, protestiodd Paul, cyn sylweddoli y byddai'n well petai Carla'n meddwl iddo dynnu coes Otto a Lotte'n fwriadol.

– Dwi ddim yn gwbod am beth wyt ti'n sôn, meddai, yn ceisio edrych mor ddiniwed â phosib.

Closiodd Carla ato a sibrwd,

– Nawr 'te, Mr Roger Poll-Rice, y'ch chi'n mynd i ddweud wrtha i pwy y'ch chi go iawn?

– Dim ond os dwedwch chi pwy y'ch chi go iawn, Ms Carla Peel, atebodd Paul gan wneud ei orau glas i ddynwared Roger Moore.

Daeth cysgod dros wyneb Carla am eiliad cyn iddi sylweddoli nad oedd Paul o ddifri.

Closiodd ato a sibrwd yn ei glust,

– F'enw iawn i yw Renata Rosenthal. Roeddwn i'n arfer gweithio i wasanaeth cudd Israel, Mossad, cyn… wel, ymddeol, a dwi hefyd yn chwaraewr tennis proffesiynol.

Trodd Paul ei ben a sibrwd yng nghlust Carla,

– Hyfryd cyfarfod â chi. Dy'ch chi ddim yn ceisio darganfod fy nghyfrinachau i, ydych chi?

Symudodd Carla ei phen i wynebu Paul.

– Oes gennych chi gyfrinachau, Mr Poll-Rice?

– Oes, ond bydd yn rhaid i chi ddefnyddio'ch holl sgiliau sgio… sori, ysbio… i'w darganfod.

– Hmmm. Dwedwch fwy amdanoch eich hunan, Roger Poll-Rice.

– Ble alla i ddechrau? Fi yw mab Reginald Poll-Rice, pymthegfed Arglwydd Ceredigion, dechreuodd Paul.

Treuliodd y ddau yr awr nesaf yn malu awyr ac yn trafod eu bywydau dychmygol. Teimlai Paul fod Carla fel chwa o awyr iach.

Yna, tua hanner awr wedi deg, daeth Jean a Bob Runcie at eu bwrdd.

– Ry'n ni'n mynd 'nôl i'r maes pebyll nawr. Ydych chi'ch dau angen lifft? gofynnodd Jean.

Edrychodd Paul ar Carla gan obeithio y byddai hi'n gwrthod. Doedd e ddim eisiau i'r noson ddod i ben. Ond edrychodd Carla ar ei wats cyn dweud,

– Wel, mae'n eitha hwyr. Falle y byddai'n syniad inni fynd 'nôl i'r maes pebyll, diolch yn fawr.

Suddodd calon Paul am na châi gerdded 'nôl yng nghwmni

Carla, er efallai y byddai hi'n ei wahodd i'w phabell am baned o goffi.

– Diolch, bydd cael lifft yn hyfryd, cytunodd.

Ond wrth i'r pedwar gerdded trwy'r bar teimlodd Paul fraich ar ei ysgwydd. Trodd a gweld Roy Pen-bryn.

– Oes eiliad 'da chi? Mae Jim Pen Isaf yn cael problemau gyda'i gawod. Allwch chi roi gair bach o gyngor iddo fe? gofynnodd Roy.

– A dweud y gwir, roedd Mr a Mrs Runcie yn mynd i roi lifft i fi i'r maes pebyll, atebodd Paul.

– Roia i lifft i chi. Dim ond deg munud fyddwn ni, meddai Roy gan dynnu Paul tuag at y bar i wneud yn siŵr y byddai'n cael y ddau beint roedd Paul wedi'u haddo iddo.

Ysai Paul am gael cyfle i dreulio mwy o amser yng nghwmni Carla, ond roedd yn berson rhy gwrtais i wrthod cais Roy. Edrychodd ar Carla gan obeithio y byddai hi o gymorth iddo wneud penderfyniad.

– Paid â phoeni, wela i di fory. Dwi wedi cael diwrnod hir. Diolch am fy helpu i heno, meddai honno gan roi cusan arall ar ei foch cyn troi at Jean a Bob Runcie, a safai wrth fynedfa'r dafarn.

– Tan fory, meddai Paul cyn cael ei dywys at Jim Pen Isaf.

11

Awr a hanner yn ddiweddarach cyrhaeddodd Paul a Roy y maes pebyll.

– Diolch yn fawr am y lifft, meddai Paul wrth agor drws y car.

Pesychodd Roy, cyn dweud,

– Mae'n flin 'da fi ond pan ddwedais i y byddwn i'n rhoi lifft i chi, beth o'n i'n feddwl oedd y byddwn i'n cynnig gwasanaeth tacsi i chi.

– Faint yw e? gofynnodd Paul, oedd erbyn hyn yn dechrau dod yn gyfarwydd â natur gybyddlyd Roy Pen-bryn.

– Dwy bunt… na, tair, mae hi wedi hanner nos. Diolch, meddai Roy gan bocedu'r arian.

Ffarweliodd y ddau ac estynnodd Paul ei dortsh o boced ei got a cherdded tuag at ei babell.

Aeth heibio i babell Carla, oedd yn dawel a thywyll. Cerddodd i lawr y cae a sylwi bod golau ymlaen ym mhabell Otto Grünwald a Lotte Spengler. Wrth iddo agosáu clywodd y ddau'n sgwrsio'n frwd. Diffoddodd ei dortsh a chlosio at y babell.

Sythodd eiliad yn ddiweddarach pan glywodd yr enw 'Llinos'. Aeth yn nes eto i geisio clywed y sgwrs yn well. Ni allai glywed beth yn union roedd Otto'n ei ddweud, ond gallai glywed ambell air roedd Lotte yn ei sibrwd.

Cafodd Paul fwy o fraw fyth pan glywodd ambell air o Gymraeg yn dod o enau Lotte. Er iddo astudio Almaeneg ar gyfer TGAU bymtheg mlynedd ynghynt ni ddeallai fawr ddim o'r hyn ddywedai Otto. Cripiodd yn nes at y babell ond ni allai fentro mynd yn rhy agos ati rhag ofn i Otto a Lotte weld ei gysgod.

Gorweddodd ryw bum llath i ffwrdd yn gwrando'n astud ar sgwrs y ddau. Neidiodd ei galon pan glywodd enw Llinos sawl tro ymysg geiriau eraill na allai eu deall.

– … nicht die antwort… Llinos ist Karminimpel.

– … Nicht… Nicht… Nicht… Girlitz… Llinos farfog… Weissbartseeschwalbe.

Yn ystod y pum munud dilynol roedd Paul yn sicr iddo

glywed y geiriau 'Aber', 'brych' a 'barfog'. Ai ef oedd y brych barfog o Aberystwyth?

Erbyn hyn roedd yn weddol sicr fod Grünwald a Spengler wedi'u cyflogi gan Llinos neu ei thad i'w niweidio.

Yna llyncodd ei boer pan glywodd Otto'n dweud,

– Nein, nein, Lotte... der Nassknacker... was ist die antwort...

– Y malwr cnau, Otto, y malwr cnau... a'r cigydd mawr, atebodd Lotte.

Oedd tad Llinos wedi mynnu bod rhywbeth erchyll yn digwydd i'r brych barfog o Aberystwyth? Oedd heno'n gyfle euraid i'r cigydd mawr ddefnyddio'r malwr cnau? Rhewodd Paul wrth gofio am Max Talbot. Oedd Grünwald a Spengler wedi meddwl mai Max oedd ef y diwrnod cynt ac wedi'i wthio i'w farwolaeth dros glogwyn ger Penalun?

Ni allai brofi dim. Byddai'n rhaid iddo aros nes byddai'r ddau asasin yn ymosod arno. Ond o leiaf nawr byddai'n barod ar gyfer yr ymosodiad.

Cripiodd yn araf at ei babell cyn tynnu'r ddau wn Taser o'i rycsac. Yna tynnodd ei stof nwy o waelod ei rycsac i ferwi dŵr a gwneud y cyntaf o sawl cwpanaid o goffi y byddai eu hangen arno i'w gadw ar ddihun rhag yr ymosodiad a fyddai'n sicr o ddigwydd rywbryd yn ystod y nos.

12

Dihunodd Paul a sylweddoli ei fod yn gorwedd yn hollol noeth yn ystafell y boeler yn y maes pebyll a'i ddwylo wedi'u clymu tu ôl i'w gefn. Edrychodd o'i amgylch a gweld Llinos a'i thad, Joe Burns, yn edrych arno. Camodd Joe ato a dweud,

– Paul, Paul, Paul, oeddet ti wir yn meddwl y byddwn i'n gadael llonydd i ti ar ôl i ti sarhau fy enw da i, fy mab ac yn arbennig enw da Llinos? Dwi'n ofni y bydd yn rhaid i ti dalu'n hallt am d'ymddygiad.

Gwenodd Llinos yn faleisus cyn troi a sibrwd,

– Grünwald! Spengler! Y malwr cnau!

Gwelodd Paul Otto Grünwald yn cerdded tuag ato a'r malwr cnau anferth yn ei ddwylo tra safai Lotte Spengler yn ymyl Llinos.

– Ga i ei gusanu fe, Llinos, plis? erfyniodd Lotte.

– Â phleser, atebodd Llinos yn filain.

Plygodd Lotte o flaen Paul a dechrau ei gusanu'n ffyrnig tra closiodd Otto at ei fan gwan â'r malwr cnau ar agor. Caeodd Paul ei lygaid ac aros i'r poen ledu trwy ei gorff. Yna sylweddolodd fod y Taser ganddo yn ei law dde. Agorodd ei lygaid ac edrych i lygaid meirw Lotte. Yn wyrthiol, roedd y rhaff oedd yn dal ei ddwylo wedi diflannu. Cododd y Taser a'i wasgu'n galed yn erbyn corff Lotte.

Eiliad yn ddiweddarach clywodd Paul hi'n gwichian fel anifail ac yna sylweddolodd nad Lotte Spengler fu'n ei gusanu ond Nesbitt, ci Jean a Bob Runcie.

Sylweddolodd mai breuddwydio a wnaeth a'i fod yn gorwedd yn ei babell a gwn Taser yn ei law dde. Yn amlwg roedd Nesbitt wedi dod i'w babell i fusnesa ac wedi dechrau llyfu'i wyneb wrth iddo freuddwydio.

Cripiodd ar draws y babell at y ci, oedd yn dechrau dod ato'i hun. Diolchodd i'r nefoedd mai am eiliad neu ddwy'n unig roedd y Taser wedi cyffwrdd ag ef. Gallai fod wedi lladd yr anifail.

Erbyn hyn roedd Paul yn grac. Edrychodd ar ei wats. Hanner awr wedi saith y bore. Daeth allan o'i babell a gweld bod nodyn wedi'i glymu wrth un o'r rhaffau. Darllenodd y nodyn Saesneg.

– Roeddet ti'n cysgu mor dawel, doedd gen i mo'r galon i dy ddihuno. Wedi dechrau cerdded yn gynnar er mwyn cael cyfle i feddwl am bethau. Dwi'n aros ym maes pebyll Bosherston heno... Gobeithio dy weld ti yno, Carla X.

Cododd calon Paul pan sylweddolodd fod ganddo reswm i drechu Grünwald a Spengler.

Camodd tuag at eu pabell i wynebu'r ddau a holi beth yn union oedd eu gêm. Ond roedd y babell yn wag. Roedden nhw'n amlwg wedi mynd i gael cawod.

Brasgamodd i fyny'r cae at adeilad y cawodydd a cherdded i mewn i gawodydd y dynion. Roedd rhywun yn cael cawod. Gwelai stêm yn codi o'r ciwbicl ac am eiliad teimlai'n falch iddo lwyddo i drwsio'r gawod. Yna, gwelodd fod tywel Grünwald, yr un a llun Beethoven arno, yn hongian dros ddrws y ciwbicl.

Gwyddai Paul fod drws y gawod yn agor tuag allan, felly gafaelodd mewn brwsh a osodwyd yno i bobl olchi'r gawod ar eu holau a'i wthio yn erbyn drws y ciwbicl i atal Grünwald rhag dod allan. Yna rhedodd o'r adeilad gan obeithio nad oedd Roy Pen-bryn wedi cloi drws ystafell y boeler y noson cynt. Yn ffodus, roedd y clo'n hongian yn llipa ar y bachyn. Agorodd y drws ac ymhen eiliadau roedd wedi troi'r thermostat i ffwrdd, wedi newid yr amserydd o dair munud i ugain munud ac wedi cynyddu llif dŵr y gawod.

Rhedodd 'nôl mewn pryd i glywed Grünwald yn rhegi wrth i'r dŵr twym droi'n rhewllyd o oer. Camodd Paul at y drws gan ddal y brwsh yn dynn yn ei erbyn. Gwyddai o brofiad y byddai cyfyngder y ciwbicl yn golygu na allai

Grünwald osgoi'r dŵr rhewllyd oedd yn tywallt drosto'n ddidrugaredd.

Ceisiodd Paul gofio ychydig o'i Almaeneg TGAU.

– Pwy y'ch chi, Grünwald? gwaeddodd yn araf mewn Almaeneg i wneud yn siŵr y byddai Grünwald yn ei glywed uwchben sŵn y dŵr.

– Help, help, gwaeddodd Grünwald gan geisio agor drws y ciwbicl.

– Na, Grünwald. Atebwch y cwestiwn. Dwi ddim yn credu'ch bod chi'n deall gair o Almaeneg. Wer bist du, Grünwald?

– Ma'r dŵr 'ma'n rhewi. Gadwch fi allan, plis, atebodd hwnnw yn Gymraeg.

– Ydych chi'n dod o Awstria, Grünwald?

– Nag dw, nag dw. Holyhead. Plis, help, dwi'n rhewi.

– Da iawn. Nawr 'te, faint o arian gawsoch chi gan Llinos a Joe Burns i'n niweidio i?

– Pwy 'di Llinos? Pwy 'di Joe Burns? Helpwch fi, plis.

– Chi laddodd Max Talbot?

– Naci… ia. Be ydach chi isio i fi ddeud? Dwi'n sori am be bynnag 'nes i, meddai Grünwald gan ddechrau protestio a bwrw'r drws yn ei rwystredigaeth.

– Dyw neud 'na ddim yn mynd i'ch helpu chi, meddai Paul cyn sylweddoli bod rhywun yn sefyll y tu ôl iddo.

– Bore da, Herr Poll-Rice. Dwi wedi gadael fy nhywel yn y gawod. O, dyna fe ar y drws.

Trodd Paul i weld Grünwald yn sefyll y tu ôl iddo.

– Beth sy'n digwydd, Herr Poll-Rice? Oes 'na broblem? gofynnodd yn Saesneg.

Edrychodd Paul arno cyn troi tuag at y gawod. Teimlodd

yn ei bocedi am ei wn Taser cyn sylweddoli ei fod wedi gadael y ddau yn ei babell.

– Mae rhywun wedi cau'r drws 'ma a'i gloi 'da'r brwsh 'ma ac alla i mo'i agor, meddai Paul yn frysiog, gan gymryd cam yn ôl oddi wrth Grünwald.

– Gadewch e i fi, meddai Grünwald, yn camu i'r adwy a symud y brwsh yn ddidrafferth.

– Rhwydd iawn, Herr Poll-Rice, meddai gan droi ato.

Ond roedd Paul wedi diflannu. Cymerodd Grünwald gam yn ôl wrth i'r dyn druan a gawsai ei arteithio gan Paul wthio'r drws ar agor.

Gwelodd Grünwald ddyn yn ei dridegau cynnar â bol sylweddol a thatŵ o'r gair 'Denise' ar ei frest yn edrych yn ffyrnig arno.

– Pwy ddiawl w't ti a pwy ddiawl 'di Grünwald? gwaeddodd y dyn.

– Fi yw Grünwald. Does dim rhaid i chi ddiolch i fi, atebodd Grünwald gan wenu ac estyn ei law i'r dyn.

– Y bastard, atebodd hwnnw a bwrw Grünwald yn ei wyneb. Trawodd Otto Grünwald y dyn yn ôl a dechreuodd y ddau ymladd.

Yn y cyfamser roedd Paul wedi rhedeg 'nôl i'w babell. Aeth i mewn iddi a gafael yn y ddau wn Taser. Gwelodd fod Nesbitt y ci wedi mynd.

Daeth allan eto a gweld Jean a Bob Runcie yn cerdded tuag ato.

– Ydych chi wedi gweld Nesbitt bore 'ma? gofynnodd Bob.

– Ym... naddo, atebodd Paul yn gelwyddog.

– Fe ddihangodd o'r babell peth cynta a dy'n ni ddim yn gwbod beth sydd wedi digwydd iddo, esboniodd Jean.

– Wel, mae'n edrych yn eitha hen. Falle dylech chi baratoi'ch hunain am newyddion drwg, awgrymodd Paul.

– O na, ry'ch chi'n camddeall. Mae e yn y car a dy'n ni ddim yn deall beth sydd wedi digwydd iddo oherwydd mae wedi bod yn… wel… chwarae â choes Bob ers ugain munud, meddai Jean.

– Mae e fel ci bach chwe mis oed ac wedi cael rhyw hwb anferthol o nerth o rywle.

Gyda hynny clywodd Paul rywun yn gweiddi o ben pella'r cae.

– Poll-Rice, Poll-Rice! Ie, chi, Poll-Rice.

Trodd a gweld Otto Grünwald yn camu tuag ato a Lotte Spengler yn ei ddilyn.

Roedd Otto wedi cynhyrfu'n llwyr a dechreuodd weiddi ar Paul yn Saesneg.

– Beth yn y byd sy'n mynd ymlaen, Poll-Rice? Pam roeddech chi'n arteithio'r dyn 'na yn y gawod a meddwl mai fi oedd e? Beth ydw i wedi'i wneud i chi, Poll-Rice?

Sylwodd Paul fod dillad Grünwald wedi'u rhwygo a bod un o'i lygaid yn dechrau cau o ganlyniad i'r ymladdfa â'r dyn oedd yn y gawod.

Teimlodd Paul yn ei bocedi i wneud yn siŵr fod y ddau wn Taser yno cyn ateb,

– Alla i ofyn i chi'ch dau pam roeddech chi'n sibrwd yn Gymraeg neithiwr… yn sôn am Llinos a'i chynlluniau ar gyfer y brych barfog o Aber? Ai chi yw'r cigydd mawr, Grünwald? A beth oeddech chi'n meddwl gwneud i fi â'r malwr cnau?

– Ydych chi'n cyhuddo Herr Grünwald a Frau Spengler o geisio…? dechreuodd Bob.

– Fy lladd i? Ydw. Llinos yw fy nghyn-gymar ac mae hi, a'i thad, wedi talu i'r ddau yma fy lladd i, meddai Paul cyn troi at Grünwald a Spengler.

– Gwadwch e.

Tynnodd y ddau wn Taser o'i boced.

– Mae 'da fi ddau Taser a dwi'n barod i'w defnyddio nhw, gwaeddodd â'i lygaid yn melltio.

– Bedeutet dies etwas? gofynnodd Otto i Lotte.

– Ich erinnere mich jetzt. Sie testeten mich aug Iolo Williams buch der Europäischen und der Walisische Vögel.

Pan glywodd enw Iolo Williams dechreuodd Paul sylweddoli ei fod, o bosib, wedi gwneud camgymeriad erchyll.

Trodd Otto Grünwald ato a dweud,

– Rhowch eich Tasers o'r neilltu, Herr Poll-Rice. Gadewch i fi esbonio. Ry'n ni wedi dod i Gymru bob blwyddyn er 2006 ac mae Lotte wedi dechrau dysgu Cymraeg ond dyw hi ddim yn ddigon hyderus i ddefnyddio'r iaith. Neithiwr roeddwn i'n rhoi prawf iddi ar enwau Cymraeg adar Cymru o lyfr gwych Herr Iolo Williams.

– Adar fel y llinos fach, y llinos goch, y malwr cnau, y gorswennol farfog, pibydd yr aber, yr eryr euraid, brych y coed a'r cigydd mawr, Herr Poll-Rice. Dwi'n credu ein bod ni'n haeddu ymddiheuriad, meddai Lotte mewn Cymraeg perffaith.

Teimlodd Paul gymysgedd o ryddhad ac embaras. Sylweddolodd hefyd fod ei nerfau ar chwâl o ganlyniad i bopeth oedd wedi digwydd.

Ac yntau wedi canolbwyntio'n gyfan gwbl ar ei waith ers dros flwyddyn, roedd wedi llwyddo i strywio'i berthynas â

Llinos, wedi cyhuddo cwpwl diniwed o geisio'i ladd, wedi rhoi sioc drydanol i gi oedrannus ac wedi arteithio person hollol ddieuog mewn cawod ar faes pebyll yng nghanol sir Benfro.

– Mae'n flin 'da fi… Beth alla i ddweud?

– Beth am '*Auf Wiedersehen*'? meddai Otto Grünwald gan droi ar ei sodlau a cherdded 'nôl i'w babell a Lotte yn ei ddilyn.

Trodd Paul i wynebu Bob a Jean Runcie.

– Dwi'n credu bod angen ychydig o gwmni arnoch chi, awgrymodd Jean.

– Fe gerdda i gyda chi heddiw os y'ch chi angen siarad am bethau, ychwanegodd.

– Diolch, ond na, dwi'n credu bod angen amser arna i i feddwl am bethau, atebodd Paul cyn cerdded at ei babell a dechrau ei thynnu i lawr. Byddai ganddo dipyn i feddwl amdano yn ystod y daith ddeng milltir i Bosherston.

Gwenodd yn wan wrth feddwl y byddai'n gweld Carla eto, ta beth. Doedd neb yn ceisio'i ladd wedi'r cwbl.

13

Y noson cynt am wyth o'r gloch, tua'r un adeg ag y cyfarfu Paul â Carla Peel, roedd yr Athro Mansel Edwards newydd orffen ei swper. Bwytodd ei wledd o Findus Crispy Pancakes, sglodion ffwrn a phys gan fwynhau potelaid o gwrw Speckled Hen wrth wylio rhifyn o *Countryfile*.

Ar ôl gorffen ei fwyd aeth â'r llestri at sinc y gegin. Penderfynodd eu gadael heb eu golchi. Cerddodd o'r gegin trwy'r lolfa ac i'w swyddfa i ddarllen a gwrando ar gerddoriaeth am ychydig.

Trodd olau'r swyddfa ymlaen a gweld dyn yn eistedd yn ei gadair esmwyth yn ei wynebu.

– Felly ry'ch chi wedi dod, meddai Mansel heb gynhyrfu dim, gan aros yn ei unfan wrth y drws.

– Roeddech chi'n gwbod y bydden i'n dod.

– Roeddwn i'n meddwl y byddai rhywun yn dod.

Cododd y dyn o'r gadair a cherdded at fwrdd cyfagos lle roedd poteli o wisgi a rym ger rhes o wydrau a charáff o ddŵr.

– Glenfiddich? *Neat*? gofynnodd.

– Ry'ch chi wedi gwneud eich ymchwil. *Neat*, atebodd Mansel gan eistedd yn dawel mewn cadair esmwyth gyferbyn â'r gadair roedd y dyn newydd godi ohoni.

– Byddai'n haws petaech chi'n ei yfed mewn un llwnc, meddai'r dyn gan gymysgu powdwr gwyn yn y ddiod cyn estyn y gwydryn i Mansel.

– ... ac yna gallwch chi gael un arall, ychwanegodd.

– Diolch, Metron, meddai Mansel.

Yfodd Mansel y ddiod ac estyn y gwydryn i'r dyn. Llenwodd hwnnw wydraid arall hael o Glenfiddich a'i roi i'r gwyddonydd cyn cerdded 'nôl i'w sedd.

– 'Crito, mae arnon ni geiliog i Asclepius. Tala fe a phaid ag anghofio', meddai Mansel gan gymryd dracht hir o'r wisgi.

– Mae'n flin gen i? gofynnodd y dyn mewn penbleth.

– Socrates, ei eiriau olaf... Mae'n od beth sy'n dod i feddwl dyn pan fydd ar fin marw. Ta beth, faint o amser sy 'da fi?

– Rhai munudau. Tua deg munud, efallai.

– Da iawn. Dwi wedi pendroni'n aml am fy ngeiriau

olaf... mae 'Mam' mor amlwg, wrth gwrs. Mae'n dibynnu a gewch chi gyfle ai peidio. Dyw damwain car neu drawiad ar y galon ddim yn rhoi digon o amser i rywun baratoi ac, wrth gwrs, mae'n bwysig bod rhywun arall yno i glywed eich geiriau olaf. Felly, diolch yn fawr i chi, meddai Mansel cyn cymryd llwnc hir arall o'i wisgi.

– Mae'n... na, nid yn bleser, mae'n fraint. Yn bersonol, dwi'n hoffi geiriau olaf Oscar Wilde, 'Mae'n rhaid i fi neu'r papur wal 'na fynd.'

Chwarddodd Mansel cyn i'r dyn ychwanegu,

– Oes gennych chi ffefryn?

– Arhoswch am ddeg munud ac fe ddweda i wrthoch chi. Gwreiddioldeb yw popeth mewn bywyd. Ta beth, mae'n bryd inni drafod busnes. Dwi'n cymryd yn ganiataol eich bod wedi rhyng-gipio'r e-bost ac arno ganlyniadau'r gwaith a'r ddamcaniaeth anfonais i nos Wener?

– Wrth gwrs. Ddylech chi ddim fod wedi anfon deunydd mor... gawn ni ddweud... sensitif at ein gwrthwynebwyr. Roedd yn rhaid i fi ddod yma heno neu byddech chi wedi sylweddoli bore fory nad oedd neb wedi ateb eich e-byst a'n bod ni wedi'u rhyng-gipio nhw.

– E-byst?

– Ry'n ni wedi bod yn monitro'ch e-byst a'ch galwadau ffôn ers misoedd, ers i ni sylweddoli pwysigrwydd eich gwaith, wel, arloesol, os ca i ddweud.

– Diolch, ac wrth gwrs, oherwydd fy mhenderfyniad mae'n rhaid i chi gael gwared arna i, am fy... beth yw'r gair?

– Brad?

– Mae penderfyniad yn air mwy niwtral amdano. Mae penderfyniad yn dynodi ffaith tra bo brad yn oddrychol.

– *Touché*.

– Er mai goddrychol yw pwysigrwydd fy ngwaith i fi. Dyw datblygiad teledu LCD tri dimensiwn ddim yn yr un cae â Theori Perthnasedd Cyffredinol Einstein neu ddarganfod *graphene*.

– Ry'ch chi'n galed iawn arnoch chi eich hun. Mae'r diwydiant teledu'n werth dros driliwn o bunnoedd y flwyddyn a byddai eich penderfyniad wedi costio'n ddrud i'r cwmni rwy'n gweithio iddo… wel, gawn ni ddweud y bydden ni wedi colli'n lle fel rheolwyr y farchnad.

– *Touché*, atebodd Mansel gan orffen ei ddiod.

– Diod arall?

– Ydych chi'n trio fy meddwi i? gofynnodd Mansel gan nodio'i ben.

– Dy'ch chi ddim fy nheip i, atebodd yr asasin a chodi o'i sedd i arllwys gwydraid arall.

– Dy'ch chi ddim fy nheip i chwaith. Piti, ro'n i'n edrych ymlaen at ddydd Mawrth 'fyd.

– A ie, dydd Mawrth, y lanhawraig, Jane Williams, fydd yn dod yma am ddau. Ry'ch chi'n dod adre am chwech ac mae hi'n gadael am naw.

– Ry'ch chi wedi gwneud ymchwil go iawn ar fy mywyd. Fyddai ei gŵr ddim yn gwerthfawrogi pe bai'n gwbod am ein cytundeb ariannol.

– Beth sydd mor sbesial amdani hi? Mae hi'n 55 mlwydd oed.

– O'i chymharu â'r merched ifanc yn eu tridegau ry'ch chi wedi'u hanfon ata i dros y chwe mis diwethaf? Mae hi'n hollol onest. Ta beth, faint o amser sy 'da fi nawr? gofynnodd Mansel gan gymryd y gwydraid o wisgi gan yr asasin.

– Pum neu chwe munud arall cyn i'r gwenwyn gyrraedd y galon.

– Rhowch ychydig o gerddoriaeth ymlaen.

Trodd y dyn at y chwaraeydd CD gerllaw a'r silff o CDs uwch ei ben.

– Wagner, 'Die Liebestod'?

– Na, rhy amlwg. Dwi'n un o blant y chwedegau. Captain Beefheart, *Ice Cream for Crow*, i'r chwith.

– Diolch, meddai'r dyn gan ddod o hyd i'r CD, ei osod yn y chwaraeydd a gwasgu'r botwm priodol.

– Fyddwch chi'n aros tan y diwedd? gofynnodd Mansel.

– Dwi'n broffesiynol ac mae'n rhaid i fi wneud yn siŵr fod popeth yn cael ei wneud yn iawn.

– Wrth gwrs. Faint o bobl y'ch chi wedi'u lladd?

– Dwi erioed wedi cyfri.

– Wrth gwrs, mae un farwolaeth yn drasiedi, ond mae…

– Dy'ch chi ddim yn ystadegau.

– Ystadegau, gair lluosog. Beth y'ch chi'n feddwl wrth ddefnyddio'r gair 'ystadegau'?

– Mae'n flin gen i, ond mae gadael iddo *fe* fyw'n ormod o risg.

– Na, mae Paul yn hollol ddieuog. Dyw e'n gwbod dim… dim ond dilyn fy nghyfarwyddiadau i wnaeth e.

– Os felly, pam wnaeth e ddianc trwy ddrws cefn ei fflat nos Wener gan osgoi'n dynion ni, a chuddio drwy'r nos cyn dal bws ben bore i sir Benfro? Rybuddioch chi fe, on'd do? Dim ond drwy hap a ffawd y gwelodd un o'n bobl ni fe yn yr orsaf fysiau. Hefyd, pam roddodd e 'i ddillad i ddyn dieithr cyn eillio'i farf a newid ei bryd a'i wedd yn gyfan gwbl? Roedd e'n gwbod ei fod mewn perygl. Mae'n amlwg eich bod wedi dweud popeth wrtho.

– Na, dyw e'n gwbod dim. Sai'n deall gair ry'ch chi'n 'i ddweud.

– Roedd e'n eitha cyfrwys ac fe orfododd ni i... wel, i wneud camgymeriad a newid ein cynllun gwreiddiol, sef gwneud yn siŵr ei fod e'n cael damwain. Byddai'r newyddion am ei farwolaeth wedi bod yn ormod i'ch calon chi, a chithau â phwysedd gwaed uchel yn ôl eich cofnodion meddygol. Dyna oedd y cynllun gwreiddiol. Ond nawr bydd yn rhaid i ni gael gwared arno mewn ffordd fwy cyfrwys.

Gwenodd Mansel cyn gorffen ei ddiod.

– Llongyfarchiadau ar gael gafael ar fy nodiadau meddygol. Ta beth, fyddwn i ddim yn lladd Paul petawn i'n chi, meddai.

– Pam?

Cododd Mansel ei wydryn i gyfarch yr asasin cyn dweud,

– Y ffyliaid! Dy'ch chi ddim yn deall, nag y'ch chi? Anfonais i mo'r canlyniadau na'r ddamcaniaeth gywir trwy e-bost nos Wener. Ro'n i'n ofni y byddech chi'n dod i chwilio amdana i cyn bo hir, ac yn gwbod y byddai'n cymryd tipyn o amser i'ch gwyddonwyr ddarganfod mai nonsens oedd y gwaith ar yr e-bost.

– Ond...

– Gadewch i fi orffen. Gyda llaw, does dim tystiolaeth o 'ngwaith i ar unrhyw gyfrifiadur yn y lle 'ma, nac yn y labordy, nac yn fflat Paul chwaith. Dwi wedi bod yn fachgen drwg iawn.

Ddywedodd y dyn 'run gair, dim ond edrych i fyw llygaid Mansel a cheisio dyfalu a oedd y gwyddonydd yn dweud y gwir ai peidio.

– Wrth gwrs, ry'ch chi wedi gwneud cymwynas fawr â fi, ychwanegodd Mansel, oedd erbyn hyn yn dechrau teimlo'n fyr ei anadl.

– Ym mha ffordd? gofynnodd y dyn yn chwerw.

– Alzheimer's. Ges i'r diagnosis chwe mis yn ôl. Yn anffodus i chi, does dim cofnod o hynny am fod fy meddyg yn ffrind i fi ers fy nyddie coleg, ac fe ddarbwylles i fe i beidio â chynnwys y diagnosis hwnnw yn fy nodiadau. *Bad luck, old boy, not cricket*, meddai Mansel, cyn ychwanegu ar ôl dracht arall o'i Glenfiddich,

– Dylech chi weld eich wyneb, mae'n bictiwr. Ta beth, do'n i ddim eisiau colli'r cof yn ara bach oherwydd y salwch, fel oedd yn digwydd pan oeddech chi'n diffodd hen setiau teledu ers talwm a gwylio'r llun yn mynd yn smotyn bach gwyn yn raddol cyn diflannu'n gyfan gwbl. Ond dwi ddim yn siŵr a fyddwn i wedi bod yn ddigon dewr i wneud y penderfyniad i ladd fy hun.

– Nonsens llwyr.

– Wrth gwrs, os ydych chi eisiau'r canlyniadau a'r ddamcaniaeth gywir, dwi wedi gadael cliwiau i Paul eu datrys ar y llwybr yn sir Benfro. Un rheswm arall dros gadw Paul yn fyw yw bod mwy i'r gwaith nag oeddwn i, ac yn sicr eich pobl chi, yn sylweddoli, a Paul yn unig all ateb y cliwiau. Petawn i'n eich lle chi, byddwn i'n gwneud yn siŵr bod Paul yn parhau'n fyw ac yn iach, a'i benderfyniad ef fydd rhoi'r ddamcaniaeth i chi neu i'ch gwrthwynebwyr, fel ry'ch chi'n eu galw. Mae'r wybodaeth i gyd yn ei ddwylo fe, ac yn ei ddwylo fe'n unig.

Edrychodd y dyn ar Mansel am eiliadau hir cyn codi ar ei draed.

– Celwydd! gwaeddodd.

– Dyw dynion sydd ar fin marw ddim yn dweud celwydd, gyfaill. Eich penderfyniad chi yw e. Cadw Paul yn fyw ac efallai gael gafael ar ddarganfyddiad mwy chwyldroadol na'r hyn roeddech chi wedi'i freuddwydio amdano hyd yn oed. Neu ei ladd a cholli'r cyfle'n gyfan gwbl. Dwi wedi blino nawr, meddai Mansel wrth iddo ddechrau teimlo'n gysglyd. Caeodd ei lygaid am eiliad cyn codi'i law ac erfyn ar y dyn i glosio ato.

– Dewch yma, mae 'da fi rywbeth pwysig i'w ddweud wrthoch chi. *I've got a lovely bunch of coconuts*, sibrydodd yng nghlust y dyn.

– Beth?

– Dwi wedi penderfynu beth fydd fy ngeiriau olaf. Dysgodd Sal Parcybedw, fy mam-gu, y gân i fi pan o'n i'n fabi. Dyna'r peth cynta dwi'n ei gofio. Pa ffordd well o adael y byd na gyda'r un atgof?

– Na! Ble mae'r canlyniadau? Ry'ch chi'n dweud celwydd. Beth mae Paul yn 'i wbod?

– ... *I've got a lovely bunch of coconuts, There they are, all standing in a row, Big ones, small ones, some as big as your head, Give them a twist, a flick of the wrist, That's what the showman said... I've got a lovely bunch of coconuts*, sibrydodd Mansel cyn gwenu a chau ei lygaid am y tro olaf.

Ymhen eiliadau roedd y dyn yn siarad ar ei ffôn symudol.

– Does dim ots gen i faint o'r gloch yw hi yn Tokyo. Dwi angen gwbod gan y gwyddonwyr erbyn bore fory. A'r neges yw bod Rodgers wedi mynd ar y trên ond dyw

Hammerstein ddim yn mynd i ymuno ag ef heno. Ie, dyna ni, dyw e ddim yn mynd i ymuno ag ef. Fe ddechreuwn ni ar gynllun newydd bore fory.

14

Fore trannoeth cerddodd Paul Price fel Gurkha am y ddwy filltir gyntaf o'i daith o Freshwater East i Bosherston. Wrth iddo frasgamu â'i ben i lawr, ceryddodd ei hun am ildio i'w baranoia am fygythiadau Joe Burns.

Wrth iddo ddringo a disgyn ar hyd y rhan serth honno o lwybr yr arfordir, penderfynodd y byddai'n rhaid iddo ffonio Llinos i drafod eu perthynas a hefyd i wynebu'i gyfrifoldebau. Wrth iddo chwilio am ei ffôn symudol teimlodd y ddau wn Taser yn ei boced. Tynnodd nhw allan, camu at ochr y clogwyn a'u taflu i'r môr tua chan troedfedd oddi tano. Tynnodd ei ffôn symudol o boced ei drowsus a'i throi mlaen. Rhegodd o dan ei anadl pan welodd nad oedd signal yno. Byddai'n rhaid iddo ffonio Llinos o gaffi'r Ymddiriedolaeth Genedlaethol yn Stackpole Quay.

Wrth iddo gerdded y filltir olaf o'r daith i'r caffi teimlai'n dipyn gwell. Cysurodd ei hun wrth feddwl am y noson hyfryd a dreuliasai yng nghwmni Carla y noson cynt.

Roedd hi tua hanner awr wedi deg y bore pan gyrhaeddodd Paul fae bychan Stackpole Quay. Roedd caffi'r Ymddiriedolaeth Genedlaethol yn wynebu'r môr ac roedd ambell ymwelydd yn eistedd y tu allan yn mwynhau cwpanaid o *latte* neu *cappuccino*.

Tynnodd Paul ei rycsac oddi ar ei gefn a'i osod ger un o'r byrddau tu allan. Cerddodd i mewn i'r caffi a gweld bod ffôn ger y fynedfa. Cymerodd anadl hir a ffonio rhif y fflat a rannai gyda Llinos. Dim ateb. Ffoniodd rif ffôn symudol Llinos. Dim ateb. Gadawodd neges ar y peiriant ateb yn gofyn iddi ei ffonio cyn gynted â phosib.

Cerddodd at gownter y caffi i brynu diod a rhywbeth i'w fwyta. Atgoffodd ei stumog ef yn sydyn nad oedd wedi bwyta dim y bore hwnnw.

Cyfarchodd Paul y fenyw tu ôl i'r cownter a gofyn am goffi a brechdan caws a thomato.

– Dim *savouries* tan hanner dydd, oedd ei hateb swrth.

– Mae'n flin 'da fi?

– Dim *savouries* tan hanner dydd, meddai eto.

– Pam ddim? gofynnodd Paul gan geisio gwenu'n gwrtais.

– Dyna'r rheol. Dim *savouries* tan hanner dydd, atebodd hithau cyn cynnig esboniad.

– Mae staff y gegin yn brysur yn paratoi bwyd ar gyfer cinio hanner dydd.

Gwelai Paul fod staff y gegin yn brysur yn cloncian ac yn gwylio cwpwl yn gweiddi ar ei gilydd ar raglen deledu Jeremy Kyle. Edrychodd ar y fwydlen tu ôl i'r cownter.

– Alla i gael salad caws a thomato gyda bara, 'te?

– Dim snacs tan hanner dydd, atebodd y fenyw.

– Sori?

– Dim snacs tan hanner dydd.

Roedd Paul wedi cael digon erbyn hynny. Talodd am ei goffi a mynd at ei fwrdd y tu allan i'r caffi. Cofiodd nad oedd wedi edrych ar bos Mansel ar gyfer y diwrnod hwnnw ers y noson cynt. Tynnodd y darn bapur a'r cliwiau arno o un o bocedi'r rycsac a'i astudio:

Diwrnod y tri thrigain
Yn un â symbolau Rhufain,
A dim yn gyfanswm,
Gyda dwy atom yn Bosherston.

Pendronodd dros y pos am rai munudau cyn sylwi bod rhywbeth gwlyb yn rhwbio yn erbyn ei goes chwith. Edrychodd i lawr a gweld Nesbitt y ci'n edrych yn eiddgar arno. Cododd i gyfarch y ci, ond manteisiodd hwnnw ar y cyfle a chymryd safle fel petai am gael rhyw gyda'i goes. Cododd Paul ei ben a gweld Jean a Bob Runcie yn cerdded tuag ato.

– Nesbitt! Nesbitt! Na! gwaeddodd Bob gan dynnu'r ci oddi ar goes Paul.

– Dwi ddim yn gwbod beth sydd wedi digwydd iddo, meddai Jean.

– Mae'n flin iawn gen i, ychwanegodd Bob.

– Dim problem, atebodd Paul, a wyddai'n iawn bod Nesbitt wedi mwynhau effeithiau'r sioc drydanol ac, fel unrhyw jynci, yn awyddus i gael ffics arall. Ac roedd y ci'n gwbod yn iawn pwy oedd y *dealer*.

– Allwn ni ymuno â chi? gofynnodd Jean, gan eistedd cyn iddi orffen gofyn y cwestiwn.

– *Latte* i fi, Bob, meddai, ac aeth Bob i brynu'r diodydd a gadael Jean yn gafael yn dynn yn y ci.

Ymddiheurodd Paul unwaith eto am ei ymddygiad y bore hwnnw.

– Ry'ch chi wedi cael sioc am fod eich perthynas wedi dod i ben, siŵr o fod. Mae'n hollol ddealladwy fod rhywun yn ymddwyn yn anarferol am gyfnod. Ydych chi wedi cael cipolwg ar y Llyfr Mawr?

– Ydw, ydw, y bore 'ma, wrth i fi eistedd ar ben Greenala Point. Mae'n help mawr, atebodd Paul yn gelwyddog.

– A beth y'ch chi'n neud nawr? gofynnodd Jean gan gyfeirio at y darn papur oedd yn llaw Paul.

– O, dwi'n wyddonydd sy'n gweithio ym Mhrifysgol Aberystwyth ac mae'r bòs, sy'n dod o sir Benfro, wedi gosod cliwiau i fi eu datrys wrth gerdded llwybr yr arfordir, atebodd Paul, yn falch o gael siarad am rywbeth arall heblaw am ddigwyddiadau'r tridiau cynt.

Gyda hynny, dychwelodd Bob gyda dau *latte*.

– Ga i weld? Ry'n ni'n dau'n dwlu ar gwisys, on'd y'n ni, Bob? meddai Jean wrth i Bob eistedd yn ei hochr.

– Ydyn, Jean, atebodd Bob, oedd yn amlwg yn cael ei orfodi i rannu'r un diddordebau â Jean.

– *Eggheads*, 'Millionaire', *Countdown*, *Pointless*… ry'n ni'n eu gwylio nhw i gyd, on'd y'n ni, Bob?

– Ydyn, Jean, atebodd eto, braidd yn benisel.

– Pa un y'ch chi'n gorfod ei ddatrys heddiw? gofynnodd Jean yn eiddgar.

– Diwrnod 3, atebodd Paul.

Gwelodd y siom ar wyneb Jean wrth iddi edrych ar y cliwiau.

– O… dy'n nhw ddim mewn Saesneg. Maen nhw mewn rhyw iaith estron, meddai.

– Nid i fi. Mae'r cliwiau yn Gymraeg. Gadewch i fi gyfieithu'r cliw cynta i chi, meddai Paul gan gymryd y darn papur oddi ar Jean ac adrodd y pos yn uchel iddi.

Wedi munud o dawelwch cynigiodd Paul roi'r ateb i'r ddau.

– Na, peidiwch â dweud gair. Gadewch inni feddwl

am funud arall, meddai Jean. Ond ar ôl rhai munudau o bendroni penderfynodd roi'r gorau iddi.

Rhoddodd Paul yr ateb iddynt ac roedd eu hymateb fel ymateb pawb arall ar ôl clywed yr ateb i bos anodd.

– Wrth gwrs, meddai'r ddau.

– Beth am yr ail gliw? gofynnodd Jean, oedd wedi llwyr ymgolli.

– O'r gore, atebodd Paul gan adrodd yr ail gliw yn Saesneg a gwylio'r ystumiau ar wynebau'r ddau wrth iddynt geisio dyfalu'r ateb cywir.

– Damio, meddai Bob ar ôl i Paul roi'r ateb iddynt.

– Wrth gwrs. Dylen ni fod wedi cael hwnna, meddai Jean, cyn ychwanegu,

– Ac ry'ch chi'n ateb un pos bob dydd? Oes gennych chi ddim awydd datrys yr holl gliwiau ar yr un pryd?

– Wrth gwrs. Ond alla i ddim gwneud hynny am fod rhan o bob cliw'n gysylltiedig â rhywbeth sydd i'w weld ar y llwybr, meddai Paul gan sylweddoli bod pob cliw hefyd yn cynnwys gwybodaeth nad oedd gan neb arall mohoni heblaw amdano ef a Mansel.

– Oes 'na linyn cyswllt rhwng y cliwiau? gofynnodd Bob.

– Cwestiwn da. Dwedodd Mansel, y bòs, y byddai'r cliwiau'n datgelu rhywbeth pwysig i fi ar ddiwedd y daith.

– Dyna ddirgel, ontefe, Bob?

– Ie wir, Jean.

Gorffennodd y tri eu diodydd a chododd Jean cyn dweud,

– Alla i fod mor hy â gofyn a ga i gerdded gyda chi i Bosherston? Efallai y galla i'ch helpu chi i ddatrys pos heddiw!

– Pam lai, atebodd Paul, yn ddigon balch o'r cyfle i dreulio amser gyda rhywun cyfeillgar ar ôl y deuddydd cythryblus a gawsai.

– Gall Bob fynd â'ch rycsac i'r maes pebyll yn Bosherston. Rwy'n siŵr y byddai'n well gennych chi gerdded heb yr holl bwysau 'na ar eich cefn, cynigiodd Jean.

– Diolch, ond byddwn i'n teimlo mod i'n twyllo petawn i'n cerdded un cam o'r daith heb fy rycsac. Mae'n rhan o'r sialens, atebodd Paul gan ei osod ar ei gefn.

Treuliodd Paul a Jean brynhawn difyr yn cerdded y saith milltir o Stackpole Quay i Bosherston. Roedd Jean yn llawn gwybodaeth am ddaeareg a hanes y rhan honno o sir Benfro. Soniodd am y clogwyni calchfaen, y chwythdyllau di-ri a'r dirwedd yn gyffredinol. Adroddodd hanes Bae Barafundle a'i gysylltiad â theulu Cawdor.

Yn wir, gallai Paul dyngu ei bod wedi llyncu llawlyfr am yr ardal. Ond, wedi dweud hynny, meddyliodd, roedd Jean yn athrawes ysgol gynradd, ac roedd athrawon o'r fath yn tueddu i wybod rhyw ychydig am nifer fawr o bynciau.

Sylwodd Paul hefyd fod Jean yn hynod o ffit am fenyw o'i hoedran. Gallai ddringo rhiwiau serth heb golli'i gwynt tra byddai'n rhaid iddo ef stopio bob hyn a hyn i gael ei wynt ato.

Penderfynodd y ddau gael seibiant ar ôl cyrraedd pen y Stagbwll. Wrth iddynt gymryd diod o ddŵr ac edrych ar draws y bae clir ag arfordir annelwig Dyfnaint yn y pellter, meddai Jean,

– Ry'ch chi'n meddwl amdani hi, on'd y'ch chi?

– Ydw. Sut oeddech chi'n gwbod?

– Er fy mod i yn fy mhumdegau fe fues innau'n ifanc ar un adeg, chi'n gwbod, atebodd Jean.

– Beth ddylwn i neud?

– Dylech chi wrando ar eich calon.

– Alla i ddim stopio meddwl amdani. Dwi ddim wedi cwrdd â neb tebyg iddi.

– Wel, ffoniwch hi. Mae'n rhaid i chi drafod eich problemau cyn iddi fynd yn rhy hwyr.

– Problemau?

– Ie, chi a Llinos.

– Na, nid Llinos o'n i'n feddwl, ond Carla.

– Carla? gofynnodd Jean yn syn.

– Ie, Carla.

– Wel, dwi ddim yn siŵr be i'w feddwl am hynny.

– 'Sen i'n gwerthfawrogi'ch barn.

– Wel, o'r gore. Yn fy marn i, dwi ddim yn meddwl eich bod chi'n gwneud peth doeth o gwbl. Beth y'ch chi'n wbod amdani?

– Dim, a dwi ddim eisiau gwbod dim.

– Na?

– Nac ydw. Ar ôl cyfarfod â Carla neithiwr dwi'n sylweddoli pa mor ddiflas fu pethau rhyngdda i a Llinos yn ddiweddar. Dy'n ni ddim yn cael hwyl rhagor, ond mae Carla mor... chwareus. Fel yna dylai pethau fod rhyngdda i a'r person dwi'n ei charu.

– Mae gennych chi benderfyniad pwysig i'w neud felly, on'd oes? meddai Jean, cyn codi ar ei thraed.

– Ymlaen â ni. Dim ond dwy filltir i fynd, ychwanegodd.

Ymhen ychydig cyrhaeddodd y ddau draeth tua milltir o bentref Bosherston. Ychydig o lathenni o'r traeth roedd 'na lyn anferth wedi'i orchuddio'n rhannol â dail y lili.

– Dyna ni, meddai Paul yn dawel, gan syllu ar y llyn.

– Beth? gofynnodd Jean mewn dryswch.

– Y lili. Rhan o'r ateb i'r trydydd pos. Lili, dwy atom o lithiwm. Li yw symbol cemegol lithiwm. Felly, 'dwy atom yn Bosherston' yw lili.

Esboniodd Paul mai cyfeiriad at ryw ddydd Llun pan fu Mansel ac yntau'n chwarae dartiau yn eu labordy oedd 'diwrnod y tri thrigain' – y diwrnod y llwyddodd Mansel i gael tri thrigain â thair darten. Esboniodd hefyd mai'r ateb i'r llinell 'Yn un â symbolau Rhufain' oedd I ac Au, a ddynodai un ac aur, ac mai 'O' oedd yr ateb i'r drydedd linell, sef 'A dim yn gyfanswm'. Roedd cyfuno'r holl lythrennau, felly, yn rhoi'r ateb 'Llun, I Au, O, Li Li'.

Dywedodd Paul fod aildrefnu llythrennau'r atebion cynt wedi dynodi symbolau elfennau, ac roedd yr un peth yn wir eto, sef: Lu, N, Au, O, Li, Li, Li.

– Ond sut mae'r ateb yn ffitio gyda'r atebion eraill?

– Dwi ddim yn gwbod. Ta beth, o leia galla i anghofio am y pos am weddill y dydd, meddai Paul wrth i'r ddau groesi'r traeth ac anelu am y maes pebyll oedd ryw hanner canllath i ffwrdd.

Roedd mynedfa'r maes pebyll ger ymyl y ffordd a arweiniai at bentref Bosherston. Cerddodd Paul a Jean i'r cae lle roedd rhyw ddwsin o bebyll wedi'u gosod blith draphlith.

Gwelodd Paul fod Bob Runcie wedi codi'i babell ac yn eistedd gyda Nesbitt yn ei gar yn darllen llyfr. Yna gwelodd arwydd yn dweud y dylai gwersyllwyr newydd fynd i dŷ'r perchennog, hanner canllath i fyny'r ffordd, cyn codi'u pebyll.

Diolchodd i Jean am ei chwmni, ffarwelio â hi a cherdded at y tŷ. Cerddai Carla tuag ato.

– Helô, meddai wrthi'n swil.

– Helô, atebodd hithau.

– Dwi newydd dalu. Doedd neb yno'n gynharach ond mae'r perchennog gartre nawr.

– Diolch. Wela i ti nes mlân, falle.

– Falle? Dwi'n disgwyl i ti fynd â fi allan i gael swper yn y St Govan's Inn yn Bosherston. Galwes i yno gynne ac mae'r fwydlen yn edrych yn hyfryd.

– Reit, wel, wela i di yno am...

– Saith o'r gloch, a phaid â bod yn hwyr.

– Iawn, gwell i fi fynd i dalu am y safle.

– Ie, a gwna un peth i fi.

– Beth?

– Gwna'n siŵr dy fod ti'n cael cawod. Ti'n *minging*, meddai Carla gan roi gwên ddireidus.

– Reit, cytunodd Paul gan ddal i gerdded a gorfodi'i hun i beidio â throi 'nôl i edrych arni.

15

Eisteddai Paul wrth fwrdd bach yn y St Govan's Inn, Bosherston. Edrychodd ar ei wats. Deng munud wedi saith. Roedd Carla ddeng munud yn hwyr yn barod. Ni feiddiai Paul godi'i ben i edrych o'i amgylch oherwydd gwyddai y byddai dau bâr o lygaid yn ei wylio fel barcud.

Roedd Otto Grünwald a Lotte Spengler wedi cerdded i mewn i'r dafarn am saith o'r gloch a thybiai Paul na fyddai'r ddau wedi maddau iddo am ei ymddygiad ym maes pebyll Freshwater East y bore hwnnw. Ond wrth iddynt gerdded heibio ar eu ffordd i'r bar stopiodd y ddau wrth ei fwrdd.

– Bwyta ar eich pen eich hun heno, Herr Poll-Rice? gofynnodd Otto.

Sylwodd Paul ar lygad ddu Otto – canlyniad y cwffio yn y gawod.

– Na, dwi'n aros am Carla. Gwrandewch, mae'n flin 'da fi am bore 'ma, dechreuodd, cyn i Otto ymyrryd.

– Does dim rhaid i chi ymddiheuro. Camgymeriad llwyr. Mae'n rhaid symud ymlaen. Maddau ac anghofio, dyna sy'n bwysig, yntê, Lotte? meddai Otto.

– Yn hollol, Otto. Mwynhewch eich noson, Herr Poll-Rice, meddai hithau yn Gymraeg, gan wenu'n gam cyn symud ymlaen at y bar.

Ond teimlai Paul yn anesmwyth bob tro y byddai'n dal eu llygaid. Eisteddai'r ddau fel yr Ymerawdwr Augustus a'i wraig Livia yn y Coliseum yn aros i'r llewod loddesta ar Paul.

Cododd ei ysbryd pan welodd Carla'n dod i mewn i'r dafarn a cherdded tuag ato. Teimlai ei galon yn curo'n gyflym wrth iddi glosio ato.

– Helô, meddai gan sefyll ger y bwrdd yn edrych hyd yn oed yn fwy prydferth na'r noson cynt. Ni allai Paul yngan gair am eiliad neu ddwy.

– Sori, ti'n edrych yn… wel… Beth wyt ti eisiau i'w yfed?

– Diolch. Fodca a thonic, plis, meddai wrth eistedd.

– Lyfli, reit, meddai Paul a chamu at y bar. Wrth aros am ei ddiodydd penderfynodd y dylai ddweud wrth Carla am Llinos, ei waith a'r digwyddiad anffodus gydag Otto a Lotte a'r dyn yn y gawod y bore hwnnw.

Wrth iddo gerdded 'nôl o'r bar gwelodd fod Otto a Lotte'n gwenu arno unwaith eto ac yn codi'u diodydd i'w gyfarch.

Gwenodd yn ôl arnyn nhw, yn hapus fod y ddau'n amlwg

wedi penderfynu maddau iddo. Er hynny, bu'n rhaid iddo gymryd llwnc mawr o'i ddiod cyn dweud,

– Carla, mae'n rhaid i fi fod yn hollol onest gyda ti…

Torrodd Carla ar ei draws a rhoi ei llaw chwith dros ei geg.

– Os wyt ti'n mynd i ddweud wrtha i dy fod ti newydd orffen gyda dy gariad, Llinos, dwi'n gwbod yn barod.

– Ond…

– Ac os wyt ti'n mynd i ddweud dy fod ti wedi cyhuddo Otto a Lotte o geisio dy ladd di, dwi'n gwbod hynny'n barod hefyd.

– Sut?

– Ac os wyt ti'n mynd i ddweud dy fod ti wedi arteithio dyn hollol ddieuog mewn cawod yn y maes pebyll, ydw, dwi'n gwbod yn barod.

– Ond…

– Ac os wyt ti'n mynd i ddweud dy fod ti'n meddwl bod dy nerfau ar chwâl, dwi'n gwbod hynny'n barod hefyd.

– Sut?

– Fe welais i Jean a Bob Runcie gynne. Mae hi wedi penderfynu bod yn angel gwarcheidiol i ti. Cafodd 'air' gyda fi. Mae hi'n meddwl mod i'n chwarae â dy emosiynau a bod dy gyflwr emosiynol di'n fregus. Mae hi'n ofni y bydda i'n dy frifo di ac y byddai hynny'n ormod i ti, a thithau 'mond newydd orffen gyda Llinos.

– A sut oeddet ti'n gwbod am y digwyddiad gyda Grünwald a Spengler?

– Pam wyt ti'n meddwl eu bod nhw mor gyfeillgar a serchus tuag atat ti? gofynnodd Carla. Edrychodd Paul draw at y ddau, a ddaliai i wenu arno.

– Fe ddwedon nhw'r cyfan wrtha i'r pnawn 'ma. Roedd Otto'n teimlo y dylwn i wbod am ei fod yn meddwl dy fod ti'n wallgof ac yn poeni amdana i. Dwedais i wrthyn nhw y bydden i'n dweud yn blwmp ac yn blaen beth o'n i'n feddwl ohonot ti heno.

– Maddau ac anghofio, meddai Paul dan ei anadl gan wenu'n wan a chodi'i wydr i gyfarch Grünwald a Spengler. Trodd yn ôl at Carla.

– Aros funud, os wyt ti'n gwbod am fy holl bechodau, pam wyt ti 'ma?

– Am fy mod i wedi dod yma i ddweud wrthot ti be dwi'n feddwl ohonot ti.

– O diar, meddai Paul, yn aros am y mellt a'r taranau.

– Am mod i'n hoffi dy gwmni di, y ffŵl, ac yn genfigennus dy fod wedi treulio'r diwrnod cyfan gyda Jean Runcie.

– Ond dy fai di oedd hynny. Fe adewaist ti cyn i fi ddeffro.

– Dwi'n gwbod, ond fel dwedais i yn y neges, roedd arna i angen amser i feddwl.

– Meddwl am beth?

– Ni.

– Gwranda, Carla. Nid Roger Poll-Rice yw f'enw iawn i, ond Paul Price. Gwyddonydd bach sych a diflas o Aberystwyth ydw i, a dwi ddim ar y *rebound*. Ti mor wahanol i unrhyw un arall… O, damio, dwi ddim yn cael hwyl ar hyn o gwbl.

Rhoddodd Carla ei llaw dros law Paul.

– Wyt ti'n siŵr nad Roger Poll-Rice wyt ti? Dwi'n credu dy fod ti'n esgus bod yn wyddonydd diflas o'r enw Paul Price er mwyn gwneud yn siŵr mod i'n colli diddordeb ynot ti. Gwranda, dwi'n eitha hoffi Herr Poll-Rice, fel mae

Otto'n dy alw di. Falle nad yw hi wastad yn ddoeth dweud y gwir.

Torrwyd ar draws y sgwrs gan y weinyddes.

– Ydych chi'n barod i archebu bwyd? gofynnodd. Edrychodd Paul ar Carla am eiliad cyn mentro ateb dros y ddau ohonyn nhw.

– Gawn ni'r *pâté* i ddechrau, yna cawn ni'n dau'r hwyaden, a photelaid o win. Chablis, meddai gan gau'r fwydlen â chlep awdurdodol.

– Gyda llaw, ry'n ni wedi penderfynu bwyta tu allan, ychwanegodd Paul.

– Dwi ddim yn credu bod lle tu allan, atebodd y weinyddes yn sur.

– Dwi'n siŵr y gwnewch chi'ch gorau glas, meddai Paul gan wasgu papur decpunt i'w llaw.

– Pam wyt ti eisiau bwyta tu allan? gofynnodd Carla.

– Am nad ydw i eisiau gweld Herr Grünwald a Frau Spengler yn syllu ar Herr Poll-Rice drwy'r nos, atebodd Paul wrth godi o'i sedd a thywys Carla at ddrws y dafarn.

Cerddodd y ddau heibio i Otto a Lotte heb ddweud gair.

– Nawr 'te, ble roedden ni? O ie. Ydw i wedi dweud y stori am Fatty Featherstoneaugh yn Biarritz y llynedd?

– Perffaith, meddai Carla gan gymryd braich Roger Poll-Rice.

16

Treuliodd Paul a Carla'r ddwy awr wrth y bwrdd yn malu awyr ac yn adrodd straeon anhygoel am eu bywydau ffug. Yna, uwchben y coffi a'r bisgedi, dywedodd Paul,

– Ry'n ni wedi siarad tipyn am y gorffennol ond dy'n ni ddim wedi trafod y dyfodol. Dwi ddim yn gwbod pam rwyt ti yma nac am ba hyd.

– Gwranda, Paul, mae bywyd yn fyr, yn rhy fyr. Dwi'n cerdded llwybr yr arfordir hefyd ac ar hyn o bryd dwi ddim eisiau dweud wrthot ti pam dwi'n neud hynny. Ond gobeithio cawn ni dreulio'r pythefnos nesa gyda'n gilydd, ac os byddwn ni eisiau gweld ein gilydd ar ôl hynny fe benderfynwn ni bryd hynny. Beth am fwynhau'r pythefnos nesa fel petai'n bythefnos ola ein bywyd?

– Byddai hynny'n fraint ac yn bleser, atebodd Paul, cyn ychwanegu,

– Wrth gwrs, fe fyddi di'n brysur yn ystod y misoedd nesa, ta beth. Pryd mae'r US Open yn dechrau?

– Diwedd Awst.

– Gwych. Dwi yn Washington bryd hynny, felly efallai y gallen ni gwrdd.

– Perffaith, yn enwedig gan fod yr US Open yn cael ei gynnal yn Efrog Newydd, atebodd Carla dan chwerthin.

Cerddodd y ddau 'nôl yn araf i'r maes pebyll y noson honno. Roedden nhw braidd yn sigledig ar eu traed ar ôl rhannu dwy botelaid o win a sawl fodca martini. Arafwyd y siwrnai hefyd wrth iddynt stopio bob hyn a hyn i gusanu'n nwydus. O'r diwedd cyrhaeddon nhw'r maes pebyll.

– Wel, mae gennyn ni ddiwrnod hir fory. Deunaw milltir i Angle, meddai Carla.

– Digon gwir.

– Gwell inni ddweud nos da 'te.

Cusanodd y ddau am y tro olaf. Cymerodd Carla bendant Sant Christopher o'i phoced a'i roi yn llaw Paul.

– Dwi eisiau i ti gadw hwn. Cofia, bydda i wastad gyda ti pan fyddi di'n ei wisgo fe, meddai wrth droi oddi wrtho.

Gwisgodd Paul y pendant am ei wddf, cyn dweud,

– Bydda i'n cysgu yn stafell 253 os newidi di dy feddwl. Jest cnocia ddwywaith ar y drws!

– *Au revoir*, oedd unig ymateb Carla.

Wrth iddo orwedd yn ei sach gysgu yn ei babell ddeng munud yn ddiweddarach ceisiodd Paul gofio pryd oedd y tro diwethaf iddo deimlo mor hapus. Yn bendant, y misoedd cyntaf a dreuliodd gyda Llinos oedd cyfnod hapusaf a mwyaf cyffrous ei fywyd hyd hynny. Oedd e mewn cariad bryd hynny? Wrth gwrs ei fod e. Oedd e'n dal mewn cariad â Llinos? Efallai. Os felly, pam roedd e'n chwantu am fenyw arall? Carla neu Llinos? Llinos neu Carla?

Yn ei ddryswch penderfynodd Paul droi ei feddwl at rywbeth arall. Darllenodd bos Mansel ar gyfer y pedwerydd diwrnod:

> Ti yn iaith Roland Barthes,
> Dy hoff bryd bwyd a'i ddilyn gan ïodin,
> Fferm elfennol heb 100 AS,
> Dy hoff bryd bwyd a'i ddilyn gan ïodin.

Meddyliodd am y cliw am rai munudau ac roedd ar fin mynd i gysgu pan glywodd rywun yn sibrwd y tu allan i'w babell.

– Paul, Paul!

Cododd ac ymlwybro at flaen y babell.

– Carla, sibrydodd gan agor y sip.

– Pwy ddiawl yw Carla? hisiodd Ms Llinos Burns.

RHAN 2

1

Dihunodd Paul yn chwys diferol. Edrychodd o amgylch ei babell a gwenu wrth weld nad oedd Llinos yn gorwedd yno. Sylweddolodd mai breuddwyd oedd ymddangosiad ei gyngariad y noson cynt.

Er hynny, roedd hi'n freuddwyd echrydus o fyw, meddyliodd.

Edrychodd ar ei wats. Naw o'r gloch y bore. Cofiodd ei fod wedi cytuno i gerdded gyda Carla am hanner awr wedi naw. Byddai'n rhaid iddo gael cawod, bwyta'i frecwast a phacio'i babell mewn hanner awr.

Doedd dim amser i'w golli. Wrth iddo agor y sip daeth arogl coffi i'w ffroenau. Edrychodd allan a gweld Llinos yn eistedd ger ei stof nwy'n paratoi coffi. Syllodd arni am eiliadau hir a sylweddoli nad breuddwyd oedd digwyddiadau'r noson cynt. Edrychodd o amgylch y maes pebyll a gweld nad oedd pebyll Carla, Jean a Bob Runcie, na Grünwald a Spengler yno.

Trodd Llinos a gweld Paul yn syllu arni.

– Oeddet ti'n mwynhau dy wyliau hebdda i? gofynnodd yn chwerw ac estyn paned o goffi iddo.

– Ffantastig, atebodd yn chwyrn, gan sylwi wrth gymryd y baned fod chwaeth Llinos mewn dillad mor ecsentrig ag erioed. Gwisgai drowsus a thop oren llachar.

– Mae 'nghariad yn gorffen 'da fi y noson cyn i fi adael am fy ngwyliau. Dwi'n cyfarfod â dyn ar y bws sy'n disgyn i'w farwolaeth rai oriau'n ddiweddarach. Wedyn, dwi'n cael negeseuon bygythiol gan dy dad, sy'n gwneud i fi gyhuddo dau berson diniwed o geisio fy lladd. O ie, bues i bron ag anghofio. Arteithiais i ddyn noeth mewn cawod ac ymosod ar gi â gwn Taser. Heblaw am hynny, lyfli, diolch.

Sipiodd Llinos ei choffi gan siglo'i phen.

– Dyna beth ddwedest ti neithiwr. Ddweda i un peth amdanat ti, o leia ti'n cadw at dy stori, meddai gan gropian at Paul nes ei bod wyneb yn wyneb ag ef.

– Ai dyna'r gorau galli di 'i gynnig? Rhywun yn ceisio dy ladd di? A be sy'n waeth ydy dy fod ti'n meddwl mai Dad oedd y tu ôl i'r cynllun.

– Wel, fe wnaeth o adael negeseuon yn bwgwth cael rhywun i ddatgysylltu 'mhengliniau i, mynnodd Paul.

– Roedd e'n feddw dwll, Paul. Synnwn i ddim nad oedd e'n cofio dim am wneud y galwadau y bore wedyn. Dwi rioed 'di clywed stori mor hurt yn 'y mywyd. A chofia, dwi'n athrawes sy'n clywed esgusodion tila bob dydd o'r wythnos. Pam na wnei di gyfadde i ti dreial dy orau glas i gael secs 'da rhywun arall? taranodd Llinos cyn dechrau arogli wyneb Paul.

– Neu wyt ti wedi dechrau defnyddio Chanel Chance? Does dim iws i ti wadu. Fe aroglais i ei phersawr hi neithiwr ac fe welais i hi bore 'ma, meddai gan godi ar ei thraed a sefyll yn fuddugoliaethus uwchben Paul.

– Pwy? gofynnodd yntau.

– Pwy? Pwy? Ledi Nicyrs Minc, Carla, meddai Llinos, yn ceisio dynwared acen Seisnig Carla.

– Ydy Paul wedi codi eto, la-di-da? Roedden ni i fod i gerdded gyda'n gilydd heddiw, la-di-da.

– O, a beth ddwedest ti?

– Dwedais i y byddai Dr Paul Price yn treulio'r diwrnod gyda'i gariad, sef fi.

– Cariad? Wnest ti ddympio fi nos Wener. Beth ddigwyddodd i'r geiriau 'dwi byth eisiau dy weld ti eto'?

A dwi 'di dy ffonio di sawl gwaith i drafod pethau heb gael unrhyw ateb.

– Do'n i ddim eisiau siarad â ti; o'n i'n ypsét ac o'n i am ystyried y sefyllfa. Gofynnais i Mam a dy fam di beth ddylwn i neud. Dwedon nhw y dylwn i dy dderbyn di 'nôl os oeddet ti'n fodlon syrthio ar dy fai a chytuno i droi dalen newydd a chanolbwyntio llai ar dy waith a mwy arna i. Ro'n i'n gwbod ble fyddet ti'n aros neithiwr am ein bod wedi bwcio'r maes pebyll gyda'n gilydd, felly fe benderfynes i ddod i drafod pethau gyda ti. Dwi ddim yn gwbod pam, Paul, ond dwi wedi penderfynu maddau i ti – efallai am mod i'n dy garu di, meddai Llinos gan bwyso mlaen nes ei bod wyneb yn wyneb â Paul unwaith eto.

Caeodd ei llygaid a'i gwefusau'n barod i dderbyn cusan ganddo.

Arhosodd am eiliadau hir i Paul ei chusanu.

Gwyddai hwnnw fod hon yn eiliad dyngedfennol. Cusanu neu beidio â chusanu, dyna oedd y cwestiwn. Petai'n ei chusanu ac yn ymddiheuro, byddai'r berthynas yn cyrraedd cyflwr o ecwilibriwm unwaith eto, lle byddai Llinos yn rheoli ei fywyd. Ond roedd pethau wedi newid ers iddo gyfarfod â Carla. Roedd y berthynas honno wedi rhoi hyder newydd iddo.

– Ond dwi ddim eisiau i ti faddau i fi, Llinos. Dwyt ti ddim yn 'y ngharu i, rwyt ti am fod yn berchen arna i. Dwi 'di bod yn meddwl am y sefyllfa hefyd, meddai.

Agorodd Llinos un llygad, ond roedd ei gwefusau'n dal i aros am y gusan.

– Gwranda, dwi angen amser i feddwl hefyd. Dwi'n cytuno mod i wedi bod yn gweithio'n rhy galed ac wedi d'anwybyddu di, ond dyw pethau ddim wedi bod yn dda rhyngddon ni ers tipyn, meddai Paul, cyn oedi wrth weld Llinos yn agor y llygad arall.

– Fel 'na mae hi, ife? Rwyt ti eisiau amser i feddwl tra wyt ti gyda Ms La-di-da, wyt ti, ac wedyn byddi di'n dod 'nôl ata i ar ôl iddi gael digon arnat ti? Llongyfarchiadau, Paul. Galla i ddweud un peth amdanat ti. O leia rwyt ti'n cael dy *mid-life crisis* yn gynnar yn dy fywyd.

– Llinos, dyw treulio amser gyda menyw, hyd yn oed os yw hi'n ifanc, prydferth, clyfar a doniol, ddim yn meddwl mod i eisiau cysgu gyda hi.

– Dylwn i, o bawb, sylweddoli hynny, meddai Llinos gan wenu'n gam a dechrau cau ei llygaid yn araf wrth i Paul adrodd y geiriau 'ifanc, prydferth, clyfar a doniol'.

– Na. Llinos, dwi ddim yn siŵr oes 'na ddyfodol i ti a fi. Ond os wyt ti'n fy ngharu i, mae'n rhaid i ti roi llonydd ac amser i fi feddwl.

Edrychodd Llinos yn graff ar Paul am eiliad.

– Iawn. Digon teg, meddai.

– Sori? meddai Paul, oedd wedi disgwyl ymateb hollol wahanol.

– Iawn. Ti'n hollol iawn, Paul. Siaradwn ni pan ddoi di 'nôl o dy wyliau. Mae rhywbeth wedi mynd o'i le yn ein perthynas ni'n ddiweddar ond dwi ddim yn credu ei bod hi'n rhy hwyr inni gael yr hyn oedd gennyn ni 'nôl. Dwi'n dal i dy garu di, Paul, a dyna pam dwi'n cytuno.

Cododd ar ei thraed.

– Dwi'n mynd i gael cawod ac wedyn roia i lifft i ti i ble bynnag rwyt ti eisiau dechrau cerdded heddiw.

– Wyt ti'n siŵr? gofynnodd Paul yn anghrediniol, ond roedd Llinos wedi gwneud ei phenderfyniad.

– Wrth gwrs. Pacia dy babell. Mae'r car wedi'i barcio'r tu ôl i'r bloc toiledau. Dere yno ymhen rhyw ugain munud?

Wrth i Llinos gerdded at ei char ac estyn ei bag ymolchi o'i rycsac yn y bŵt, sylweddolodd Paul ei fod wedi gweld ochr i bersonoliaeth Llinos na welsai ers amser. Oedd hi wedi sylweddoli rhywbeth wrth i'r ddau drafod y creisis yn eu perthynas? Am y tro cyntaf ers hydoedd teimlai ychydig o gariad yn cronni yn ei galon tuag at ei gymar.

2

Nod Llinos Burns mewn bywyd oedd dod â threfn a rheolaeth i fyd oedd yn llawn anhrefn a ffawd.

Hoff bynciau Llinos yn yr ysgol oedd Hanes a Mathemateg. Roedd Mathemateg yn ddisgyblaeth lle roedd trefn yn teyrnasu: byd dealladwy lle roedd arwynebedd cylch yn πr^2, nid ambell waith, ond bob amser. Disgleiriai yn y pynciau hyn yn yr ysgol, ac roedd ei dawn fathemategol yn help i'w rhieni, oedd yn rhedeg garej ym Machynlleth. Ar droad y mileniwm, a hithau'n ddwy ar bymtheg oed, roedd busnes ei thad ar fin mynd i'r wal. Penderfynodd Llinos gymryd y mater i'w dwylo'i hun a mynnu bod ei thad yn defnyddio gofod ei garej yn well ac amcangyfrif pa brisiau fyddai angen iddo'u codi i'w alluogi i wneud elw o'r busnes heb golli cwsmeriaid. Gwrandawodd Joe Burns ar ei ferch. Chwe mis yn ddiweddarach dechreuodd Llinos gwrs gradd mewn Hanes ac Economeg ym Mhrifysgol Aberystwyth. Penderfynodd fynychu'r coleg ger y lli yn bennaf er mwyn bod yn ddigon agos i gadw llygad barcud ar fusnes ei thad.

Dair blynedd yn ddiweddarach, roedd y garej yn ffynnu unwaith eto ac ar ôl ennill ei gradd canolbwyntiodd Llinos ar ei gyrfa. Wedi iddi gwblhau cwrs ymarfer dysgu yn y dref cafodd swydd fel athrawes yn un o'r ysgolion uwchradd lleol.

Heblaw am ambell noson remp yn ystod ei dyddiau coleg ni fu ganddi fawr o ddiddordeb mewn rhyw na rhamant tan iddi gwrdd â Paul.

Cyfarfu Llinos ag ef yn ystod lansiad arddangosfa gelf yng Nghanolfan y Celfyddydau yn Aberystwyth.

Ni chofiai Paul lawer am yr arddangosfa heblaw bod y rhan fwyaf o'r lluniau'n darlunio marwolaeth a rhyfel, a bod yna bedwarawd llinynnol yn chwarae cerddoriaeth glasurol yn y cefndir.

Un funud roedd e'n edrych ar lun o streipiau melyn a du, yn dwyn y teitl *Abu Ghraib*, a'r eiliad nesaf roedd Llinos wrth ei ochr yn cyflwyno'i hun. Ymhen pum munud roedd hi wedi darganfod pob dim am ei waith a'i yrfa. Ymhen awr roedd y ddau'n trafod gwyddoniaeth, mathemateg ac economeg mewn tafarn yn y dref. Ymhen dwy awr, roedd y ddau'n trafod damcaniaeth geometreg yn fflat Llinos. Ymhen dwy awr a hanner arall roedd y ddau wrthi'n profi y gallai dau berson noeth greu sawl siâp geometrig gwahanol. Ymhen mis roedd y ddau'n rhannu fflat yng nghanol y dref.

Wrth i Llinos gamu i mewn i'r gawod, gwenodd wrth iddi gofio'r hwyl a gawsai'r ddau yn ystod blwyddyn gyntaf eu perthynas, yn cynnwys gwyliau bythgofiadwy yn Sorrento. Y chwerthin, y rhyw, y cariad. Ond ni allai ddileu'n llwyr o'i bywyd yr obsesiwn am drefn a rheolaeth. Sylweddolai nawr mai cariad Paul oedd hi, nid ei reolwr.

Wrth iddi gamu o'r gawod a sychu'i hun, sylweddolodd fod y ddau ohonynt wedi pellhau am ei bod hi, yn ogystal â Paul, wedi canolbwyntio'n ormodol ar ei gwaith. Ac wrth iddi gerdded o'r gawod at ei char sylweddolodd ei bod hi ar fin colli Paul. Gwyddai ym mêr ei hesgyrn mai'r peth doethaf i'w wneud fyddai dychwelyd i Aberystwyth a rhoi amser iddo feddwl.

3

Rhyw awr yn gynharach y bore hwnnw roedd Jean a Bob Runcie'n bwyta'u brecwast y tu allan i'w pabell pan welson nhw Llinos yn dod allan o babell Paul a dechrau gwneud coffi iddi hi ei hun. Yna, gwelodd y ddau Carla'n siarad â Llinos cyn iddi gerdded 'nôl at ei phabell, ei thynnu i lawr a gadael y maes pebyll. Tua deng munud yn ddiweddarach gadawodd Otto Grünwald a Lotte Spengler hefyd.

Wrth iddynt orffen eu brecwast, canodd ffôn symudol Jean. Atebodd hi a gwrando'n astud ar y person ar ben arall y ffôn yn traethu am o leiaf ddwy funud.

– Iawn, iawn, oedd unig eiriau Jean cyn diffodd y ffôn.

– Beth ddwedon nhw? gofynnodd Bob, a ddaliai i wylio Llinos yn yfed ei choffi.

– Mae'n rhaid i ni fynd i Angle i aros am gyfarwyddiadau pellach. Gwell inni ddechrau pacio, ond mae'n rhaid inni wneud un peth cyn mynd, meddai Jean gan edrych ar Llinos.

– Da iawn. Oes gennyn ni amser i weddïo, Jean? gofynnodd Bob dan chwerthin.

– Iesu Grist, nag oes, y diawl dwl, atebodd Jean.

4

Roedd Llinos yn eistedd ar fonet ei char yn ei dillad oren llachar pan welodd Paul yn agosáu a'i rycsac ar ei gefn. Tapiodd fonet y Peugeot 306 cyn neidio oddi arno a cherdded at ddrws y gyrrwr. Roedd wedi prynu'r car gan gwmni gwerthu ceir ei thri chefnder yn Ballybunion – Declan, Liam a Patrick Burns – dair blynedd ynghynt, a bu'r cerbyd yn driw iawn i'w feistres byth ers hynny.

– Does dim rhaid i ti roi lifft i fi, Llinos. Dim ond milltir sy 'da fi nes bydda i'n ailymuno â'r llwybr, meddai Paul wrth adael i'w rycsac gwympo i'r llawr. Mewn gwirionedd, roedd e'n fwy na bodlon derbyn lifft oherwydd byddai'n arbed ugain munud o gerdded diangen ar ddechrau taith ddeunaw milltir a gymerai wyth awr o leiaf. Hefyd, byddai'n rhoi cyfle iddo ddal Carla, oedd, yn ôl Llinos, wedi dechrau cerdded ryw ddeugain munud ynghynt.

– Gad i fi reoli dy fywyd am y tro ola am sbel, atebodd Llinos gan wenu, cyn codi'r rycsac a'i roi ym mŵt y car.

Gwenodd Paul hefyd cyn camu i mewn i'r Peugeot 306. Taniodd Llinos yr injan a dechrau gyrru'r car i lawr y rhiw at gât mynedfa'r maes pebyll.

– Ffonia i di mewn wythnos a hanner pan fydda i wedi gorffen y daith, meddai Paul wrth i'r car ddechrau cyflymu.

– Diolch am fod mor... wel... rhesymol am hyn, Llinos, ychwanegodd, gan sylwi bod y car yn dal i gyflymu.

– Damio, oedd unig ateb Llinos.

– Llinos, falle dylet ti roi dy droed ar y brêc, awgrymodd Paul wrth i'r car hyrddio i lawr y rhiw tuag at y gât.

– Damio, oedd unig ymateb Llinos unwaith eto.

– Llinos, arafa, wnei di?

– Damio, damio, damio, dim brêcs! gwaeddodd Llinos.

– Damio! gwaeddodd Paul wrth i'r car gyrraedd gwaelod y rhiw ac anelu am y gât ar gyflymdra o dros ddeugain milltir yr awr.

Caeodd y ddau eu llygaid wrth i'r car daro'r gât cyn

saethu ar draws y ffordd, dros y ffos a thrwy'r clawdd i'r cae gyferbyn cyn stopio ddeugain llath i mewn i'r cae o flaen twr o wartheg a syllai'n syn arnyn nhw.

– *Shit*, meddai'r ddau yr un pryd wrth iddynt geisio cael eu gwynt atynt a dygymod â'r hyn oedd newydd ddigwydd.

– Wyt ti'n iawn? gofynnodd Paul gan afael ym mraich chwith Llinos wrth iddi ddal i afael yn yr handbrêc.

Trodd Llinos ato cyn tynnu ei law oddi ar ei braich chwith â'i llaw dde.

– Y bastard! gwaeddodd a dechrau ei fwrw'n ddidrugaredd.

– Y bastard, y bastard, y bastard, o't ti'n meddwl mod i a Dad yn ceisio dy ladd di. Felly fe benderfynest di'n lladd i.

Tynnodd Paul ei wregys diogelwch a neidio allan o'r car. Fel fflach, camodd Llinos allan hefyd ac wynebu Paul dros y bonet.

– Paid â bod yn hurt, Llinos, gwaeddodd Paul a symud i gyfeiriad cefn y car er mwyn ceisio'i hosgoi.

– Doeddet ti ddim eisiau i fi roi lifft i ti, nag oeddet ti? Byddai'n gyfleus iawn petawn i allan o'r ffordd. Pryd wnest ti dorri'r brêcs? Neithiwr? sgrechiai Llinos gan symud yn fygythiol tuag at Paul.

– Gwranda, Llinos. Rwyt ti newydd gael sioc. Dwyt ti ddim yn meddwl yn glir. Do'n i ddim yn gwbod ble roedd y car neithiwr.

Symudodd Llinos yn gyflym i'r chwith ac yna i'r dde i geisio dal Paul, ond roedd hwnnw'n ddigon chwim ar ei draed.

– Ond gallet ti fod wedi ymyrryd â'r brêcs y bore 'ma tra o'n i yn y gawod.

– Mae hynny'n wir, meddai Paul yn rhesymegol.

– A-ha, felly rwyt ti'n cyfaddef?

– Nadw, achos esbonia i fi pam bydden i'n mynd yn y car gyda ti? A paid â dweud am mod i'n siwiseidal. Mae dy ddadl di'n rhacs, a man a man i ti gyfadde hynny, Llinos. Mae gen ti feddwl rhesymegol da ond yn anffodus rwyt ti'n gadael i syniadau amherthnasol ac, os ca i ddweud, emosiynol amharu ar dy ddawn i resymu, meddai Paul, yn falch ei fod yn dal i allu ymresymu.

– Dwi ddim yn deall. Os nad ti dorrodd y brêcs, pwy wnaeth? meddai Llinos gan ddechrau crio.

Ymhen eiliad roedd Paul yr ochr arall i'r car yn ei chofleidio.

– Dwi ddim yn gwbod, Llinos, ond fyddwn i byth yn gadael i unrhyw beth gwael ddigwydd i ti, meddai gan ei dal yn dynn heb feddwl.

– Wyt ti'n siŵr? gofynnodd Llinos gan adael i'w chorff orwedd yn llipa yn ei freichiau. Yna cododd ei phen.

– Ond os nad ti wnaeth, yna pwy?

– Does 'da fi ddim syniad. Pryd roddodd dy dad MOT i'r car?

– Mis yn ôl. Ti'n cofio pan gwmpest ti mas 'dag e am yr Wolfe Tones a'i ypsetio gan ddweud mai Proddy Dog oedd e?

– Wel, fel arfer fyddwn i ddim yn trystio unrhyw Mr Dwylo Olew, ond dwi ddim yn credu bydde dy dad yn esgeulus wrth ofalu am gar ei ferch, meddai Paul.

– Falle… na…, dechreuodd Llinos.

– Beth?

– Na, nonsens yw e. Dim ond meddwl oeddwn i am dy

waith arloesol di a Mansel, meddai Llinos, oedd newydd daro ar syniad fyddai'n golygu na fyddai'n rhaid iddi ddychwelyd ar ei phen ei hun i Aberystwyth.

– Beth?

– Falle fod rhywun yn ceisio dy ladd di, Paul, meddai'n dawel gan geisio edrych mor bryderus â phosib, er nad oedd hi'n credu am eiliad bod rhywun yn ceisio niweidio Paul.

– Nonsens.

– Wel, os oes rhywun yn ceisio dy ladd di, dwi ddim yn mynd i dy adael di allan o 'ngolwg i. Fyddwn i byth yn gadael i unrhyw beth drwg ddigwydd i ti chwaith, meddai, gan afael yn dynn ynddo a gwenu'n dawel heb iddo fe sylwi.

5

Awr yn ddiweddarach dechreuodd Paul a Llinos ar eu taith ddeunaw milltir o Bosherston i Angle.

Cyn dechrau cerdded bu'n rhaid iddynt ddweud wrth berchennog y maes pebyll fod ei gât wedi'i dinistrio. Dechreuodd hwnnw daranu am esgeulustod y ddau ond bodlonodd pan gynigiodd Paul dalu am gât newydd.

Yna roedd angen dod o hyd i garej ddibynadwy i drwsio'r car. Dadl Llinos oedd y byddai'n llawer rhatach petai ei thad yn dod o Fachynlleth i dowio'r car 'nôl i'w garej ef i'w drwsio.

– Dwi ddim yn meddwl bod angen i dy dad ddod yr holl ffordd i lawr yma, oedd ymateb Paul. Roedd e'n awyddus i osgoi cyfarfod â Joe Burns ar bob cyfrif, rhag ofn i hwnnw benderfynu dial arno am y ffordd yr oedd wedi trin ei ferch.

– Ond byddai Dad yn 'i wneud e am ddim, meddai Llinos.

– Na, fe dala i am drwsio'r car. O leia fe alli di ei gasglu o'r garej yn hwyrach heddiw, gobeithio, cyn dychwelyd i Aberystwyth.

Yn ffodus i'r ddau, roedd perchennog y maes pebyll yn gwybod am garej addas, wyth milltir oddi yno, ym Mhenfro, fyddai'n gallu casglu'r car a'i drwsio. Hanner awr yn ddiweddarach cyrhaeddodd lorri'r garej i gasglu'r car.

Ar ôl iddo fwrw golwg dros y car, cadarnhaodd y mecanic fod llinyn y brêc wedi'i dorri. Gofynnodd Paul a oedd e'n gwybod sut y digwyddodd hynny.

– Anodd dweud nes caf i'r car 'nôl i'r garej. *Wear and tear*, mwy na thebyg, neu mae Mistar Big ar eich ôl chi, chwarddodd gan ddechrau clymu'r car wrth gefn y lorri.

Suddodd calon Paul pan ofynnodd Llinos pryd y byddai'r car yn barod.

– Mae 'da fi gwpwl o MOTs pnawn 'ma a bydd yn rhaid i fi archebu llinyn brêc newydd. Dylwn i ddechrau ar y gwaith bore fory gyda bach o lwc ac fe ddylai fod yn barod erbyn canol pnawn fory. Rhowch alwad ffôn i fi pry'ny, meddai'r mecanic gan roi ei gerdyn busnes i Llinos.

Gwenodd Llinos wrth sylweddoli y byddai'n treulio'r diwrnod a hanner nesaf yng nghwmni Paul. Gobeithiai y byddai hynny'n ddigon o amser iddi ei berswadio i ailgydio yn eu perthynas.

Suddodd calon Paul oherwydd gwyddai y byddai Llinos yn mynnu gwersylla yn yr un maes pebyll ag ef, neu'n waeth byth yn rhannu pabell gydag ef y noson honno. Gwyddai hefyd na fyddai'n ei adael o'i golwg am eiliad. Beth fyddai Carla'n ei feddwl petai hi'n gweld y ddau gyda'i gilydd?

Byddai'n rhaid iddo feddwl sut y gallai osgoi Llinos am ychydig a chael amser i siarad â Carla.

Ar ôl i Llinos estyn ei rycsac o gefn y car a ffarwelio â'r mecanic, cerddodd y ddau mewn tawelwch nes iddynt gyrraedd pentref Bosherston. Yna dilynon nhw ffordd fechan a arweiniai at Trevallen Point. Esboniodd Paul mai yno roedd y fynedfa i faes tanio Castellmartin.

– Mae'n sôn yn fy llawlyfr fod arwydd yno'n dweud a ydy'r maes tanio ar agor i'r cyhoedd ai peidio, meddai Paul.

– Pam? holodd Llinos, yn gwneud ei gorau glas i gadw i fyny â Paul wrth iddo frasgamu yn ei flaen.

– Yn syml, Llinos, os ydy'r maes tanio ar gau mae'r fyddin yn ei ddefnyddio i saethu a bydd yn rhaid i ni gerdded ar hyd y ffordd am wyth milltir i gyrraedd Freshwater West. Ond os ydy'r maes tanio ar agor gallwn gerdded trwyddo i Elegug Stacks, lle mae miloedd o *guillemot* yn nythu ac yn ymgartrefu.

– Falle cwrddwn ni â dy ffrindiau sy'n gwbod cymaint am adar, yn enwedig eu henwau Cymraeg, yn wahanol i ti! awgrymodd Llinos, oedd yn dal i feddwl mai creadigaethau dychymyg Paul oedd Otto Grünwald a Lotte Spengler.

– Dyw Grünwald na Spengler ddim yn ffrindiau i fi, Llinos, atebodd Paul.

Bu tawelwch rhwng y ddau am rai eiliadau wrth i Llinos bendroni dros y mater. Yna stopiodd a dweud,

– Wyt ti wedi meddwl mwy am y posibilrwydd eu bod nhw neu rywun arall yn ceisio dy ladd di? Fe wnest ti gamgymeriad yn meddwl eu bod nhw'n gweithio i fi a Dad, ond falle nad damwain oedd y ffaith fod llinyn y brêc wedi torri.

Stopiodd Paul ac edrych arni.

– Ond pwy yn y byd fyddai eisiau'n lladd i? chwarddodd.

– Dwi 'di bod yn meddwl, meddai Llinos.

– Beth yn gwmws yw'r gwaith arloesol rwyt ti a Mansel Edwards newydd ei gyflawni?

Closiodd Paul ati.

– Ti'n gwbod na alla i ddweud dim wrthot ti, o leia tan fydd Mansel a minnau'n cyhoeddi'r gwaith tua… Awwww…, bloeddiodd cyn iddo allu gorffen y frawddeg am fod Llinos wedi bwrw'i goes â'i phen-glin nes iddo gwympo. Ymhen chwinciad roedd hi wedi cydio yn ei fraich dde â'i dwy law.

– *Burns by name, Burns by nature*, Paul, meddai.

– Na, plis, Burnsy! Na, nid y *Chinese burn*, plis, ymbiliodd Paul. Ond yn rhy hwyr. Teimlodd boen llethol yn ei fraich.

– Un arall, Paul? gofynnodd Llinos.

– Nage, nage! O'r gore, yn syml, mae cymysgedd uniongyrchol o'r tri chemegyn MBBA, K21 a K24 yn golygu bod modd creu sgriniau teledu 3D o ansawdd gwych, ac o ganlyniad fe fydd technoleg LCD yn disodli technoleg plasma. Wrth gwrs, bydd hyn yn golygu bod mwy o bobl yn prynu teledu â sgrin LCD yn hytrach nag un â sgrin plasma.

Gollyngodd Llinos fraich Paul a'i helpu i godi.

– Duw a helpo'r plant ti'n eu dysgu, meddai Paul gan godi'i rycsac.

– Y tric ydy peidio â gadael marciau ar eu cyrff. Ta beth, dylet ti fod yn falch iawn o dy hunan, meddai Llinos.

– A dweud y gwir, Mansel yw'r athrylith, dim ond y gwaith arbrofi wnes i. Dydw i, hyd yn oed, ddim yn gwbod pa gyfuniad o'r tri chemegyn sydd ei angen.

– Bod yn sarcastig o'n i. Fe fydd eich gwaith arloesol chi'n golygu bod mwy o bobl dewion yn gorwedd ar eu soffas drwy'r dydd a mwy o bobl yn boddio'u chwant yn gwylio sianeli pornograffi yn hwyr y nos.

– Dwi'n siŵr y bydd y datblygiad o help i ddiwydiannau eraill, gan gynnwys y diwydiant iechyd, atebodd Paul yn amddiffynnol.

– Hmmm. Faint fydd colled ariannol yr holl gwmnïau sy'n dibynnu ar dechnoleg plasma? A faint o swyddi fydd yn cael eu colli? Ry'n ni'n sôn am filiynau a biliynau o bunnoedd. Wyt ti wedi meddwl am hynny?

Sythodd Paul ei gefn cyn ateb.

– Gwyddonydd ydw i. Nid fy lle i yw meddwl am oblygiadau 'ngwaith.

– Falle dylet ti ddechrau meddwl am yr oblygiadau... Mansel, a blydi Einstein, a blydi Oppenheimer a blydi Alfred blydi Nobel 'fyd. Ateb y cwestiwn yma, Paul. Wyt ti'n meddwl y bydd y bobl sy'n rhedeg y cwmnïau technoleg plasma:

(a) yn dweud 'Da iawn' ac yn prynu sigâr i ti a Mansel?

(b) braidd yn siomedig?

(c) yn gwneud popeth o fewn eu gallu i gael gafael ar y syniad neu'n gwneud eu gorau i roi stop arno'n gyfan gwbl?

– Wel...

– A dyma gwestiwn arall i ti. Os mai'r ateb i gwestiwn un yw (c), wyt ti'n meddwl y byddan nhw:

(a) yn ceisio gwneud yn siŵr fod un o'r gwyddonwyr yn syrthio oddi ar glogwyn, neu

(b) yn ceisio lladd un o'r gwyddonwyr mewn damwain car?

– A beth am (c)? gofynnodd Paul â'i wddw'n sych erbyn hyn.

– Dyw (c) ddim wedi digwydd eto, Paul.

– Gwell i fi ffonio Mansel, meddai Paul.

– Beth fyddet ti'n neud hebdda i? meddai Llinos gan roi ei ffôn symudol iddo.

Ffoniodd Paul swyddfa Mansel, ond doedd dim ateb.

– Dim ateb, meddai.

– Ffonia fe yn 'i gartre 'te.

Er i'r ffôn ganu ni chododd Mansel Edwards o'r gadair lle bu'n eistedd yn dawel ers nos Sul. Yno y byddai tan ddau o'r gloch y prynhawn hwnnw nes y byddai Jane Williams y lanhawraig yn dod o hyd i'w gorff.

– Dim ateb.

– Ffonia'i rif symudol 'te.

Ufuddhaodd Paul am y trydydd tro. Ond roedd ffôn symudol Mansel ym mhoced ei got a'r batri wedi hen ddarfod.

– Dim ateb.

– Hmmm. Bydd yn rhaid i ti ffonio nes mlaen, meddai Llinos gan ddechrau cerdded yr hanner milltir olaf at fynedfa maes tanio Castellmartin. Er iddi greu'r syniad bod rhywun yn ceisio lladd Paul, roedd wedi gobeithio y byddai Mansel yn ateb y ffôn, yn sylweddoli bod stad feddyliol Paul yn fregus ac yn mynnu ei fod yn dychwelyd i Aberystwyth gyda hi.

– Os oes rhywun yn ceisio dy ladd di, Paul, o leia maen nhw eisiau iddo edrych fel damwain. Felly o leia chei di mo dy saethu, na dy stabio, meddai, gan gamu mlaen yn eiddgar.

– Mae hynny'n gysur mawr, Llinos, meddai Paul ac edrych yn ôl i wneud yn siŵr nad oedd neb yn eu dilyn.

6

Cerddodd y ddau at fynedfa'r maes tanio. Wrth iddynt agosáu fe sylwon nhw ar ddau berson yn sefyll wrth y fynedfa, Otto Grünwald a Lotte Spengler.

– Bore da, Herr Paul a Frau...? meddai Otto. Roedd gan y ddau bâr o finocwlars yr un yn crogi o amgylch eu gyddfau. O'u hymateb, gwyddai Llinos iddynt fod yn gwylio Paul a hithau'n agosáu ers tipyn.

Sylwodd Paul fod rycsac a deunydd dringo'r ddau'n hongian ar arwydd a ddynodai fod hon yn un o fynedfeydd maes tanio Castellmartin.

– Burns, Frau Llinos Burns, *fiancée* Paul, atebodd Llinos yn gyflym.

– Dyma Otto Grünwald a Lotte Spengler, meddai Paul gan gyflwyno'r ddau i Llinos.

– O! Dwi 'di clywed llawer amdanoch chi, meddai Llinos.

– Pam yn y byd fyddai Paul yn meddwl eich bod chi'n ceisio'i ladd e, dwi ddim yn gwbod. Dy'ch chi ddim yn ceisio'i ladd e, ydych chi? gofynnodd dan wenu.

Chwarddodd Otto a Lotte'n uchel cyn i Otto ei hateb,

– Na, na, na. Dwi'n credu y byddai'n fwy tebygol y byddech chi'n lladd Herr Paul na ni, Frau Burns. Gyda llaw, Herr Roger, dim ond ddeng munud yn ôl yr aeth Frau Carla heibio. Os cerddwch chi'n gyflym, dwi'n siŵr y gallwch chi'i dal hi, meddai wrth Paul cyn troi at Llinos.

– Mae Frau Carla yn ferch hyfryd, Frau Burns. Ydych chi wedi'i chyfarfod hi?

– Ydw…, atebodd Llinos yn swrth cyn i Paul ymyrryd.

– Wel, gwell i ni gerdded, achos mae diwrnod hir o'n blaenau. Dwi'n cymryd bod y maes tanio ar agor? Mae'n dweud yn fy llawlyfr y dylai fod arwydd fan hyn yn dweud ydy'r maes tanio ar agor neu ar gau.

– Na, Herr Paul. Dim ond pan fydd y maes tanio ar gau mae'r fyddin yn rhoi arwydd yma. Falle fod eich llawlyfr ychydig yn hen, awgrymodd Otto.

– O, gwych! Dwi'n edrych ymlaen at weld Elegug Stacks, meddai Paul.

– Mae gweld yr holl adar yn wych, Herr Paul, meddai Lotte yn Gymraeg.

– Ac os byddwch chi'n lwcus, efallai y gwelwch chi'r llinos dewgoes, ychwanegodd yn sarcastig.

– Diolch. Wel, *Auf Wiedersehen*, Herr Grünwald, Frau Spengler. Falle gwelwn ni chi nes mlân, meddai Paul wrth iddo ef a Llinos fynd drwy'r gât a dechrau dilyn y llwybr drwy'r maes tanio.

– Na, dwi ddim yn credu y gwnawn ni gyfarfod eto, meddai Otto, cyn i Lotte ychwanegu,

– Ry'n ni wedi penderfynu aros ym Mhenfro heno.

Gwyliodd Otto a Lotte y ddau'n cerdded i'r pellter cyn tynnu eu rycsacs, eu rhaffau a gweddill eu deunydd dringo oddi ar yr arwydd y tu ôl iddynt. Camodd y ddau i ffwrdd gan ddatgelu'r arwydd yn llawn: '*Range closed*'.

Trodd Otto at Lotte.

– Paid ag edrych arna i fel 'na, Lotte. Mae e'n haeddu popeth sy'n dod iddo, meddai gan bwyntio at ei lygad ddu, cyn i'r ddau ddechrau cerdded 'nôl i Bosherston.

7

Ar ôl i Paul a Llinos gerdded am ddeng munud dechreuodd Llinos chwerthin. Trodd Paul a'i gweld yn sefyll ger postyn oren llachar.

– Beth sydd mor ddoniol? gofynnodd.

– Edrych, Paul. Ddwedes i fod oren yn trendi, atebodd Llinos gan bwyntio at y postyn oedd yr un lliw yn union â'i throwsus a'i thop.

– Doniol iawn…, dechreuodd Paul, ond boddwyd gweddill ei frawddeg gan sŵn byddarol.

– O'n i'n meddwl nad o'dd y fyddin yn defnyddio'r maes tanio heddiw, meddai Llinos.

– Dere mlân, byddwn ni'n iawn, dim ond inni gadw at y llwybr.

Edrychodd Llinos dros y tir diffaith a sylwi bod rhywbeth yn symud yn y pellter, ryw filltir a hanner i ffwrdd.

– Ble mae dy finocwlars di, Paul? gofynnodd gan gadw'i llygaid ar y smotyn oedd yn nesáu.

– Yn fy rycsac. Pam?

– Tyn e allan.

– Pam? Wyt ti wedi gweld aderyn? Ddim y gorswennol farfog?

– Tyn e allan.

Ufuddhaodd Paul a rhoi'r binocwlars i Llinos. Edrychodd hithau drwy'r teclyn a gweld pum tanc yn symud tuag atynt mewn rhes.

– Beth wyt ti wedi'i weld, Llinos? gofynnodd Paul yn ddiamynedd.

Rhoddodd Llinos y binocwlars iddo heb ddweud gair.

– O, tanciau tua milltir i ffwrdd, meddai Paul gan

edrych trwy'r binocwlars heb ddeall pam roedd Llinos yn gwneud y ffath ffys.

– Ac maen nhw'n symud i'n cyfeiriad ni, Paul.

Rhoddodd Paul y binocwlars yn ôl yn ei rycsac cyn rhoi hwnnw 'nôl ar ei gefn.

– Dere mlân, Llinos. Dwi ddim yn credu byddan nhw'n saethu aton ni, chwarddodd cyn ychwanegu,

– Ambell waith rwyt ti'n cael y syniadau mwya…, ond ni chlywodd Llinos ddiwedd y frawddeg am fod sŵn byddarol y tanio wedi dechrau unwaith eto. Eiliad yn ddiweddarach roedd hi'n gorwedd ar y llawr, yn poeri pridd o'i cheg. Agorodd ei llygaid a gweld Paul yn cropian tuag ati gan edrych yn gegagored dros ei hysgwydd. Trodd a gweld ceudwll tua deugain llath i ffwrdd oedd newydd gael ei greu gan siel.

– *Shit*, meddai Paul wedi iddo gyrraedd Llinos.

– Blydi hel, Paul! Beth y'n ni'n mynd i neud?

Cyn i Paul gael amser i ymateb clywsant sŵn tanio unwaith eto. Caeodd y ddau eu llygaid a gafael yn dynn yn ei gilydd wrth i siel arall ffrwydro, ddeugain llath yr ochr arall y tro hwn.

– Rhed! gwaeddodd Paul gan godi a thynnu Llinos ar ei ôl. Rhedodd y ddau nerth eu traed ar hyd y llwybr.

Buon nhw'n rhedeg am bron i chwarter milltir cyn stopio i gael eu gwynt atynt.

– Dylen ni fod yn iawn fan hyn. Ro'n ni'n bownd o fod yn y man anghywir ar yr adeg anghywir, meddai Paul wrth weld bod y tanciau nawr tua hanner milltir i ffwrdd i'r chwith yn hytrach nag yn syth o'u blaenau fel cynt.

– Neu ai Grünwald a Spengler wnaeth yn siŵr y bydden ni yn y man anghywir ar yr adeg anghywir?

Nid atebodd Paul. Daliai i syllu ar y tanciau.

– Blydi hel, na! Maen nhw wedi troi ac yn dod tuag aton ni 'to, meddai.

Yna clywsant sŵn y tanio unwaith eto. Taflwyd y ddau i'r llawr am yr eildro wrth i siel lanio tua hanner canllath y tu ôl iddynt.

– Blydi hel, Paul, maen nhw'n saethu aton ni!

– Rhed! gwaeddodd Paul unwaith eto wrth i danc arall danio'i siel.

Wrth i'r ddau redeg am eu bywydau gwelodd Paul bolyn oren llachar fel yr un y cyfeiriodd Llinos ato ger y llwybr. Clywodd y siel yn ffrwydro y tu ôl iddo. Edrychodd tuag yn ôl a gweld bod y siel wedi disgyn rhyw ddeg llath ar hugain y tu ôl i Llinos.

Pan gyrhaeddodd Llinos ato daliodd hi'n dynn a dweud,

– Tyn dy drowsus a dy dop yn glou.

– Beth? Blydi hel, Paul, ddim nawr yw'r amser.

– Tyn dy blydi drowsus a'r top 'na. Maen nhw'n saethu atat ti.

– Dy'n nhw ddim mor wael â hynny.

– Na, maen nhw'r un lliw â'r polion, y polion targed.

O fewn eiliadau roedd Llinos wedi tynnu'i throwsus a'i thop.

Gwingodd Paul pan welodd Llinos yn sefyll o'i flaen yn ei dillad isaf.

– Dwi'n gwbod mod i wedi rhoi cwpwl o bwysi mlaen ond oes rhaid i ti wneud hynny mor amlwg?

– Na, edrych arnyn nhw, Burnsy.

Sylweddolodd Llinos ar unwaith beth fyddai'n rhaid iddi

ei wneud ond doedd hi ddim yn mynd i ymddiheuro am wisgo dillad isaf oren llachar.

– Mae *colour co-ordination* yn bwysig, meddai wrth iddi ddiosg ei nicyrs a'i bra.

Eiliad yn ddiweddarach clywsant siel arall yn cael ei thanio. Neidiodd Paul ar ben Llinos.

Ffrwydrodd y siel gerllaw. Cododd Paul ar ei draed a thynnu'i drowsus a'i bans. Dechreuodd neidio i fyny ac i lawr gan chwifio'i bans gwyn uwch ei ben.

Cododd Llinos a sefyll y tu ôl iddo wrth i'r tanciau agosáu.

8

Awr yn ddiweddarach eisteddai Paul a Llinos yn swyddfa'r Uwch-gapten Justin Large, prif swyddog maes tanio Castellmartin. Erbyn hynny roedden nhw wedi cael eu rycsacs yn ôl ac wedi cael cawod a newid eu dillad. Roedd Llinos wedi penderfynu gwisgo siwmper o liw gwyrdd llachar a throwsus melyn yn lle'r dillad oren oedd wedi'u strywio, tra gwisgai Paul drowsus a chrys caci.

Roedd y ddau wedi ceisio esbonio iddynt gerdded i mewn i'r maes tanio ar ôl cael eu camarwain gan Grünwald a Spengler.

– Pam fydden nhw'n gwneud hynny? gofynnodd yr Uwch-gapten gan edrych allan drwy'r ffenest a meddwl beth oedd pwynt cael byddin os mai dyma'r math o bobl roedden nhw'n eu hamddiffyn.

– Wel, am mod i wedi cael anghytundeb gyda nhw ddoe, atebodd Paul yn dawel.

– Pa fath o anghytundeb? gofynnodd yr Uwch-gapten.

– Wel, camddealltwriaeth yn fwy nag anghytundeb. Am ddim byd o bwys mewn gwirionedd, meddai Paul.

– Waeth inni ddweud wrtho, Paul, meddai Llinos, cyn ychwanegu,

– Cyhuddodd Paul nhw o geisio'i ladd am ei fod yn meddwl eu bod nhw'n gweithio i 'nhad. Ar ôl i Paul arteithio dyn arall mewn cawod ar faes pebyll yn Freshwater East fe ymosododd hwnnw ar Grünwald…

Cododd yr Uwch-gapten ei law i'w hatal.

– Grünwald? gofynnodd.

– Ie, Grünwald, atebodd Llinos wrth i'r Uwch-gapten ysgrifennu rhywbeth yn ei nodiadur.

– Felly roedd e'n amlwg am ddial ar Paul a llwyddodd i wneud hynny drwy ein twyllo i gerdded drwy'r maes tanio, gorffennodd Llinos gan wenu ar yr Uwch-gapten.

Edrychodd hwnnw ar ei nodiadur. Roedd wedi ysgrifennu'r gair 'NYTARS' mewn llythrennau breision. Cododd ar ei draed.

– Diddorol iawn. Hyd yn oed petai hyn yn wir, ry'ch chi wedi tresmasu ar dir Ei Mawrhydi ac roeddech chi, Ms Burns, yn hollol noeth a chithau, Dr Price, heb drowsus na phans. Cywir?

– Cywir, cytunodd Paul yn dawel.

– Wel ie, ond…, dechreuodd Llinos cyn i'r Uwch-gapten godi'i law am yr eildro.

– Man a man i chi gyfaddef, gyfeillion. Chi yw'r trydydd pâr inni eu dal yn ceisio cael rhyw ar y maes tanio 'ma eleni. Dwi wedi cael llond bol ar bobl fel chi sy'n cael yr ysfa i gael rhyw mewn llefydd peryglus. Bydd yn rhaid i ni eich erlyn, mae arna i ofn, oherwydd mae'n drosedd ddifrifol, meddai.

Rhoddodd Paul ei ben yn ei ddwylo a griddfan. Edrychodd Llinos i fyw llygaid yr Uwch-gapten.

– Os gwnewch chi'n herlyn ni, bydd yn rhaid i ni sôn am y ffaith fod eich tanciau wedi saethu aton ni ar ôl i Paul chwifio'i bans gwyn yn yr awyr. Efallai inni dresmasu heb yn wbod inni, ond dyw hynny ddim yn esgus i danciau Ei Mawrhydi geisio lladd rhywun sydd wedi ildio.

– Ond nid felly roedd hi, meddai'r Uwch-gapten.

– Gair y fyddin yn erbyn gair pennaeth adran ysgol uwchradd a gwyddonydd uchel ei barch fydd hi. A dweud y gwir, dwi'n edrych ymlaen at yr achos llys, yn enwedig pan fydd y stori'n ymddangos yn y wasg ac yn enwedig pan ddweda i fod pum tanc wedi methu lladd dau berson. Bydd hynny'n rhoi hyder i aelodau al-Qaeda yn Kabul a Burnley.

Rhythodd yr Uwch-gapten ar Llinos am rai eiliadau.

– Wel, dwi'n gobeithio y gwnewch chi fwynhau gweddill eich gwyliau, meddai cyn ychwanegu,

– Alla i gynnig lifft i'r ddau ohonoch chi at fynedfa'r gwersyll?

– Diolch yn fawr, meddai Llinos.

9

Wedi cael lifft at fynedfa maes tanio Castellmartin cychwynnodd Paul a Llinos ar eu taith wyth milltir i Angle. Byddai'n rhaid iddynt ddilyn y briffordd am bedair milltir cyn ailymuno â llwybr yr arfordir yn fuan ar ôl cyrraedd traeth hir Freshwater West.

– O'n i'n meddwl i fi ddelio'n eitha da 'da Action Man 'nôl fan'na, meddai Llinos wrth iddi hi a Paul gerdded ar hyd y briffordd.

– Hmmm, oedd unig ymateb Paul.

– Byddai ychydig o ddiolch yn eitha neis, Paul.

– Iawn. Diolch am wisgo oren llachar a bron â'n lladd ni. Hapus nawr? meddai Paul yn flin gan stopio cerdded ger mynedfa fferm o'r enw Frumpton Farm.

– Esgusoda fi, ond bai'r blydi Awstriaid oedd hynna i gyd. Wyt ti wir yn meddwl mai ceisio dial arnat ti oedden nhw, neu oedden nhw'n gobeithio y byddet ti'n cael damwain yr un fath â'r car? Falle'u bod nhw'n gweithio i'r bobl sydd am dy rwystro di a Mansel rhag cyhoeddi'ch syniadau, meddai Llinos mewn ymdrech arall i wneud Paul yn fwy dibynnol arni a'i berswadio i ddychwelyd gyda hi i Aberystwyth.

Stopiodd Paul ac edrych arni am eiliad cyn syllu ar yr arwydd 'Frumpton Farm'. Yna trodd ei sylw 'nôl at Llinos.

– Beth ti'n feddwl dylen ni neud?

– Trio cael lifft i'r orsaf heddlu agosaf. Rhoi adroddiad llawn i'r heddlu er mwyn gwneud yn siŵr bod popeth sy wedi digwydd wedi'i gofnodi. Cysylltu â Mansel a mynd 'nôl i Aberystwyth.

Meddyliodd Paul am eiliadau hir. Roedd Llinos yn llygad ei lle. Roedd pethau od iawn wedi digwydd ers iddo ddod i sir Benfro. Efallai y dylai fynd at yr heddlu a siarad â Mansel. Ond doedd e ddim eisiau dychwelyd i Aberystwyth heb weld Carla.

– O'r gore, falle dy fod ti'n iawn, cytunodd a thynnu amserlen bysiau o'i rycsac. Edrychodd ar ei wats. Deng munud i hanner dydd.

– Mae 'na fws yn mynd o Freshwater West i Angle a Doc Penfro am hanner awr wedi un. Dylen ni gyrraedd Freshwater West erbyn hynny, meddai.

Wrth iddo roi'r amserlen 'nôl yn ei rycsac gwelodd y daflen

oedd yn cynnwys posau Mansel. Roedd wedi anghofio'n llwyr am y cliwiau ers i Llinos gyrraedd y noson cynt.

Edrychodd ar y pos am y diwrnod hwnnw:

> Ti yn iaith Roland Barthes,
> Dy hoff bryd bwyd a'i ddilyn gan ïodin,
> Fferm elfennol heb 100 AS,
> Dy hoff bryd bwyd a'i ddilyn gan ïodin.

– Beth ti'n neud nawr? gofynnodd Llinos gan edrych dros ysgwydd Paul.

– Dim ond darllen un o'r posau mae Mansel wedi'u gosod i fi ar gyfer fy ngwyliau, fel y bydd yn ei neud bob tro, atebodd Paul yn ddifeddwl gan geisio dadansoddi'r cliw.

– Beth ti'n feddwl 'fel mae'n neud bob tro'? Bob gwyliau? Ydy hynny'n cynnwys Fuerteventura llynedd?

– Hmmm, ydy. Mae'n ffordd o gadw fy meddwl i'n siarp tra ydw i bant o'r gwaith, esboniodd Paul cyn sylweddoli iddo wneud camgymeriad.

– Does dim rhyfedd dy fod ti mor dawel ac yn fawr o gwmni 'te, dechreuodd Llinos daranu.

– Sdim rhyfedd fod ein perthynas bron â chwalu, oherwydd mae 'na dri yn y berthynas: ti, Mansel a dy waith. Dwi ddim hyd yn oed ymhlith y medalau, gwaeddodd gan gamu yn ei blaen.

Penderfynodd Paul y byddai'n gwrando ar ei iPod fel na fyddai'n gorfod gwrando ar Llinos yn cwyno amdano yn ystod gweddill y daith i Freshwater West. Yn ogystal, roedd e newydd lwyddo i ddatrys pedwerydd pos Mansel.

Yr ateb i 'Ti yn iaith Roland Barthes' oedd '*tu*'. Ei hoff

fwyd oedd unrhyw fath o bei, felly'r ateb i 'Dy hoff bryd bwyd a'i ddilyn gan ïodin' oedd 'pei' neu efallai y symbol π ac yna 'I'. Y fferm elfennol oedd Frumpton. O golli 100 Aelod Seneddol, neu 'MP' a 'ton', dim ond 'Fr' ac 'U', sef symbolau'r elfennau ffranciwm ac wraniwm, oedd ar ôl.

Felly yr ateb i'r pos oedd Tu, π , I, Fr, U, π ac I.

Am y tro cyntaf, roedd yr ateb yn cynnwys y symbol π, nad oedd yn cynrychioli elfen gemegol, a theimlai Paul yn fwy dryslyd nag erioed.

Penderfynodd dreulio'r awr nesaf yn meddwl am y posau i gadw ei feddwl oddi ar y posibilrwydd fod rhywun yn ceisio'i ladd.

10

Tra oedd Paul a Llinos ar eu ffordd i Freshwater West roedd Otto Grünwald a Lotte Spengler yn sefyll ar glogwyn uwchben y traeth yno.

Roedden nhw'n edrych trwy eu binocwlars ac yn gwylio'r traeth yn ofalus. Sythodd Lotte.

– Dwi wedi'u gweld nhw, hisiodd.

– Ble?

– Yr ochr arall i'r traeth. Wyt ti'n 'u gweld nhw, Otto?

Symudodd Otto ei finocwlars nes ei fod yn gweld yr un olygfa â Lotte.

– Ydw, cadw dy lygad arnyn nhw, Lotte. Ry'n ni angen gwbod ble yn gwmws maen nhw'n mynd. Mae'r ddau yna wedi gwneud ffyliaid ohonon ni am gyfnod rhy hir. Cadwa lygad barcud arnyn nhw ac wedyn fe allwn ni orffen ein gwaith yma.

11

Cyrhaeddodd Paul a Llinos faes parcio Freshwater West toc wedi un o'r gloch. Roedd rhai teuluoedd, pobl ifanc a syrffwyr yn mynd a dod rhwng y traeth a'u ceir, a barciwyd yn rhes ar ochr y ffordd yn bennaf.

Cerddodd Llinos at y toiledau cyhoeddus cyn aros a thynnu'i rycsac oddi ar ei chefn.

– Dwi bron â byrstio. Edrych ar ôl fy rycsac i, wnei di? meddai cyn cerdded i mewn i doiledau'r merched.

Tynnodd Paul ei rycsac yntau oddi ar ei gefn a'i osod gerllaw un Llinos. Tynnodd ei iPod o'i glustiau a'i roi ym mhoced ei drowsus. Gwelodd rywun yn cerdded i mewn i'r blwch ffôn a chofiodd y dylai ffonio Mansel i drafod pryderon Llinos. Rhoddodd gynnig arall arni ar ei ffôn symudol ond, unwaith eto, doedd dim ateb. Byddai o leiaf awr arall cyn i Jane Williams ddod o hyd i gorff Mansel.

Meddyliodd Paul efallai y byddai hwyliau Llinos yn codi petai'n prynu hufen iâ iddi. O bosib byddai ychydig o siwgr yn y corff o help.

Dychwelodd rai munudau'n ddiweddarach yn cario dau Mr Whippy wrth i Llinos ddod 'nôl o'r toiledau.

– Roedd 'na giw diawledig yna. Hufen iâ i fi? Wel dyna ramantus, meddai Llinos gan ei gymryd.

– Fe ddylai'r bws fod yma mewn pum munud, meddai Paul gan ddechrau llyfu ei hufen iâ.

– Mmmm, lyfli, ychwanegodd gan gau ei lygaid i werthfawrogi'r blas synthetig hyfryd. Agorodd nhw eto i weld bod wyneb Llinos wedi dechrau troi'n biws.

– Dwi ddim yn credu'r peth…

– Beth? O'n i'n meddwl dy fod ti'n hoffi fanila.

– Ble mae'n rycsacs ni, Paul?

– Maen nhw fan hyn. Fe ddylen nhw fod fan hyn. Mae'n rhaid eu bod nhw fan hyn! Llinos, maen nhw wedi diflannu! meddai Paul.

– 'Dwi eisiau rhyddid', dyna ddwedodd e. 'Dwi eisiau amser i feddwl', dyna ddwedodd e. Ond dwi ddim yn gallu mynd am bishad heb i ti neud cawlach o bethau. Mae fel mynd mas gyda phlentyn pum mlwydd oed, meddai Llinos wrth i Paul syllu ar y gofod lle bu'r ddau rycsac funudau ynghynt.

– Bwyta fwy o dy hufen iâ, Llinos. Dwi'n credu bod diffyg siwgr yn dy waed di, oedd unig ymateb Paul.

– Mae rhywun wedi'u dwyn nhw'r ffŵl. Ti ydy'r...

Ond ni chlywodd Paul ragor. Roedd wedi cael digon am un diwrnod. Tynnodd ei iPod o boced ei drowsus a dechrau gwrando ar Symffoni Rhif 41 Mozart wrth i Llinos ddal ati i daranu.

Roedd Llinos yn dal wrthi bum munud yn ddiweddarach pan gyrhaeddodd y bws i fynd â nhw i Angle.

– Dau docyn, os gwelwch yn dda, meddai.

– Ble y'ch chi am fynd?

– Ble mae'r orsaf heddlu agosaf?

– Doc Penfro. Na, arhoswch funud. Chi'n lwcus, heddiw mae bws cymunedol yr heddlu ger traeth Angle drwy'r dydd. Dyw e ddim yn gadael tan bedwar. Pam y'ch chi angen yr heddlu? gofynnodd y gyrrwr.

– Mae rhywun wedi dwyn ein rycsacs, meddai Paul.

– A dwi isie riportio llofruddiaeth, ychwanegodd Llinos.

– Llofruddiaeth? Pryd? Ble?

– Ar y bws yma ymhen pum munud, os galla i feddwl am ffordd o ddianc heb gael 'y nal, atebodd gan wthio Paul tuag at gefn y bws gwag.

12

Safai Paul a Llinos ger bws cymunedol yr heddlu oedd yng nghanol y maes parcio ger traeth Angle West, tua hanner milltir o bentref Angle.

Sefydlwyd cynllun bws cymunedol Heddlu Dyfed-Powys yn sir Benfro i wasanaethu pentrefi bychain y sir. Dim ond un heddwas oedd yn gyfrifol am y bws, sef PC Jim Marshall, oedd wedi'i benodi i'r swydd ddwy flynedd ynghynt, yn rhannol am ei fod yn gallu siarad Cymraeg, ond yn bennaf am ei fod yn bwriadu ymddeol o'r heddlu yn 55 mlwydd oed wedi deng mlynedd ar hugain o wasanaeth i'w Mawrhydi. Bellach dim ond chwe mis oedd ganddo ar ôl.

Roedd yn ddigon hapus, felly, i dreulio'i ddyddiau olaf fel heddwas yn teithio o un pentref i'r llall yn sir Benfro, yn siarad â'r cyhoedd a chymryd manylion mân achosion o fandaliaeth a goryrru.

Cawsai ysgariad bum mlynedd ynghynt ar ôl i'r plant adael cartref, ac erbyn hyn roedd yn byw ar ei ben ei hun. Bu ef a'i wraig yn ddigon aeddfed i sylweddoli, ar ôl i'r plant hedfan o'r nyth, nad oedd ganddynt fawr ddim yn gyffredin. Roedd ei wraig wedi symud yn ôl i fro ei mebyd yn Harlow i wneud cwrs celf yn y coleg yno. Anaml iawn y byddai'n gweld ei ddwy ferch: roedd un yn gweithio ym maes Technoleg Gwybodaeth yn Llundain a'r llall yn athrawes ysgol gynradd yn Carlisle.

Felly diweddglo digon tawel fyddai yna i yrfa PC Marshall – gyrfa oedd wedi dechrau mor addawol ddeng mlynedd ar hugain ynghynt. Fel llawer o Gymry'r oes honno, roedd Jim wedi ymuno â'r Met yn Llundain yn 1981 pan oedd terfysgaeth yn ei hanterth. Yn sgil ymgyrch fomio'r IRA a gwarchae Llysgenhadaeth Iran yn Llundain roedd y Llywodraeth wedi penderfynu y dylid hyfforddi mwy o heddweision i ddefnyddio drylliau. Oherwydd iddo gael ei fagu ar fferm yn sir Gaerfyrddin roedd Jim yn gyfarwydd iawn â saethu, felly yn fuan ar ôl iddo ymuno â'r Met cafodd ei hyfforddi i drin gwn. Dechreuodd ar yrfa ddiddorol yn gwarchod pwysigion, gan gynnwys aelodau'r Teulu Brenhinol, aelodau o Gabinet y Llywodraeth a phwysigion o wledydd eraill fyddai'n ymweld â Phrydain.

Ond daeth tro ar fyd un noson yn 1985 tra oedd yn chwarae dartiau gyda'i gyd-weithwyr mewn tafarn. Bownsiodd darten yn ôl o'r bwrdd a'i fwrw yn ei lygad dde. Er na chafodd ei ddallu, collodd rywfaint o'i olwg yn y llygad honno ac ni allai barhau i gario gwn.

Aeth yn isel ei ysbryd ac yn fuan wedyn symudodd a dechrau gweithio i Heddlu Dyfed-Powys yn sir Benfro. Er iddo gael tipyn o bleser yn magu'i blant, roedd yna wacter yn ei fywyd wedi iddo golli'r cyffro o weithio yn Llundain. Doedd ganddo fawr ddim yn gyffredin gyda'r genhedlaeth ifanc o heddweision, a doedd gan y rheiny ddim diddordeb yn ei straeon am yr wythdegau yn Llundain. Teimlai'n ddig eu bod mor nawddoglyd tuag ato a gwyddai nad oedden nhw'n credu iddo warchod rhai o wleidyddion pwysica'r cyfnod.

Er hynny, daliai i fynychu cystadlaethau saethu colomennod clai ar benwythnosau, a byddai'n mwynhau darllen straeon antur gan awduron fel Jack Higgins a Frederick Forsyth yn ei amser hamdden neu yn y bws cymunedol pan fyddai'n dawel. Roedd y llyfrau hyn yn ei atgoffa o gyfnod mwyaf anturus ei fywyd.

Roedd hanner ffordd drwy un o nofelau antur Bulldog Drummond, *Knock Out*, pan gerddodd Paul a Llinos i mewn i'r bws. Gwelsant ddyn moel, llond ei groen yn sefyll y tu ôl i gownter digon tebyg i'r un a welir mewn swyddfeydd heddlu. Yn sydyn dallwyd y ddau gan fflach o olau uwch eu pennau. Camodd PC Jim Marshall o'r tu ôl i'r cownter i'w cyfarch.

— Mae'n flin 'da fi am y fflach ond mae yno er mwyn diogelwch. Ry'n ni'n cael ambell gwsmer anfodlon ac mae'n rhaid cael tystiolaeth, on'd oes? Ta beth, prynhawn da. PC Jim Marshall, eich heddwas cymunedol, ydw i. Sut alla i'ch helpu chi heddiw? meddai gan ailadrodd y cyfarchiad roedd wedi'i ddysgu ar ei gof.

Esboniodd Paul a Llinos am farwolaeth Max, y ddamwain car, eu bod wedi cael eu twyllo i gerdded ar faes tanio Castellmartin a bod rhywun wedi dwyn eu rycsacs.

Cymerodd PC Marshall nodiadau manwl cyn dweud,

— Hmmm, mae llawer o'r digwyddiadau hyn yn gysylltiedig â'r ddau berson a'ch twyllodd i fynd i'r maes tanio. Beth oedd eu henwau?

— Otto Grünwald a Lotte Spengler, er dwi'n siŵr nad dyna'u henwau iawn, atebodd Paul.

— Arhoswch am eiliad, meddai Jim cyn symud y tu ôl i'r cownter a theipio enwau Otto a Lotte i'w liniadur a gwasgu botwm. Rai eiliadau'n ddiweddarach printiwyd taflen.

Dychwelodd Jim â'r daflen yn ei law.

— Ai'r rhain ydyn nhw? gofynnodd.

Edrychodd Paul a Llinos ar lun o Otto a Lotte oedd yn amlwg wedi'i dynnu ar y bws cymunedol.

– Ie, yn bendant, meddai Paul.

– Ydyn nhw wedi bod mewn trafferth gyda'r heddlu o'r blaen? gofynnodd Llinos.

– I'r gwrthwyneb, Ms Burns. Dwi'n nabod Herr Grünwald a Frau Spengler yn dda. Pobl ffein iawn. Maen nhw'n dod i sir Benfro ers blynyddoedd bellach, ac maen nhw wastad yn galw i mewn am sgwrs pan welan nhw'r bws. Dringwyr brwd iawn, ac mor gwrtais, wastad yn gofyn sut ydw i ac i ble fydda i'n teithio yn ystod eu gwyliau. Mae'n rhaid i fi ddweud mai Otto a Lotte fyddai'r bobl ola fyddwn i'n meddwl fyddai'n ceisio lladd unrhyw un, meddai Jim.

– Diolch byth am hynny, meddai Paul.

– Wedi dweud hynny, maen nhw wedi torri'r gyfraith os ydyn nhw wedi'ch twyllo i fynd ar y maes tanio pan oedd e ar gau i'r cyhoedd. Falle'u bod nhw wedi paratoi ar gyfer y weithred yma ers sawl blwyddyn, fel y gwnaeth Ricky Diamond yn achos enwog Albert Campion, *The Long Game*. Oes gennych chi unrhyw dystiolaeth annibynnol, oherwydd eich gair chi yn erbyn eu gair nhw fydd hi, fel yn achos Nancy Drew, *The Big Lie*?

– Felly allwch chi wneud dim am y peth? meddai Paul, cyn i Jim ymgolli'n llwyr yn ei fyd ffuglennol.

– Ddwedais i mo hynny, ond ar y llaw arall, mae'n ddigon posib fod rhywun arall wedi dwyn eich rycsacs ac mae'n bosib fod rhywun wedi torri'ch brêcs. Mae hon, fel byddai Mr Holmes yn ei ddweud, yn broblem tri chetyn. Dyma fy ngherdyn. Mae fy rhif ffôn symudol arno. Dwi ar gael ddydd a nos. Fe fydda i yn Noc Penfro, Tyddewi ac Abergwaun fory ac yna dwi'n mynd i Iwerddon nos fory:

cynllun Ewropeaidd INTERREG i rannu gwybodaeth â'n cyfoedion yn y Garda. Ta beth, fel byddai Monsieur Hercule Poirot yn ei ddweud, os caf i'r celloedd bach llwyd i weithio, dwi'n siŵr galla i ddatrys yr achos cyn hynny, meddai Jim.

– Wel, o leia rwyt ti wedi rhoi'r ffeithiau i gyd i'r heddlu nawr, meddai Llinos wrth i Paul a hithau gerdded o fws cymunedol yr heddlu i'r maes parcio.

– Dwi'n credu mai'r peth gorau i ni ei neud nawr yw aros dros nos yn Noc Penfro, casglu fy nghar a dychwelyd i Aberystwyth, lle galli di drafod pethau gyda Mansel cyn inni roi cynnig arall ar bethau, ychwanegodd.

Wrth i Llinos siarad dechreuodd gwaed Paul ferwi pan sylweddolodd iddi dreulio'r holl ddiwrnod yn llywio pethau fel y byddai e'n dychwelyd gyda hi i Aberystwyth. Trodd i'w hwynebu.

– Na, Llinos. Dwi'n gwbod yn union beth yw dy gêm fach di. I ddechrau, fe wnest ti drio 'mwlio i i ddod 'nôl atat ti. Wedyn rwyt ti wedi trio cysylltu'r ffaith fod brêcs dy gar wedi methu â dialedd Grünwald a Spengler a'r ffaith fod y rycsacs wedi'u dwyn. Does dim cysylltiad rhwng y tri digwyddiad. Fe siarada i â Mansel yn fy amser fy hun. Dwi ddim yn dod 'nôl i Aberystwyth gyda ti. Dwi'n mynd i aros yn Angle a cheisio gweld Carla unwaith eto. Do, fe wnes i gusanu Carla fwy nag unwaith a do, fe fwynheais i'r profiad ac fe fyddwn i'n mwynhau gwneud lot mwy gyda hi hefyd. Heno 'ma, os ca i unrhyw lwc. Dwi'n mynd i brynu pryd o fwyd a lot o win iddi a gwneud fy ngorau glas i fynd i mewn i'w nicyrs hi. Wel, oes 'da ti unrhyw beth i'w ddweud? gofynnodd Paul gan sylwi bod Llinos yn edrych dros ei hysgwydd.

– Oes, meddai Llinos.

– Beth? gofynnodd Paul.

– Rwyt ti'n cael *nervous breakdown*.

– Iawn, rhywbeth arall?

– Oes.

– Beth?

– Helô, Carla, atebodd Llinos.

Trodd Paul a gweld Carla'n sefyll ychydig lathenni i ffwrdd, yn ddigon agos i glywed popeth roedd newydd ei ddweud ond heb ei ddeall, gobeithio.

– Ta-ra, Paul, meddai Llinos gan droi ar ei sawdl a dechrau cerdded at bentref Angle.

– Helô, Carla, meddai Paul yn nerfus.

– Ta-ra, Paul, meddai Carla gan droi ar ei sawdl a dechrau cerdded i'r cyfeiriad arall.

Yna stopiodd a throi i'w wynebu.

– Deallais i'r geiriau 'Carla' a 'nicyrs'. Dylet ti gael dy ffeithiau'n gywir. Dwi byth yn gwisgo nicyrs. Galli di ymddiheuro trwy brynu bwyd a gwin i fi heno. Saith o'r gloch yn yr Hibernia Inn yn Angle, meddai.

Safai Paul yn ei unfan yng nghanol y maes parcio gan droi ei ben o'r naill ochr i'r llall yn gwylio'r ddwy fenyw yn ei fywyd yn cerdded i gyfeiriadau gwahanol. I ba gyfeiriad ddylai e fynd? meddyliodd.

13

Treuliodd Paul weddill y prynhawn yn pendroni dros yr hyn roedd Llinos wedi'i ddweud am ei nerfau.

Penderfynodd mai dyna'r esboniad, mwy na thebyg,

bod ei nerfau'n rhacs ac mai cyd-ddigwyddiad llwyr oedd methiant brêcs y car, dialedd Grünwald a Spengler a'r ffaith fod y ddau rycsac wedi cael eu dwyn.

Yn ffodus i Paul, roedd siop ym mhentref Angle yn gwerthu dillad ar gyfer y llu o syrffwyr a ddeuai i draeth Angle West. Felly, chwarter awr yn ddiweddarach daeth allan o'r siop yn gwisgo siorts Bermuda, crys Hawaii a fflip-fflops, ac yn cario cot law a map OS o sir Benfro mewn rycsac bach.

Yn anffodus, nid oedd y siop yn gwerthu pebyll, felly cerddodd i'r unig dafarn yn Angle, sef yr Hibernia Inn, gan obeithio bod ystafell wag ar gael yno. Yn ffodus, roedd yr Hibernia Inn yn dafarn tri llawr ac ynddi ddwsin o ystafelloedd. Talodd Paul am ei lety y noson honno a mynd i'w ystafell i orffwys cyn cyfarfod â Carla am saith o'r gloch.

Teimlai'n drist iddo fod mor swrth wrth Llinos, ond roedd ei hymddygiad wedi'i orfodi i siarad yn blwmp ac yn blaen. Bu'n hynod o ystrywgar yn ceisio'i ddarbwyllo i fynd 'nôl i Aberystwyth gyda hi. Os oedd e'n dechrau colli arni, yr unig beth a'i cadwai'n gall oedd gwybod y byddai'n treulio amser gyda Carla y noson honno.

Cerddodd i lawr i'r bar am hanner awr wedi chwech. Roedd hwnnw wedi'i rannu'n ddau: y bar ei hun yn un rhan ac ystafell fwyta yn y rhan arall. Roedd teledu plasma deugain modfedd ar un wal a rhaglen newyddion Saesneg y BBC, *Wales Today*, newydd ddechrau. Eisteddai rhai o hoelion wyth y dafarn yn gwylio'r rhaglen yn dawel. Yno hefyd roedd Jean a Bob Runcie – Jean yn eistedd o dan y teledu a Bob wrth y bar yn archebu diod i'r ddau. Cerddodd Paul at y bar a chyfarch Bob.

– Diwrnod da o gerdded? gofynnodd Bob cyn troi a chymryd ei ddiodydd gan y barmon.

– Wel, diwrnod diddorol o gerdded, atebodd Paul gan benderfynu peidio â dweud mwy am ei drafferthion am ei fod wedi blino'n lân.

– Maen nhw'n addo tywydd garw fory, felly fe benderfynon ni ddod i'r dafarn i gael diod ac aros i weld rhagolygon y tywydd ar ddiwedd y newyddion, meddai Bob cyn cynnig prynu diod i Paul.

– Na, dim diolch, dwi'n aros am rywun, atebodd Paul gan sylwi mai prif stori'r newyddion oedd cau ffatri electroneg rywle yn ne Cymru.

– Wel, falle gwelwn ni chi nes mlaen. Dwi'n credu bod eich ffrind wedi cyrraedd yn barod. Mae hi'n eistedd rownd y gornel, meddai Bob cyn troi a cherdded ar draws yr ystafell i ymuno â Jean.

– O, diolch, meddai Paul ac archebu dau jin a thonic iddo ef a Carla. Cymerodd y diodydd, camu ar draws yr ystafell a throi'r gornel cyn aros yn ei unfan pan welodd Llinos yn eistedd o'i flaen yn hanner gwylio *Wales Today*. Ar y bwrdd o'i blaen roedd potelaid chwarter llawn o win a gwydryn.

– Blydi hel, helô, syrff-boi, meddai gan edrych ar wisg lachar Paul.

– Fyddwn i'n disgwyl i ti werthfawrogi 'nillad i'n fwy na neb, meddai Paul.

Chwarddodd Llinos yn dawel a thywallt gweddill y gwin o'r botel i'w gwydryn.

– Mae'n eironig dy fod ti'n gwisgo'r fath ddillad ar ôl inni orffen. G&T yw hwnna? Ga i hwnna ar ôl i fi orffen y *vino*, meddai.

– Wyt ti'n siŵr y dylet ti? gofynnodd Paul, wrth sylwi bod tafod Llinos yn dew.

Gwingodd wrth gofio mai dim ond unwaith y flwyddyn y byddai Llinos yn yfed, a hynny yn ystod ei gwyliau tramor, a hithau'n ddigon pell oddi wrth blant yr ysgol.

– Blydi hel, Llinos, dwi'n gwbod mod i wedi dy ypsetio di ond nid dyna'r ateb, meddai Paul.

– *Au contraire*, mae yfed wedi gwneud byd o les i fi. Dwi 'di bod yn meddwl yn ogystal ag yfed pnawn 'ma. Ti'n iawn. O'n i'n bitsh yn trio dy reoli di drwy'r amser. Dwi'n ymddiheuro o waelod fy ngwydryn.

– A dwi'n flin am weiddi arnat ti, meddai Paul.

– Dwi 'di bod yn meddwl tipyn hefyd. O't ti'n iawn, o'n i'n paranoid, gormod o waith, straen popeth, ond…, ychwanegodd cyn i Llinos dorri ar ei draws.

– … ond doedd y berthynas ddim yn gweithio, ta beth. Dwi'n cytuno, er mod i'n dal i boeni amdanat ti. Edrycha ar ôl dy hunan. Dwi ddim eisiau clywed amdanat ti'n cerdded o gwmpas yn dy byjamas a dy slipars ac yn sefyll yng nghanol y ffordd yn stopio ceir, meddai, cyn gofyn y cwestiwn roedd y ddau'n gwybod y byddai'n ei ofyn.

– Wyt ti'n cwrdd â Carla?

– Ydw, am saith. Dwi'n aros 'ma heno – methu cael gafael ar babell, er mod i'n gobeithio prynu un ym Mhenfro fory.

– Paid â phoeni, wna i ddim gneud ffŵl o'n hunan. Dwi'n mynd i fwcio tacsi i Benfro mewn munud. Dwi 'di bwcio B&B yno heno ac fe gasgla i'r car fory a mynd 'nôl i Aber.

– Iawn. Bydd yn rhaid i fi drefnu i gasglu 'mhethau o'r fflat, awgrymodd Paul.

– *In vino veritas*, Paul. Does dim angen... anghofies i ddweud wrthot ti. Ar ôl be ddigwyddodd yn dy barti pen-blwydd nos Wener, o'n i'n gandryll, a bore Sadwrn es i â dy ddillad i gyd i Oxfam a dy lyfrau i Tenovus... sori.

Syllodd Paul arni am eiliad neu ddwy cyn sylweddoli efallai ei bod wedi gwneud cymwynas ag ef.

– Reit, wel falle fod hynny wedi bod yn llesol. Cyfle i fi ddechrau o'r newydd yn llwyr.

– Bydd. Gyda llaw, os wyt ti'n mynd i gwrdd â Carla am saith, byddwn i'n golchi 'nhraed gynta tasen i'n ti.

– Beth?

– Gair o gyngor. Dyw arogl traed sy 'di bod mewn sgidiau cerdded drwy'r dydd ddim yn llawer o affrodisiac a dyw gwisgo fflip-fflops ddim yn help. Dwi 'di cau 'ngheg am y peth am bron i dair blynedd am mod i'n dy garu... ond gair o gyngor gan gyn-gariad erbyn hyn. Cer i olchi dy draed yn drylwyr; maen nhw'n annioddefol o ddrewllyd.

– Diolch. Ti'n bownd o fod yn 'y ngharu i os wyt ti'n fodlon rhoi'r tip 'na i fi, meddai Paul.

– *Auf Wiedersehen*, Herr Paul, fel y byddai Otto Grünwald yn ei ddweud. Bydda i 'di ffonio am dacsi ac wedi mynd allan i aros amdano erbyn i ti ddod 'nôl o dy stafell. Rhag ofn i Carla fy ngweld, yntê? Ta-ra, Paul.

– Wel, iawn 'te, atebodd Paul gan blygu i gusanu Llinos am y tro olaf.

– Paul, jest cer. O leia does neb yn ceisio dy ladd di. Ffoniais i'r garej a ddwedon nhw mai *wear and tear* oedd e, a gallai llinyn y brêc fod wedi torri ar unrhyw adeg. Geith Dad lond pen pan wela i fe.

Aeth Paul i newid ei sgidiau ac yfodd Llinos ei llymaid olaf o win wrth wylio eitem newyddion am griw o ddringwyr oedd wedi mynd i drafferthion ar yr Wyddfa y bore hwnnw. Ond sobrodd yn sydyn pan glywodd eitem nesaf y darllenydd newyddion:

– *One of Wales's top scientists has died at the age of 64. Mansel Edwards was a Professor of Chemistry at Aberystwyth University, but made his name in the early 1970s as a member of the team that developed Liquid Crystal Display units. He was found dead at his home today. Police say there are no suspicious circumstances.*

Sport. And with only two weeks to go before the end of the rugby season...

Syllodd Llinos ar y sgrin yn gegagored cyn dal llygaid Jean a Bob Runcie, a eisteddai o dan y teledu. Roedden nhw'n ei gwylio'n graff i weld beth fyddai ei hymateb, bron fel petaen nhw'n disgwyl y newyddion drwg, meddyliodd.

Cododd o'i sedd a cherdded draw atynt.

– Helô, chi yw Llinos, ontefe? Fe welson ni chi y tu allan i babell Paul y bore 'ma. Mae Paul wedi sôn llawer amdanoch chi. Jean a Bob Runcie ydyn ni, meddai Jean gan godi o'i sedd.

Ond nid atebodd Llinos; yn hytrach, edrychodd i fyw llygaid Jean.

– Roeddech chi'n gwbod ei fod wedi marw, meddai gan wthio'i hwyneb yn agos at wyneb Jean.

– Mae'n flin gen i? Gwbod bod pwy wedi marw? atebodd Jean gan edrych ar Bob.

– Fe welais i'ch wynebau chi. Roeddech chi'n fy ngwylio i i weld beth fyddai fy ymateb. Blydi hel, roedd Paul yn iawn! Ry'ch chi wedi lladd Mansel ac ry'ch chi'n mynd i ladd Paul hefyd, meddai, a'i llais yn codi'n raddol.

– Llofruddion! gwaeddodd a dechrau ysgwyd Jean Runcie gerfydd ei hysgwyddau. Ceisiodd Bob wahanu'r ddwy, ond roedd gwaed Gwyddelig Llinos yn berwi ac roedd wedi colli'i limpin yn llwyr.

– Help, help! Llofruddion, llofruddion! gwaeddodd yn uwch.

Ymhen dim roedd y barmon a gweddill y cwsmeriaid wedi heidio ar draws y bar i geisio tynnu Llinos oddi ar Jean.

Dyna'r olygfa a groesawai Paul wrth iddo ddychwelyd i'r bar.

– O, Burnsy! Na!

– Paul, Paul, maen nhw wedi'i ladd e!

– Lladd pwy?

– Mansel! Maen nhw wedi lladd Mansel Edwards!

Cymerodd eiliad neu ddwy i Paul ddeall yr hyn ddywedodd Llinos.

– Rhowch lonydd iddi, gwaeddodd ar dop ei lais gan gamu ar draws yr ystafell a thynnu Llinos i'w freichiau.

Esboniodd Llinos am yr eitem newyddion ac ymddygiad od Jean a Bob Runcie.

– Ydy hyn yn wir? gofynnodd Paul, a throi ei ben at bobl y bar.

– Wel, ydy, mae Proffesor Mansel Edwards o Brifysgol Aberystwyth wedi marw ond dwedodd yr heddlu nad oedd unrhyw *suspicious circumstances*, meddai un o hoelion wyth y dafarn a eisteddai'n dawel yng nghornel y bar.

– Ti'n gweld, maen nhw wedi'i ladd e, Paul. Roeddet ti'n iawn, maen nhw'n trio dy ladd di 'fyd a dwi'n gwbod yn iawn pwy ydyn nhw, Paul... y rhain, meddai Llinos gan bwyntio'i bys at Jean a Bob.

– Oeddech chi'n nabod y gwyddonydd fu farw? gofynnodd Bob.

Amneidiodd Paul.

– Ga i estyn fy nghydymdeimlad, dechreuodd Bob gan estyn ei law, cyn i Llinos ymyrryd.

– Cau dy geg, y *phoney*. Roeddet ti'n gwbod pwy oedd e ac rwyt ti'n gwbod yn iawn fod Paul yn gweithio gyda fe. Maen nhw'n llofruddion, Paul, ac maen nhw'n mynd i dy ladd di! sgrechiodd Llinos cyn i rywun ei bwrw'n sydyn o dan ei gên.

Syrthiodd Llinos fel sach i freichiau Paul, ac edrychodd hwnnw i weld pwy oedd piau'r dwrn. Un o'r hoelion wyth oedd yn gyfrifol.

– Sori, pal, ond rownd ffor hyn dyna shwt y'n ni'n delio 'da rhywun fel'na. Ma'r misus 'run peth ar ôl naw Pernod a lemonêd... mynd mlân a mlân, a dim ond un ffordd..., esboniodd hwnnw.

Gwelodd Paul fod gweddill yr hoelion wyth yn nodio'u pennau'n gytûn.

Penderfynodd mai annoeth fyddai dadlau â'r fath resymeg ar y pryd. Gyda help rhai o'r hoelion wyth, rhoddodd Llinos i orwedd ar un o seddi hir y dafarn.

– Dwi ddim yn deall beth ddaeth drosti. Sut gallen ni wbod hyn i gyd? Ry'n ni'n dod o Gaer-gaint a dy'n ni rioed wedi bod yng Nghymru o'r blaen, meddai Jean, a oedd, erbyn hyn, wedi dechrau adfywio ar ôl ymosodiad Llinos.

Meddyliodd Paul am farwolaeth Mansel. Edrychodd ar Llinos. Byddai hi'n gwybod beth i'w wneud, ond roedd hi'n gorwedd yn anymwybodol o'i flaen.

– Rwy'n credu taw'r peth gorau fyddai mynd â madam adre, sibrydodd y barmon yn ei glust.

Petrusodd Paul. Dechreuodd grynu wrth i'r sioc o glywed am farwolaeth Mansel dreiddio drwy'i gorff. Roedd yn rhaid iddo ddychwelyd i Aberystwyth cyn gynted â phosib. Ond ni allai feddwl am wneud dim. Roedd ei nerfau ar chwâl ac ni wyddai ble i droi.

Yna teimlodd fraich Jean Runcie ar ei ysgwydd.

– Pam na rown ni lifft i chi i Aberystwyth? meddai Jean.

– Mae'r car tu allan a gallwn ni fynd â chi ar unwaith, ychwanegodd Bob.

– Diolch, falle mai dyna fydde orau, meddai Paul. Yna cofiodd am Carla.

Ysgrifennodd neges gyflym ati'n esbonio beth oedd wedi digwydd cyn ei rhoi i'r barmon ac ychwanegu disgrifiad ohoni.

Cariodd yr hoelion wyth Llinos i'r car. Ddwy funud yn ddiweddarach roedd Paul yn eistedd a Llinos yn gorwedd yng nghefn car Jean a Bob Runcie, a Nesbitt y ci'n gorwedd yn ufudd rhyngddynt. Yna cofiodd Paul y dylai fod wedi ysgrifennu ei rif ffôn symudol ar y neges i Carla.

Wrth i'r car ddechrau symud, meddai,

– Allech chi stopio am funud? Dwi wedi anghofio rhywbeth yn y dafarn.

Ond nid atebodd Jean Runcie wrth i'r car wibio drwy'r pentref.

Tapiodd Paul gefn Bob ac ailadrodd ei gais.

Trodd hwnnw a dweud,

– Allwn ni ddim gwneud hynny, mae arna i ofn, a thynnu gwn allan a'i bwyntio at Paul.

– Mae arna i ofn fod rhywun yn ceisio'ch lladd chi, Dr

Price. Nawr, petawn i'n chi fe fyddwn i'n cadw'n dawel, meddai gan wenu, cyn ychwanegu,

– Nesbitt, *alert*.

Ar y gair dechreuodd Nesbitt sgyrnygu a glafoerio. Penderfynodd Paul mai'r peth callaf i'w wneud oedd cadw'n dawel ac yn llonydd wrth i'r car wibio drwy dywyllwch cefn gwlad sir Benfro.

RHAN 3

1

Treuliodd Paul y chwarter awr nesaf yn edrych ar wyneb ffyrnig Nesbitt ac yn gwrando ar Llinos yn chwyrnu'n dawel. Gwyddai na allai wneud dim i ddianc o'r car wrth iddo deithio'n gyflym ar y briffordd i gyfeiriad Penfro. Roedd Paul wedi ceisio agor un o'r drysau cefn cyn gynted ag y gwelodd Bob Runcie yn pwyntio'r dryll tuag ato. Ond roedd y drws wedi'i gloi a dywedodd hwnnw, gan chwerthin, mai dim ond y gyrrwr allai ei agor.

Gwyddai Paul fod damcaniaeth Llinos yn hollol gywir. Roedd rhywun wedi dod i wybod am ei waith arloesol ef a Mansel ac wedi penderfynu lladd y ddau fel na fyddai'r datblygiad yn gweld golau dydd.

Wrth i'r car nesáu at dref Penfro teimlai Paul ddagrau'n cronni yn ei lygaid. Nid dagrau o hunandosturi mohonynt ond dagrau dros dynged Llinos, a fu'n gefn iddo ers bron i dair blynedd. Ei thâl am hynny fyddai colli'i bywyd, a hynny'n fuan iawn.

Ond yna cafwyd datblygiad annisgwyl. Cyrhaeddodd y car gyrion tref Penfro, ond yn hytrach na theithio ar hyd y ffordd osgoi, trodd Jean Runcie at ganol tref Doc Penfro.

Dyma gyfle iddo geisio gwneud rhywbeth i achub ei groen ef a Llinos. Wedi'r cyfan, doedd ganddo ddim byd i'w golli. Edrychodd drwy ffenest y car a gweld grŵp o bobl ifanc yn eistedd ar fainc wrth ochr y ffordd ryw ugain llath o'u blaenau. Wrth iddynt basio'r bobl ifanc hyn dechreuodd Paul weiddi 'Help' dro ar ôl tro a bwrw'r ffenest â'i ddwylo. Ond ni chafodd unrhyw ymateb.

– Peidiwch â gwneud hynna, os gwelwch yn dda, meddai Bob Runcie'n dawel, cyn ychwanegu,

– Does dim pwynt i chi drafferthu, mae'r ffenestri'n

rhai *tinted*. Mae'n wych, yn tydi: ry'ch chi'n gallu gweld allan drwy'r ffenest ond does neb yn gallu gweld i mewn. Y pethau mae gwyddonwyr yn eu dyfeisio, anhygoel, meddai gan wenu ond heb dynnu ei lygaid oddi ar Paul.

Gwyddai Paul erbyn hyn nad oedd unrhyw obaith ganddo ef a Llinos. Gallai drio ymosod ar Bob ond, â'r dryll yn pwyntio at ei ben, gwyddai y byddai'n farw cyn i'w fysedd gyrraedd cefn y sedd flaen. Yna gwelodd fod y car yn troi i mewn i faes parcio o flaen adeilad sylweddol ei faint.

Stopiodd y car y tu allan i'r adeilad. Syllodd Paul ar yr arwydd uwchben y brif fynedfa.

'Gorsaf Heddlu Doc Penfro'.

2

Edrychodd Paul ar ei wats. Roedd hi bron yn hanner awr wedi wyth. Bu'n eistedd yng ngorsaf heddlu Doc Penfro ers awr. Roedd Bob Runcie wedi'i dywys i ystafell yn yr orsaf. Duw a ŵyr ble roedd Llinos, meddyliodd, ac yntau'n eistedd wrth fwrdd yng nghanol yr ystafell. Safai heddwas ifanc ger y drws ond ni ddywedodd Paul air wrtho gan ei fod yn rhy brysur yn meddwl am ddigwyddiadau'r ddwy awr ddiwethaf – darganfod bod Mansel wedi marw, cael ei herwgipio, meddwl ei fod ar fin cael ei ladd, ac yna'r rhyddhad o sylweddoli ei fod wedi'i dywys i orsaf yr heddlu.

Am hanner awr wedi wyth yn union, yn ôl y cloc ar y wal, cerddodd tri dyn i mewn i'r ystafell. Daliodd yr olaf ohonynt y drws ar agor ac amneidio ar yr heddwas i ddynodi nad oedd angen ei bresenoldeb bellach. Caewyd y drws ar ei ôl ac eisteddodd y tri gyferbyn â Paul yr ochr arall i'r bwrdd.

– Beth uffern sy'n digwydd? Pwy y'ch chi? gofynnodd Paul gan sylweddoli bod ei lais yn syndod o groch. Yn sydyn, teimlai'n flinedig iawn.

Gwenodd y dyn a eisteddai yn y canol. Roedd yn ei bedwardegau hwyr a'i wallt du'n britho o amgylch ei glustiau. Edrychai fel petai pwysau'r byd ar ei ysgwyddau, ond roedd ei lygaid glas llachar yn llawn deallusrwydd. Atgoffai Paul o hoff actor ei dad, Alec Guinness.

– Noswaith dda, Paul, fy enw i yw Tom. Dwi yma i esbonio pam ry'ch chi yma, meddai'n dawel yn Saesneg.

Eisteddodd yn ôl yn ei gadair a phwysodd y dyn a eisteddai i'r chwith iddo ymlaen yn ei gadair yntau. Roedd hwnnw'n llond ei groen a chanddo wallt syth, melyngoch. Atgoffai Paul o fersiwn trymach o'r canwr Sting.

– Peter ydw i ac yn y man fe wna i esbonio beth sydd wedi bod yn digwydd a phwy sy 'di bod yn ceisio'ch lladd chi, meddai hwnnw gan bwyso 'nôl yn ei gadair.

Edrychodd Paul ar y dyn a eisteddai'r ochr dde i Tom.

– A f'enw i yw Simon, meddai dyn ifanc eiddil yn ei ugeiniau hwyr oedd yn edrych yn nerfus iawn ac yn ddigon tebyg i gyflwynydd rhaglen deledu'r *X Factor*, Dermot O'Leary.

Daeth Paul allan o'i lesmair wrth iddo weld Tom yn pwyso ymlaen yn ei gadair tra pwysai'r ddau arall yn ôl.

– Dr Price, ry'ch chi'n eistedd yma yng ngorsaf heddlu Doc Penfro am i chi ddod yn agos iawn at gael eich lladd. Ry'n ni yma i'ch gwarchod ac i ofyn i chi'n helpu ni. Os cytunwch chi i wneud hynny, fe fydd gennych chi siawns eitha da o aros yn fyw, meddai gan agor ffeil ar y bwrdd o'i flaen.

Pwysodd Peter ymlaen yn ei sedd.

– Man a man i ni fod yn hollol onest â chi, Dr Price. Llofruddiwyd yr Athro Mansel Edwards nos Sul ac fe ddylsech chi hefyd fod yn farw erbyn hyn, meddai.

Pwysodd Simon ymlaen yn ei sedd.

– Ac os na wnewch chi'n helpu ni, mwy na thebyg y byddwch chi hefyd yn farw erbyn diwedd yr wythnos, meddai hwnnw.

Edrychodd Paul ar Tom cyn dweud yn araf,

– Iawn, ond pam ydw i'n dal yn fyw?

– O'n hachos ni, Dr Price, meddai Tom, cyn ychwanegu,

– Ni yw eich angylion gwarcheidiol, neu, yn fwy cywir, ni sy'n gweithio i'ch amddiffyn rhag drygioni.

– Felly pwy ydych chi? MI5? MI6? Special Branch?

Pwysodd Tom yn ôl yn ei gadair.

– Does dim ots i ba adran ry'n ni'n gweithio, y peth pwysig yw eich bod chi'n gwbod beth sy'n digwydd, meddai.

– Tua thri mis yn ôl hysbysodd yr Athro Edwards gwmni Technotrust UK i'r profion cynnar fod yn llwyddiannus. Sylweddolon nhw y byddai'r datblygiad yn un pwysig yn nyfodol economi Prydain. Felly penderfynodd y cwmni y dylen ni gael gwbod am y datblygiad ac fe ddechreuon ni fonitro'ch negeseuon e-bost yn ogystal â'ch llinellau ffôn i wneud yn siŵr y byddai'r gwaith gorffenedig yn cael ei gyflwyno i Technotrust UK, meddai Tom, cyn i Peter ymhelaethu.

– Yn anffodus, daeth un o'r prif gwmnïau sy'n defnyddio technoleg plasma i wbod am y datblygiad diweddaraf yma.

– Ond sut ddigwyddodd hynny? gofynnodd Paul.

Symudodd Tom yn anesmwyth yn ei gadair cyn ateb.

– Y dyddie hyn, yn anffodus, nid llywodraeth gwlad yn unig sydd â'r arian a'r dechnoleg i… gawn ni ddweud… astudio pobl. Mae'r cwmni plasma yn rhan o gwmni rhyngwladol anferth a chanddo'i adran gudd ei hunan yn amddiffyn ei asedau yn fyd-eang.

– Mwy na thebyg bod rhywun sy'n gweithio i Technotrust UK wedi rhoi'r wybodaeth iddyn nhw ac felly, yn ddiarwybod i ni, fe ddechreuon nhw fonitro'ch e-byst a'ch llinellau ffôn chi hefyd. Pan sylweddolodd y cwmni mai dim ond tîm o ddau wyddonydd mewn labordy bach mewn coleg di-nod oedd yn datblygu'r dechnoleg, penderfynon nhw gladdu'r syniad drwy ladd y ddau oedd yn gyfrifol amdano, gan wneud yn siŵr y byddai'r marwolaethau'n edrych fel damweiniau neu fel marwolaethau naturiol.

Aeth Tom ati i ddweud bod y cwmni wedi llwyddo i ddarllen yr holl e-byst roedd Paul a Mansel wedi'u hanfon a'u derbyn yn ystod y misoedd cynt. Roedd y cwmni wedi'u dargyfeirio, eu darllen a'u cofnodi, cyn eu hanfon ymlaen i'r derbynnydd gwreiddiol.

Dywedodd Peter fod Mansel wedi anfon e-bost at Technotrust UK y nos Wener cynt. Roedd y cwmni rhyngwladol wedi rhyng-gipio'r e-bost, oedd yn cynnwys y ddamcaniaeth a'r holl waith ymchwil ar gyfer y datblygiad newydd. Penderfynodd y cwmni y byddai'n rhaid iddynt gael gwared ar Mansel cyn bore Llun a chyn iddo sylweddoli nad oedd yr e-bost wedi cyrraedd Technotrust UK.

Wrth gwrs, ar ôl darllen yr holl e-byst gwyddai'r cwmni plasma mai Paul oedd yr unig berson arall a wyddai unrhyw beth am y gwaith. Felly roedd yn rhaid cael gwared arno yntau hefyd, rhag ofn iddo ddatblygu'r syniad ar ei liwt ei hun.

Ar ôl i Peter orffen pwysodd Paul ymlaen yn ei sedd ac edrych i fyw llygaid Tom.

– Felly, pryd oeddech chi'n gwbod am gynlluniau'r cwmni rhyngwladol i ladd Mansel a fi? gofynnodd.

– Yn anffodus, am fod rhwydwaith adran gudd y cwmni rhyngwladol yn un cymharol fach bu'n anodd iawn treiddio i mewn i'r adran. O ganlyniad, roedden ni'n meddwl efallai y byddai'r cwmni wedi ceisio prynu'r syniad oddi wrth Mansel. Wedi'r cyfan, doedd telerau'ch cytundeb â Technotrust UK ddim yn rhai da iawn.

– Nag oedden nhw? gofynnodd Paul, na wyddai fawr ddim am delerau pitw'r cytundeb.

Edrychodd Tom a Peter ar ei gilydd cyn dweud,

– Cynigiodd y cwmni plasma swm sylweddol i'r Athro Mansel Edwards i roi'r syniad iddyn nhw, swm sylweddol iawn, ond fe wrthododd. Roedd yr Athro Edwards yn amlwg yn ddyn a chanddo egwyddorion cryf, meddai.

Nodiodd Paul ei ben yn araf, cyn dweud,

– Ga i ofyn y cwestiwn unwaith eto, ers pryd oeddech chi'n gwbod am gynlluniau'r cwmni rhyngwladol i fy lladd i a Mansel?

– Doedden ni ddim yn gwbod tan nos Sadwrn, pan gafodd rhywun arall ei ladd. Chi, Dr Price, yr oedden nhw'n bwriadu'i ladd gynta, atebodd Tom, cyn ychwanegu,

– Fe gawn ni wbod yn nes ymlaen pam y gwnaethoch chi gyfnewid eich dillad gyda… beth oedd enw'r gŵr anffodus?

– Max Talbot, atebodd Paul cyn i Peter a Simon gael cyfle i edrych yn eu ffeiliau.

Gwenodd Tom ar Paul cyn dweud,

– Yn hollol. Wrth gwrs, roedd yn rhaid i chi farw trwy

ddamwain a byddai cwympo oddi ar glogwyn wrth i chi gerdded llwybr yr arfordir wedi bod yn berffaith. Wedi i'r Athro Edwards glywed y newyddion drwg, y gobaith oedd y byddai'r sioc yn ormod iddo.

– Ond, yn anffodus, fe wnaeth llofrudd Max Talbot gamgymeriad erchyll ac roedd yn rhaid newid y cynllun. Felly byddai'n rhaid i'r Athro Edwards farw'n gynta – trawiad ar y galon. Dyn o'i oedran ef â phwysedd gwaed uchel, byddai'n ddigon naturiol. Ond sut gallen nhw wneud i'ch marwolaeth chi edrych fel damwain? gofynnodd Tom.

Edrychodd Paul yn syn ar y tri. Peter gynigiodd yr ateb.

– Ms Burns, wrth gwrs. Roedd eich fflat wedi'i fygio, felly roedden nhw'n gwbod bod y berthynas ar chwâl. Y peth hawsaf fyddai torri brêcs eich car yn Bosherston gan roi'r bai am eich marwolaeth arni hi am na allai hi fyw hebddoch chi a'i bod hi eisiau i'r ddau ohonoch chi farw gyda'ch gilydd.

– Syniad da os ydych chi'n teithio trwy Baris ond un gwael os ydych chi'n teithio trwy faes pebyll, meddai Tom.

– A beth am y digwyddiadau ar y maes tanio? gofynnodd Paul.

– A, Herr Grünwald a Frau Spengler. Y math o bobl fyddai'n gweithio i SMERSH neu SPECTRE yn llyfrau Ian Fleming, ond yn anffodus darlithwyr ym Mhrifysgol Vienna yw Otto Grünwald a Lotte Spengler ac, yn ôl ein gwybodaeth ni, maen nhw wedi treulio'u gwyliau yn sir Benfro bob blwyddyn er 2006, meddai Simon.

– Yn ôl y bobl ry'ch chi'n eu nabod fel Jean a Bob Runcie, fe wnaethoch chi gythruddo Grünwald a Spengler yn Freshwater East ac fe benderfynon nhw ddial arnoch chi. Rhywbeth plentynnaidd iawn i'w wneud a bu bron ag achosi'ch marwolaeth yn hollol ddamweiniol am fod y byd yn oren! meddai Tom â gwên lydan, cyn ychwanegu,

– Mae'n flin gen i, ond fe fyddai wedi bod yn eironig iawn petaech chi wedi cael eich lladd mewn damwain go iawn.

– A phwy wnaeth ddwyn ein rycsacs ni? gofynnodd Paul.

– Ni oedd ar fai am hynny, mae gen i ofn, meddai Peter.

– Roedd yn rhaid inni gael gafael ar eich rycsac. Roeddech chi wedi dweud wrth Jean a Bob Runcie fod Mansel Edwards wedi rhoi nifer o gliwiau i chi eu datrys yn ystod eich taith gerdded ac roeddech chi'n cadw copi o'r cliwiau ym mhoced eich rycsac. Felly penderfynon ni geisio datrys y cliwiau hefyd, rhag ofn y byddai'r Athro Edwards wedi sylweddoli bod 'na bosibilrwydd y câi ei ladd a'i fod wedi gosod y posau er mwyn i chi allu darganfod ble roedd y ddamcaniaeth.

Nodiodd Paul ei ben unwaith eto cyn gofyn y cwestiwn roedd y tri'n gwybod ei fod yn ysu am ei ofyn.

– Yn amlwg, nid Jean a Bob Runcie sydd wedi bod yn ceisio'n lladd i, na Grünwald a Spengler chwaith, felly pwy? gofynnodd Paul.

– Chi yw'r gwyddonydd, ry'ch chi'n gyfarwydd â'r broses o ddileu fesul un, meddai Tom gan godi'i aeliau.

– Na, na, na, meddai Paul gan edrych ar y tri a siglo'i ben.

– Sori, Dr Price, yr hen drap mêl, meddai Simon, cyn i Tom ymyrryd.

– Y person ry'ch chi'n ei nabod fel Carla Peel yw Renata Rosenthal, a anwyd yn Llundain yn 1980 i rieni o dras

Iddewig. Aeth i weithio i *kibbutz* yn Israel yn 1997, lle cafodd ei recriwtio gan Mossad, cyn mynd i Brifysgol Rhydychen y flwyddyn ganlynol. Ar ôl graddio yn 2001 symudodd i fyw i Israel. Does gennyn ni ddim llawer o wybodaeth am ei gwaith i Mossad, ond rydyn ni'n meddwl iddi fod yn gysylltiedig â lladd aelod blaenllaw o Hamas ym Madrid yn 2003 ac aelod o'r PLO ym Mharis yn 2005. Gadawodd Israel yn 2008 ac fel sawl un arall fu'n gweithio i Mossad, y CIA a'r KGB, dechreuodd weithio ar ei liwt ei hun i gwmnïau cudd preifat. A dyna sut y daeth Ms Carla Peel i weithio i'r cwmni rhyngwladol a benderfynodd eich lladd chi a'r Athro Edwards.

Teimlai Paul boen yn ymledu ar draws ei dalcen. Yna cafodd syniad, cododd ei ben a dweud,

– Allai Carla ddim fod wedi lladd Mansel. Roedd hi gyda fi yn y Freshwater Inn nos Sul...

– Digon gwir. Asasin arall laddodd yr Athro Edwards, meddai Tom, cyn i Paul ymyrryd.

– Arhoswch funud, os oeddech chi'n gwbod ers nos Sadwrn fod Carla ac asiant arall yn ceisio lladd Mansel a fi, sut yn y byd y cafodd Mansel ei ladd? meddai gan godi ar ei draed.

– Y bastards! Roeddech chi'n gwbod y bydden nhw'n ceisio lladd Mansel, felly pam gadawoch chi iddyn nhw wneud hynny?

– Eisteddwch i lawr, Dr Price, meddai Tom yn awdurdodol.

Wedi eiliadau hir o edrych yn filain arno, ufuddhaodd Paul.

– Mae'n rhaid i fi gyfaddef inni fethu sicrhau diogelwch yr Athro Edwards. Roedden ni'n dilyn yr Athro ddydd a nos ond roedd yr asasin yn un hynod o glyfar. Dy'n ni'n dal ddim yn hollol sicr sut y llwyddodd e i fynd i mewn i dŷ'r Athro Edwards a'i ladd, meddai Tom, cyn i Peter ychwanegu,

– Ond galla i'ch sicrhau chi'n bersonol ein bod ni wedi... gawn ni ddweud... ei niwtraleiddio fe, ar ôl iddo ddweud pob dim am gynlluniau'r cwmni.

– Pa werth yw hynny? Fe fethoch chi sicrhau ei ddiogelwch. Pam yn y byd na herwgipioch chi fe fel gwnaethoch chi gyda fi? gofynnodd Paul.

Ond cyn i Tom, Peter na Simon yngan gair, cynigiodd Paul yr ateb.

– Dwi'n deall, y bastards! Doedd dim ots gennych chi ei fod wedi anfon y ddamcaniaeth a'r canlyniadau at Technotrust UK. Roedd y cwmni plasma wedi rhyng-gipio'r neges e-bost, ond roeddech chi wedi'i rhyng-gipio hi hefyd, meddai, gan edrych am ymateb ar wynebau'r tri, cyn ychwanegu,

– Ie, dyna'r gwir. Roedd y cwmni plasma wedi darganfod cyfrinach y datblygiad ond roeddech chithau hefyd wedi'i ddarganfod. Felly fe wnaethoch chi... beth yw'r term... niwtraleiddio'r sefyllfa. Gêm gyfartal, felly pa ots os byddai Mansel a fi'n cael ein lladd? Roedd y gyfrinach 'da chi... ond dyw'r gyfrinach ddim 'da chi, na'ch gwrthwynebwyr chwaith. Damcaniaeth a chanlyniadau ffug anfonodd Mansel yn yr e-bost, i weld a fyddai rhywun yn ceisio'i ladd, a dyna pam roeddech chi angen y cliwiau roedd Mansel wedi'u gosod i fi... am eu bod nhw'n arwain at y gyfrinach go iawn. Mae e wedi'ch curo chi. Roedd e'n rhy glyfar i chi, meddai Paul, yn glafoerio erbyn hyn wrth sylweddoli'r gwir.

– Ac yn waeth na hynny, petaech chi wedi datrys y

cliwiau eich hunain, byddech chi wedi gadael i fi gyfarfod Carla heno a gadael iddi hi'n lladd i. Ond dy'ch chi ddim wedi'u datrys nhw, nag y'ch chi? Dyna pam dwi yma, i'ch helpu chi i ddod o hyd i'r ddamcaniaeth gywir ac ennill y gêm. A'r ateb yw 'Na, na, na!'

Symudodd Tom ei gadair yn agosach at y bwrdd a sibrwd,

– Ry'ch chi'n rhannol gywir, Dr Price. Dwi'n gwbod na fyddwch chi'n 'y nghredu i, ond doedden ni ddim yn hollol sicr nad damwain oedd marwolaeth Max Talbot nos Sadwrn, ac er na ddyliwn i ddweud hyn, ac fe fydda i'n gwadu fy mod wedi'i ddweud e os bydd angen, doedden ni ddim yn gwbod mai llofruddio oedd nod y cwmni rhyngwladol nes i Mansel Edwards gael ei ladd.

– Gadewch i fi fod yn hollol onest gyda chi, Dr Price. Bydden ni wedi gwneud unrhyw beth i gadw'r Athro Edwards yn fyw ond, maddeuwch i fi am ddweud hyn, doeddech chi ddim cweit mor bwysig. Fe gawsoch chi radd dda, dosbarth cynta; ry'ch chi'n wyddonydd da, Dr Price, ond dy'ch chi ddim yn yr un cae â'r Athro Edwards. Chi oedd Wise, fe oedd Morecambe.

Nodiodd Paul ei ben i gytuno, cyn i Tom ychwanegu,

– Wrth gwrs, roeddech chi'n agos iawn at yr Athro Edwards, felly byddai'n ddigon rhesymol credu eich bod chi'n gwbod cyfrinach y ddamcaniaeth a'r canlyniadau…, meddai, cyn i Paul ymyrryd.

– Ond doeddwn i ddim yn gwbod popeth, dim ond Mansel wyddai'r cwbl.

– Ydych chi wedi meddwl pam na fydde fe'n dweud y cwbl wrthoch chi? gofynnodd Peter.

– Wel, na…

– Efallai am ei fod yn ymwybodol o oblygiadau'r datblygiad arloesol ac am eich amddiffyn rhag unrhyw niwed, awgrymodd Simon.

– Efallai, meddai Paul yn dawel, cyn i Tom ychwanegu,

– Ond doedd y cwmni plasma ddim yn hollol siŵr a oeddech chi'n gwbod popeth ai peidio. Roedden ni'n hollol siŵr na wyddech chi'r cyfan.

– Felly roeddech chi'n fodlon iddyn nhw'n lladd i, meddai Paul.

– Fe ddwedwn i fod diogelwch yr Athro Edwards yn bwysicach i ni na'ch diogelwch chi. *Realpolitik.*

– Diolch am fod yn onest. Wrth gwrs, ry'ch chi'n iawn. Fi oedd Wise a fe oedd Morecambe, meddai Paul gan hanner gwenu, cyn i Tom ddweud,

– Ond fe newidiodd y sefyllfa ar ôl i ni a'n gwrthwynebwyr sylweddoli bod yr Athro Edwards wedi anfon damcaniaeth ffug ar e-bost a'i fod wedi gosod cliwiau i chi eu datrys.

– Yn fras, ar hyn o bryd mae Carla Peel yn dal i fwriadu'ch lladd, i wneud yn siŵr na fydd y ddamcaniaeth gywir yn gweld golau dydd. Ond, gyda'ch help chi, fe allwn ni ddod o hyd i'r ddamcaniaeth gywir, a fydd o fudd mawr i bobl Prydain, yn achub miloedd ar filoedd o swyddi ac yn deyrnged werth chweil i yrfa ddisglair yr Athro Edwards.

– Geiriau pert, ond bydd arna i angen amser i feddwl, meddai Paul.

– Hefyd, unwaith y cawn ni afael ar y ddamcaniaeth gywir fe fydd y frwydr ar ben, fydd dim angen eich lladd ac fe wnawn ni'n siŵr eich bod chi'n cael dechrau bywyd newydd ymhell oddi yma, os mai dyna fydd eich dymuniad.

– Petawn i'n cytuno i'ch helpu i ddatrys y cliwiau, beth fyddai angen i fi ei wneud? gofynnodd Paul.

– Yn syml, dim ond datrys y cliwiau, meddai Tom.

– Ond yr unig ffordd o wneud hynny fyddai cerdded llwybr yr arfordir, meddai Paul.

– Yn hollol. Fe ddaethoch chi yma i gerdded llwybr yr arfordir, felly dyma gyfle euraid i chi wneud hynny.

– Un cwestiwn arall, meddai Paul, gan sylweddoli'n sydyn ei fod bron â llwgu am nad oedd wedi cael swper y noson honno.

– Gaf i rywbeth i'w fwyta?

– Wrth gwrs, er rhaid i fi ddweud, dyw'r bwyd ddim yn dda iawn. Rwy'n credu mai'r Spaghetti Hoops ar dost fyddai'r opsiwn mwyaf diogel.

Yn fwy diogel, o leiaf, na'r swper olaf y byddai wedi'i gael gyda Carla, meddyliodd Paul gan dderbyn awgrym Tom.

3

Dihunodd Llinos ac agor ei llygaid. Roedd ganddi gur pen ofnadwy a chofiodd iddi yfed poteleid o win y noson honno. Yna cofiodd weld y newyddion am farwolaeth Mansel Edwards ar y teledu. Gwridodd pan gofiodd iddi gyhuddo Jean a Bob Runcie o fod yn gysylltiedig â marwolaeth y gwyddonydd.

Yn sydyn, sylweddolodd na wyddai ble roedd hi. Cododd o'r gwely ac edrych o amgylch yr ystafell fechan a edrychai'n hynod o debyg i gell mewn gorsaf heddlu.

Suddodd ei chalon wrth iddi sylweddoli'n raddol ei bod hi mwy na thebyg wedi cael ei harestio am ymosod ar Jean a Bob Runcie. Caeodd ei llygaid gan feddwl y byddai'n debyg o golli'i swydd oherwydd ei hymddygiad gwarthus.

Edrychodd ar ei wats. Hanner awr wedi naw. Clywodd

rywun yn agor drws y gell. Cerddodd Tom, Peter a Simon i mewn i'r ystafell ac eistedd ger y bwrdd bychan ar un ochr i'r gell.

– Gobeithio eich bod chi'n teimlo'n well. Dewch i ymuno â ni, meddai Tom gan estyn ei fraich tuag at gadair oedd wedi'i gosod yr ochr arall i'r bwrdd.

– Cyn i chi ddechrau, dwi ddim am ddweud dim nes bydd fy nghyfreithiwr yn cyrraedd, meddai Llinos.

– Pam mae angen cyfreithiwr arnoch chi? Dy'ch chi ddim wedi gwneud dim byd o'i le, ydych chi? gofynnodd Tom, a eisteddai rhwng y ddau arall yn gwenu'n siriol arni.

– Gyda llaw, Tom ydw i. Yn y man fe esbonia i pam ry'ch chi yma.

Pwysodd Llinos ymlaen yn ei chadair wrth i Tom siarad.

– Rwy'n deall eich bod chi'n athrawes...

– Ydw, athrawes Astudiaethau Busnes.

– Person gwahanol iawn i'ch cymar, Dr Price, meddai Tom.

Pwysodd Llinos yn ôl yn ei chadair gan dybio nad plismyn mohonynt ond aelodau o'r gwasanaeth cudd. Roedd yn amlwg iddi eu bod wedi holi Paul yn barod. Oedd ei ddamcaniaeth fod rhywun wedi lladd Mansel yn gywir? Oedd Paul a Mansel wedi bradychu Prydain trwy werthu eu syniad i wlad estron? Gwyddai Llinos y byddai Paul wedi dilyn cyfarwyddiadau Mansel yn ddigwestiwn. Ond nawr, a Mansel wedi marw, penderfynodd y byddai'n rhaid iddi fod yn garcus wrth ateb cwestiynau'r tri.

– Cyn-gymar, atebodd yn dawel.

– Wrth gwrs, rwy'n deall hynny. Bydden i'n meddwl y byddai personoliaeth Dr Price yn gweddu'n well i ddynes debyg i Carla Peel, meddai Tom gan edrych i fyw llygaid Llinos.

– Mae'n siŵr eich bod yn gywir, atebodd hithau gan sylweddoli bod Tom yn ceisio'i chythruddo.

– Gobeithio nad y'ch chi'n meddwl mod i'n anfoesgar yn dweud hynny.

– Allwch chi ddweud beth ry'ch chi eisiau. Mae hon yn wlad rydd, dwi'n credu, meddai Llinos gan bwyso mlaen yn ei chadair unwaith eto.

– Allwch chi chwarae eich gêmau meddyliol drwy'r nos ond dwi'n dweud dim nes mod i'n gwbod pam dwi yma.

– Felly, fyddai dim llawer o ddiddordeb gennych chi i glywed eich bod chi'n iawn yn meddwl bod rhywun wedi bod wrthi'n ceisio lladd Dr Price ers nos Wener...? meddai Tom.

Penderfynodd Llinos beidio ag ymateb.

– ... a'n bod ni'n gwbod pwy yw'r person hwnnw? meddai Tom gan godi o'i gadair. Cododd Peter a Simon hefyd a dechreuodd y tri gerdded at ddrws y gell.

Trodd Tom i'w hwynebu.

– A'r person hwnnw yw Ms Carla Peel, meddai gan agor drws y gell.

Chwarddodd Llinos yn uchel.

– Gwych iawn, Mr Tom. Rwy'n ildio! Beth y'ch chi eisiau gwbod?

4

Eisteddai Tom a Simon gyferbyn â Paul yn yr ystafell gyfweld tua chwarter awr yn ddiweddarach.

– Felly, beth yw eich penderfyniad, Dr Price? gofynnodd Tom.

Syllodd Paul yn hir ar y ddau cyn ateb.

– Os ydy Mansel wedi cuddio'r ddamcaniaeth gywir yn rhywle ac wedi gadael cliwiau i fi i ddod o hyd iddi, mae'n amlwg ei fod yn awyddus i fi ddatrys y posau. Felly, does 'da fi ddim dewis ond mynd ati i geisio gwneud hynny, er parch iddo fe ac iddo fe'n unig, meddai.

– Da iawn…, dechreuodd Tom, cyn i Paul dorri ar ei draws.

– … ar un amod…

– Dwi ddim yn credu eich bod chi mewn sefyllfa i osod amodau…, meddai Simon, cyn i Tom dorri ar draws hwnnw.

– Ie?

– Eich bod chi'n gwneud yn siŵr fod Llinos yn ddiogel. Dyw hi'n gwbod dim am y gwaith.

– Mae Peter yn ei holi nawr. Os nad yw hi'n gwbod dim, fe ofalwn ni amdani nes bydd hyn i gyd drosodd. Galla i addo hynny o leia.

– Diolch. Reit, beth sydd angen i fi ei wneud?

Trodd Tom at Simon.

– Mae Simon yn arbenigwr ar ddatrys codau. Efallai y dyle fe gymryd yr awenau, meddai Tom.

Esboniodd Simon y ddamcaniaeth ar gyfer datrys codau cyn ychwanegu bod eu tîm arbenigol wedi ceisio datrys y pedwar cliw ar ddeg roedd Mansel wedi'u gosod ar gyfer taith Paul.

– Fe fu'r Athro Edwards yn gyfrwys iawn gyda'r cliwiau, meddai Simon.

– Pam? gofynnodd Paul.

– Oherwydd mai chi'n unig all eu datrys, atebodd Simon.

– Ond mae pob cliw yn dibynnu ar weld rhywbeth wrth gerdded llwybr yr arfordir. Gallai unrhyw un wneud hynny, meddai Paul.

– Digon gwir, ond mae rhan arall o bob cliw'n dibynnu ar wybodaeth fyddai gennych chi eich dau yn unig, atebodd Simon.

Meddyliodd Paul am y pedwar pos roedd eisoes wedi'u datrys. Yn wir, roedd pob cliw'n dibynnu ar ryw wybodaeth neu jôc bersonol roedd y ddau wedi'u rhannu.

– *Le chiffre indéchiffrable*: y cod perffaith, sy'n sicrhau mai dim ond un person all ei ddatrys, sef chi, meddai Simon.

Gwenodd Paul wrth iddo sylweddoli beth roedd y gwasanaeth cudd am iddo'i wneud.

– Gwych, chwarae plant. Cerdded yr arfordir ac asasin fu'n gweithio i Mossad yn ceisio fy lladd. Mwg tsips, heb sôn am y posibilrwydd fod mwy ohonyn nhw ar eu ffordd i'w helpu. Dwi ddim yn meddwl gyrhaedda i ddiwedd y daith yn Llandudoch, meddai Paul yn benisel.

Cododd Tom ar ei draed.

– Bydd tri ohonon ni'n cerdded gyda chi ar y daith, ac os yw o unrhyw gysur i chi, ry'n ni, fel y byddech chi'n disgwyl, wedi cael hyfforddiant yn yr un maes â Ms Peel. Bydd y bobl ry'ch chi'n eu nabod fel Jean a Bob Runcie yn ein cynorthwyo a bydd yr heddlu lleol, i ryw raddau, yn gwbod beth sy'n digwydd. Fe ddechreuwn ni fory, o Angle.

– Ga i weld y cliw am fory? gofynnodd Paul.

Rhoddodd Simon gopi o'r pos iddo:

Mae un ar y castell yn treiglo,
Cyfuniad Hari'r Cyntaf a Deio.
Mae hwn a'r hoff ddiod yn wrthun:
Huw, Henry, Owain, Tryweryn.

Astudiodd Paul y cliw am rai munudau cyn codi'i ben a gwenu.

– Does dim angen dechrau o Angle, dwi wedi datrys y cliw, meddai.

Esboniodd fod y llinell gyntaf yn cyfeirio at dyrau castell Penfro a bod angen treiglo'r gair 'twr' i ddatrys y cliw, sef 'dŵr'. Yn yr ail linell roedd angen llythyren gyntaf Hari, yna 'Deio' neu 'Dau ac O' yn cynrychioli'r fformiwla ar gyfer dŵr, sef H_2O. Roedd y drydedd linell yn cyfeirio at y ffaith fod Mansel yn casáu dŵr ar ei wisgi a'r 'H' am Huw, 'H' am Henry ac 'O' am Owain ynghyd â'r cyfeiriad at Dryweryn yn y llinell olaf unwaith eto'n cynrychioli H_2O neu ddŵr.

– Dŵr yw'r ateb, felly, ond Duw a ŵyr sut mae'r atebion i'r posau'n cysylltu â'i gilydd, meddai Paul cyn ychwanegu,

– Os ca i weld y darn papur a'r cliwiau arno fe esbonia i'r ateb i'r pedwar cliw cynta.

Tynnodd Simon y darn papur o'i boced a'i roi i Paul.

5

Bu Peter wrthi'n holi Llinos am ei pherthynas â Paul am dros hanner awr. Bu hithau'n ofalus iawn wrth ateb, gan geisio dyfalu pam roedd gan y gwasanaeth cudd gymaint o ddiddordeb yng ngwaith Paul. Dywedodd Llinos nad oedd Paul byth yn sôn am ei waith oherwydd ei fod yn berson gonest a thrylwyr.

– Wel... diolch yn fawr am eich help, Ms Burns, meddai Peter gan osod ei nodiadau mewn ffeil a chodi o'i gadair.

– Beth sy'n digwydd nawr? gofynnodd Llinos.

– Mae'n amlwg nad y'ch chi'n gwbod dim am waith Dr Price, felly dwi ddim yn credu bod Ms Peel a'i chyflogwyr yn debygol o ymosod arnoch chi, atebodd Peter a dechrau camu at ddrws y gell.

– Ond beth am Paul? Pryd galla i ei weld e?

Trodd Peter i'w hwynebu.

– Bydd yn rhaid i chi a Dr Price ddilyn llwybrau gwahanol, mae arna i ofn. Ond cyn gynted ag y bydd y mater yma ar ben, dwi'n siŵr y cewch chi gyfle i'w weld, meddai gan agor y drws.

– Ond petawn i'n gwbod am ei waith, fe fyddwn i mewn perygl ac yn gorfod dilyn yr un llwybr â Paul, awgrymodd Llinos.

Stopiodd Peter gan droi ati unwaith eto.

– Byddai hynny'n newid pethau, ond gan nad y'ch chi'n gwbod dim, fe wnawn ni'n siŵr y byddwch chi'n gyffyrddus nes i'r mater hwn ddod i ben, atebodd.

Gan gnoi'i gwefus, ceisiodd Llinos gofio beth roedd Paul wedi'i ddweud wrthi'n gynharach y diwrnod hwnnw ar ôl iddi ei arteithio â'i *Chinese burn* wrth gerdded tuag at Freshwater West.

– Well i chi eistedd i lawr. Mae'n rhaid i fi fod yn onest. Dwi'n gwbod y byddwn i'n ddiogel petawn i ddim yn dweud gair, ond mae'n rhaid i fi ddweud y gwir. Mae Paul wedi dweud llawer wrtha i am ei waith.

Caeodd Peter y drws yn dawel a chamu'n araf yn ôl at y bwrdd.

– Faint y'ch chi'n ei wbod, Ms Burns?

– Wel, popeth. Alla i ddim cofio'r cwbl, wrth gwrs, er dwi'n siŵr fod yr wybodaeth yna yn yr isymwybod, meddai Llinos.

– Ac mae 'na dechnegau ar gael i ddod â'r wybodaeth honno i'r wyneb, meddai Peter.

– Technegau erchyll iawn, ond bydd yn rhaid i chi brofi bod gennych chi rywfaint o wybodaeth, neu bydd yn rhaid inni gymryd camau i'w chael. Ydych chi'n deall?

– Yn bendant, ond does dim angen dod â'r *iron maiden* allan eto.

Chwarddodd Llinos gan geisio cofio beth yn union roedd Paul wedi'i ddweud wrthi ar ôl iddi ddefnyddio'r *Chinese burn*.

– Yn fras, mae cymysgedd uniongyrchol o'r tri chemegyn MBBA, K21 a K24 yn creu sgriniau teledu o ansawdd gwych ac o ganlyniad bydd technoleg LCD yn disodli technoleg plasma, meddai Llinos.

Ysgrifennodd Peter bob gair a ddywedodd Llinos mewn nodiadur, cyn codi'i ben.

– Mae gennych chi gryn dipyn o wybodaeth, Ms Burns. Mae hyn yn golygu..., dechreuodd, cyn i Llinos ymyrryd.

– ... mae hyn yn golygu y bydd yn rhaid iddyn nhw'n lladd i hefyd i warchod yr wybodaeth. Ydy hyn yn golygu bod yn rhaid i fi ddilyn yr un llwybr â Paul? gofynnodd gan geisio edrych mor ddiniwed â phosib.

– Gyda llaw, ychwanegodd, gan sylweddoli'n sydyn ei bod bron â llwgu, yn enwedig ar ôl yfed potelaid o win ar stumog wag.

– A fyddai'n bosib i fi gael rhywbeth i'w fwyta?

– Spaghetti Hoops ar dost?

– Hyfryd.

6

Roedd Paul newydd orffen esbonio i Simon a Tom sut roedd wedi llwyddo i ddatrys y pedwar pos cyntaf. Sylweddolodd hefyd fod Simon yn llygad ei le yn dweud mai dim ond Paul allai ddatrys cod Mansel Edwards. Roedd y tri wedi dechrau trafod trefniadau'r daith gerdded o Benfro i Herbrandston y bore canlynol pan ddaeth Peter i mewn i'r ystafell a sibrwd neges yng nghlust Tom.

Trodd Tom at Paul.

– Mae arna i ofn nad y'ch chi wedi bod yn hollol onest 'da ni, Dr Price, meddai.

– Pam? Am beth? Dwi ddim yn deall. Beth sydd wedi digwydd?

– Ms Burns sydd wedi honni eich bod chi'n dweud popeth wrthi am eich gwaith. Annoeth iawn, Dr Price, annoeth iawn. Rwy'n deall eich bod chi am ei gwarchod rhag unrhyw niwed, ond petai'r bobl plasma yn sylweddoli ei bod hi'n gwbod am eich gwaith, byddai'n rhaid iddyn nhw... wel... gael gwared arni hi hefyd, meddai Tom gan bwyso ar draws y bwrdd.

– Ond dyw hi ddim yn gwbod dim byd. Mae hi'n dweud celwydd, meddai Paul, yn ceisio dyfalu pam y byddai Llinos yn dweud y fath gelwydd.

– O! Dwi'n deall ei chynllun. Mae hi mewn cariad 'da fi ac mae hi am wneud yn siŵr ei bod hi'n dod 'da fi, meddai.

Agorodd Peter ei nodiadur a darllen yr hyn roedd Llinos newydd ei ddweud wrtho'n uchel.

Ochneidiodd Paul yn hir wrth gofio Llinos yn rhoi *Chinese burn* iddo.

– Do, fe ddwedes i hynny wrthi. Ond dy'ch chi ddim yn deall, mae hi'n gallu bod yn benderfynol iawn. Do'n i ddim yn meddwl am eiliad y byddai hi'n cofio, a dwi'n addo nad yw hi ddim yn gwbod dim byd arall, erfyniodd.

– Mae gennyn ni broblem, Dr Price. Gan fod Ms Burns yn dweud stori wahanol… Wrth gwrs, os ydych chi wedi dweud pethau wrthi, fe fydd yr wybodaeth yno yn ei hisymwybod ac mae 'na dechnegau erchyll ar y naw fyddai'n galluogi rhywun brwdfrydig i gael yr wybodaeth honno, meddai Tom yn amwys.

– Ond dyw'r bobl plasma ddim eisiau gwbod beth yw'r ddamcaniaeth. Maen nhw eisiau'i chladdu hi yn hytrach. Maen nhw'n ymwybodol nad ydw i'n gwbod beth yw'r ddamcaniaeth, felly pam bydden nhw'n arteithio Llinos? gofynnodd Paul.

– Dwi ddim yn credu bod Tom yn sôn am y bobl plasma, meddai Peter.

Gwenodd Tom a cherdded y tu ôl i Paul, plygu a sibrwd yn ei glust,

– Os na ddown ni o hyd i'r ddamcaniaeth, mae arna i ofn y bydd yn rhaid inni ddod o hyd i'r wybodaeth sydd yn eich ymennydd chi ac ymennydd Ms Burns. Efallai y bydd hynny'n hwb i chi…

– Beth y'ch chi'n awgrymu?

– Dwi ddim yn awgrymu dim byd, Dr Price… dweud ydw i y bydd yn rhaid i chi a Ms Burns deithio gyda'ch gilydd i ddatrys y cliwiau.

Ochneidiodd Paul unwaith eto.

7

Roedd Llinos newydd orffen ei phryd o Spaghetti Hoops ar dost pan gerddodd Tom i mewn i'r gell.

– A, Spaghetti Hoops, lyfli. Rwy'n falch o ddweud wrthoch chi y byddwch chi'n dilyn yr un llwybr â Dr Price wedi'r cwbl, meddai Tom.

– Ydyn ni'n rhydd i adael y lle 'ma? gofynnodd Llinos.

– Ddim eto, ond fe gawn ni drafod hynny ben bore.

– Pryd alla i weld Paul? gofynnodd Llinos yn eiddgar.

– Efallai nad nawr fyddai'r amser gorau i'w weld, meddai Tom, oedd newydd glywed Paul yn taranu bod Llinos yn rhaffu celwyddau i wneud yn siŵr ei bod yn cael aros yn ei gwmni.

– Dwi'n credu y dylai'r ddau ohonoch chi gael ychydig o gwsg. Mae'n flin gen i nad yw eich stafell o'r un safon â'r Ritz, Ms Burns, ond diogelwch yn gynta bob tro. Fe wna i'n siŵr fod gennych chi ddillad glân ar gyfer fory a dwi'n deall bod y sarjant sydd wrth y ddesg yn gwneud Eggs Benedict heb ei ail.

– Nos da 'te, meddai Llinos yn oeraidd, er ei bod yn hapus fel y gog y tu fewn.

– Dim ond un peth bach, meddai Tom.

– Dy'ch chi ddim wedi bod yn hollol onest gyda ni, ydych chi, Ms Burns?

– Am beth y'ch chi'n sôn? gofynnodd Llinos gan ddechrau anesmwytho.

Tynnodd Tom ffôn symudol o'i boced a chlosio at Llinos.

– Mae'n anhygoel beth allwch chi 'i neud 'da ffonau symudol y dyddie 'ma: tynnu lluniau, ffilmio hyd yn oed.

Edrychwch pa mor glir yw'r ffilm yma dynnodd yr un ry'ch chi'n ei nabod fel Jean Runcie y bore 'ma. Cymrwch olwg. Peidiwch â phoeni os gwnewch chi ddileu'r ffilm yn ddamweiniol, mae gennyn ni gopi arall, meddai gan roi'r ffôn i Llinos.

Gwelodd Llinos luniau ohoni hi ei hun yn mynd o dan ei char a phleiers yn ei llaw i dorri cêbl y brêc y bore hwnnw.

– O'n i'n gwbod yn iawn beth o'n i'n neud. Mae 'nhad yn fecanic ac ro'n i'n gyrru jalopis heb frêcs pan o'n i'n ddeg oed. O'n i'n gwbod na fydden ni'n cael niwed. Ro'n i jest eisiau aros gyda fe.

– Dwi'n deall yn iawn, *cri de coeur*, hyfryd. Falle bydd treulio'r dyddie nesa 'da'ch gilydd yn gyfle i chi glosio unwaith eto, er, petai Dr Price yn dod i wbod am hyn..., meddai Tom.

– Beth y'ch chi eisiau? meddai Llinos yn chwerw cyn i Tom orffen.

– Wrth gwrs, mae hyn yn gwneud inni amau a ydy Paul yn dweud popeth wrthoch chi, fel ry'ch chi'n honni. Falle bydd yn rhaid inni ailfeddwl am adael i chi fynd gydag e.

– Beth y'ch chi eisiau i fi wneud? gofynnodd Llinos.

– Ddwedwn ni ddim gair os gwnewch chi ffafr fach â ni.

8

Y bore canlynol roedd Paul yn sefyll yn iard swyddfa heddlu Doc Penfro. Cawsai ganiatâd i gael ychydig o awyr iach cyn brecwast a cherddai o amgylch yr iard gyfyng gyda dau blismon yn ei wylio ger mynedfa gefn y swyddfa. Roedd wedi cerdded o amgylch yr iard deirgwaith pan drodd a gweld Llinos yn cerdded tuag ato.

– *What's up, Doc?* meddai wrtho a dechrau brwsio'i goler â'i llaw dde.

– Mae gen ti ddandryff ar dy goler, meddai cyn i Paul dynnu'i braich oddi ar ei goler a chlosio ati.

– Beth uffern wyt ti'n meddwl wyt ti'n neud? Dwyt ti'n gwbod dim am 'y ngwaith i. Pam ddwedest ti gelwydd wrthyn nhw?

Gwenodd Llinos yn siriol cyn ateb.

– Gwranda, Paul, mae'r ddau ohonon ni'n gwbod dy fod ti'n dweud popeth wrtha i. Does dim angen dweud celwydd. Dwi ddim yn meddwl ein bod ni'n cael ein bygio ar hyn o bryd, meddai gan wbod yn iawn eu bod nhw.

Cymerodd Paul gam yn ôl ac edrych yn syn arni.

– Rwyt ti wedi colli arni. Mae angen help arnat ti…, meddai cyn i Llinos dorri ar ei draws.

– Dwi'n gwbod dy fod ti eisiau 'ngwarchod i am dy fod di'n 'y ngharu i…

– Ti'n wallgof, yn hollol wallgof…

– A dwi'n gwbod y gall y ddau ohonon ni gael ein lladd, ond mae'r ddau ohonon ni'n gwbod os mai dyna fydd ein tynged, yna dylen ni fod gyda'n gilydd ar y diwedd.

– Ti'n hollol boncyrs! Gwranda arna i, Llinos, dy'n ni ddim yn chwarae gêm. Fy mhenderfyniad i oedd ceisio datrys cliwiau Mansel a dwi ddim angen y gofid o orfod edrych ar dy ôl di hefyd. Llinos, dwi wastad 'di bod yn hoff ohonot ti ond…

– Hoff? Ti'n hoff o dy fam-gu neu *lemon meringue*, nid dy gariad.

– Ond dwi ddim yn hoffi *lemon meringue*, meddai Paul yn rhesymegol cyn i Llinos ailafael yn y ddadl.

– Wyt ti'n meddwl y byddwn i'n gadael iti beryglu dy fywyd heb geisio dy helpu? Ry'n ni 'di bod gyda'n gilydd ers bron i dair blynedd. Cyn gynted ag rwyt ti'n trio neud rhywbeth ar dy liwt dy hun... Edrycha be sy 'di digwydd i ti ers dydd Gwener. Tridiau hebdda i, Paul, a ti'n hollol ddi-glem.

– Na, dwi'n gwbod be dwi'n neud. Mae popeth o dan reolaeth.

Erbyn hyn roedd gwaed Llinos yn berwi am fod Paul mor hunangyfiawn. Y noson cynt roedd wedi cytuno i osod byg ar ddillad Paul i atal Tom rhag dangos y ffilm ohoni'n torri brêcs y car. Ond erbyn hyn doedd dim ots ganddi am hynny.

– Mae popeth o dan reolaeth, ydy e? Wel, yn un peth dwyt ti ddim yn gwbod mod i wedi gosod byg ar goler dy got, meddai gan estyn ei braich a thynnu'r byg a'i ddangos i Paul.

– Ond..., meddai Paul wrth iddo wylio Llinos yn taflu'r byg ar draws yr iard.

– Gofynnon nhw i fi osod y byg 'na arnat ti ac fe gytunes i.

– Ond pam?

– Am mai fi dorrodd frêcs y car yn Bosherston.

– Beth?

– Fi dorrodd gêbl y brêcs... am... am mod i'n hoff ohonot ti. O'n i'n gwbod beth o'n i'n neud. Roedd yn rhaid i fi neud rhwbeth i drio'n cadw ni gyda'n gilydd. Nawr, dwi'n awgrymu ein bod ni'n mynd 'nôl i mewn atyn nhw a gwneud yn siŵr fod y ddau ohonon ni'n edrych ar ôl ein gilydd, achos fydd neb arall yn neud 'ny, Paul.

– O, gwna fel mynni di, meddai Paul, oedd wedi drysu'n llwyr erbyn hyn.

Wrth i Paul a Llinos orffen eu sgwrs, trodd Tom, a fu'n gwylio'r ddau drwy ffenest ystafell a wynebai'r iard, at ei bartner.

– Gest ti'r sgwrs i gyd, Simon? gofynnodd.

– Wrth gwrs, byddai'n syniad da i ni osod bygiau eraill yn eu dillad nhw, meddai hwnnw gan wenu.

– Belt a bresys, Simon, belt a bresys, meddai Tom.

9

Chwarter awr yn ddiweddarach eisteddai Tom, Peter, Simon, Jean a Bob Runcie, Paul a Llinos o amgylch bwrdd yn un o ystafelloedd gorsaf yr heddlu yn Noc Penfro. O'u blaenau roedd mygiau o de a choffi yn ogystal â llond plât o gacennau a fyddai, yn ôl Tom, yn rhoi egni iddynt ar gyfer eu taith bymtheg milltir o swyddfa'r heddlu i Herbrandston y diwrnod hwnnw. Roedd Paul newydd ddarllen chweched pos Mansel Edwards:

> Dechreuad oer gŵr y cerflun coll,
> Hoff beth i gadw'th ben yn glyd,
> Pam 'di drosi i'r iaith fain,
> Eto'n gymysg oll i gyd.

Esboniodd Tom beth fyddai rôl pawb wrth i Paul geisio dyfalu'r ateb i'r chweched pos.

– Fe fydda i'n cerdded gyda Dr Price a Ms Burns tra bydd

Peter yn cerdded tua hanner milltir o'n blaenau i wneud yn siŵr nad yw Carla'n aros amdanon ni ar y llwybr. Ac fe fydd Nesbitt y ci'n cerdded gyda Peter i wneud yn siŵr nad yw hi wedi gadael anrheg ffrwydrol inni ar y llwybr.

– Ac fe fydda i'n cerdded tua dau gan llath y tu ôl i Tom, Dr Price a Ms Burns i wneud yn siŵr na fydd Carla'n llwyddo i ymosod arnon ni o'r cefn, meddai Simon.

– Gobeithio bod gennych chi lygaid yng nghefn eich pen 'te, meddai Llinos yn chwerw.

– Hefyd, fe fydd Jean a Bob Runcie'n teithio mewn cerbyd ar hyd y B4325 sy'n rhedeg yn gyfochrog â'r llwybr, meddai Tom.

– Dim ond rhyw bedwar can llath sydd rhwng y briffordd â llwybr yr arfordir, felly os bydd ein hangen gallwn ni fod yno ymhen dim, meddai Jean.

Nodiodd Tom ei ben gan ddweud,

– Wrth gwrs, fe fydd y pump ohonon ni'n cadw mewn cysylltiad trwy gyfrwng radio ar hyd y daith, felly fe allwn ni ymateb yn gyflym petai Carla'n ceisio ymosod ar Dr Price.

– Ydy'r heddlu'n rhan o'r cynllun? gofynnodd Paul.

– Ydyn, ond dim ond yn ôl yr angen. Mae'r heddweision lleol wedi derbyn llun o Carla ac maen nhw dan orchymyn i roi gwybodaeth i ni os caiff ei gweld, atebodd Tom, cyn ychwanegu,

– Wrth gwrs, cyn gynted ag y bydd Dr Price yn datrys y pos gallwn adael y llwybr, ymuno â Jean a Bob Runcie ac yna teithio 'nôl i orsaf yr heddlu. Caiff Peter roi manylion y daith i Herbrandston i chi, meddai gan eistedd i lawr.

Cododd Peter ac agor map OS o'r ardal ar draws y bwrdd. Esboniodd y byddai rhan gyntaf y daith yn golygu cerdded milltir dros Bont Cleddau. Yna bydden nhw'n croesi promenâd Neyland cyn cerdded ar hyd cyrion adeiladau'r purfeydd olew nes cyrraedd Aberdaugleddau, a mynd yn eu blaenau trwy adfeilion caer South Hook ac i Herbrandston.

Wrth i Peter draethu am y mannau lle byddai Carla'n debygol o ymosod arnyn nhw sylwodd Paul ar y rhifau a redai i lawr ochr chwith ac ar hyd gwaelod y map OS – y rhai sy'n cynorthwyo pobl i wybod yn union ble maen nhw.

Edrychodd Paul ar y rhifau ar ochr chwith y map: 134, 135, 136, 137, yna ar y rhifau ar hyd y gwaelod, sef 236, 237, 238, 239.

Ni allai Paul gofio pryd na ble roedd wedi gweld y rhifau hyn o'r blaen, ond roedd e'n sicr iddo'u gweld nhw'n gymharol ddiweddar.

O'r diwedd daeth araith Peter i ben. Gadawodd Simon yr ystafell, cyn dychwelyd ychydig funudau'n ddiweddarach gyda dau rycsac bach.

– Does dim angen eich rycsacs arnoch chi heddi. Mae fflasg o de, brechdanau, creision, siocled ac yn y blaen yn y rhain, meddai Simon gan estyn rycsac yr un i Paul a Llinos.

Doedd Paul ddim yn edrych ymlaen at dreulio'r diwrnod gyda Llinos gan ei fod yn dal yn flin wrthi am lwyddo i berswadio'r swyddogion i adael iddi gerdded y daith gydag ef. Penderfynodd wrando ar ei iPod i'w helpu i ymlacio. Ond pan edrychodd yn y rycsac, gwelodd nad oedd ei iPod yno.

– A fyddai'n bosib i fi gael fy iPod, os gwelwch yn dda? Fe fydd yn help i mi ymlacio, meddai.

– A ga i fy nghompact a'm lipstic, os gwelwch yn dda? Dwi eisiau edrych fy ngorau rhag ofn inni gwrdd â Carla, meddai Llinos gan wenu ar Paul.

– Dwi ddim yn gweld pam lai, atebodd Tom.

Simon adawodd yr ystafell i chwilio am iPod Paul a deunydd ymbincio Llinos.

Wedi iddo ddychwelyd, rhoddodd Paul yr iPod ym mhoced ei got. Penderfynodd y byddai'n gwrando ar y gerddoriaeth Mozart a roesai Mansel iddo'n anrheg benblwydd y nos Wener cynt. Yna'n sydyn rhewodd wrth gofio ble gwelsai'r rhifau oedd ar y map OS. Esgusododd ei hun a mynd i'r toiledau a'i gloi ei hun mewn ciwbicl i feddwl. Tynnodd ei drowsus a'i bans i lawr ac eistedd ar y toiled rhag ofn bod camera'n ei wylio.

Roedd y pedwar darn o gerddoriaeth a gawsai gan Mansel wedi'u nodi ar glawr y CD â'r rhifau K neu Köchel a restrai bob darn a gyfansoddwyd gan Mozart.

Wrth gwrs, meddyliodd Paul, roedd gosod cliwiau i'w datrys yn rhy amlwg. Yn rhy amlwg o lawer. Y pedwar darn o gerddoriaeth oedd yr allwedd i'r ddamcaniaeth ac a fyddai'n ei arwain at ganlyniadau cywir ei waith ef a Mansel.

Felly, yr hyn roedd angen i Paul ei wneud oedd cofio'n union beth oedd rhifau K y pedwar darn o gerddoriaeth oedd yn cyfateb i gyfesurynnau'r map OS. Byddai hyn yn nodi'n union y lleoliad lle cuddiwyd y ddamcaniaeth. Ond, yn anffodus, ni allai eu cofio. Diawliodd ei hun am lwytho'r gerddoriaeth o'r CD i'r iPod heb gofnodi enwau'r darnau. Cofiodd mai dan 'Mozart 1', '2', '3' a '4' yn unig roedd wedi'u rhestru ar yr iPod.

Ceisiodd gofio'r rhifau, ond dim ond am eiliad yn y dafarn yn Aberystwyth roedd e wedi edrych ar y CD. Gwyddai mai K13 rhywbeth a K23 rhywbeth oedd dau o'r darnau, ond gallai hynny fod yn unrhyw le yn sir Benfro, Ceredigion neu sir Gaerfyrddin. Ac, wrth gwrs, byddai'r ddau ddarn arall yn ei arwain yn syth at y man lle gosodwyd y ddamcaniaeth.

Pendronodd a oedd câs y CD yn dal i fod yn y fflat. Cofiodd i Llinos ddweud ei bod wedi cael gwared â'i ddillad a'i lyfrau, ond a oedd hi wedi cael gwared â'r CDs hefyd? Byddai'n rhaid iddo ofyn iddi, ond sut? Gwyddai ddigon i wybod bod ei ddillad newydd yn debygol o fod wedi'u bygio.

Cwestiwn arall oedd a ddylai Paul ddweud wrth Tom, Peter a Simon? Am ryw reswm doedd e ddim wedi'i argyhoeddi'n llwyr eu bod nhw wedi dweud y gwir wrtho am farwolaeth Mansel. Roedd hynny'n bennaf oherwydd bod Tom wedi dweud mai Carla, mwy na thebyg, oedd wedi torri cêbl brêcs y car yn y maes pebyll yn Bosherston. Erbyn hyn gwyddai Paul mai Llinos fu'n gyfrifol am hynny, a bod Tom a'r lleill yn gwybod hynny ar y pryd. Hefyd, gwyddai nawr nad oedd Grünwald a Spengler wedi ceisio'i ladd. Felly, hyd yn hyn, marwolaeth Max Talbot oedd yr unig dystiolaeth oedd ganddo fod rhywun yn ceisio'i ladd.

Sylweddolodd Paul, petai'n cadw'r gyfrinach am y gerddoriaeth iddo'i hun a Llinos, y gallai dreulio'r deng niwrnod nesa'n gwylio Tom, Peter a Simon i weld a oedden nhw'n dweud y gwir. Ond petai'n dweud wrthyn nhw, bydden nhw'n dod o hyd i'r ddamcaniaeth yn ddidrafferth. Byddai arbenigwr ar waith Mozart, neu hyd yn oed arbenigwr ar gerddoriaeth yn gyffredinol, yn gallu rhoi'r rhifau cywir iddynt. Ond ble yn y byd y gallai ddod o hyd i arbenigwr o'r fath?

Wrth iddo godi'i drowsus a'i bans, cafodd Paul syniad.

10

Cyrhaeddodd PC Jim Marshall orsaf heddlu Doc Penfro am naw o'r gloch y bore. Roedd yno i gyfarfod â'i Uwch-arolygydd i drafod ei ymweliad cyswllt â'r Garda, cyn teithio ar y bws cymunedol i Draeth-mawr, ger Tyddewi, a threulio'r diwrnod yno. Yna byddai'n gorfod mynd gartre a phacio cyn teithio i borthladd Abergwaun i ddal y fferi fyddai'n gadael am Rosslare am hanner awr wedi naw y noson honno.

Wrth i Jim gerdded ar hyd un o goridorau gorsaf yr heddlu yng nghwmni'r Uwch-arolygydd, cododd ei ben a gweld grŵp o bobl yn cerdded heibio tua deg llath i ffwrdd. Erbyn iddo godi'i ben roedd Tom, Peter, Simon a Jean a Bob Runcie wedi mynd trwy'r drws i ystafell arall, ond adnabu wynebau Paul a Llinos wrth iddynt fynd heibio.

– Pwy oedd y rheina? gofynnodd Jim, wedi'i synnu wrth weld Paul a Llinos yn yr orsaf.

Closiodd yr Uwch-arolygydd ato a sibrwd,

– *Spooks*.

– Beth am y ddau ola?

– Hysh hysh, Jim. Yr unig beth y'n ni'n wbod yw eu bod nhw'n bwysig iawn a'r si yw fod ein ffrindiau yn y gwasanaeth cudd yn eu gwarchod nhw am fod rhywun yn ceisio'u lladd. Ta beth, Iwerddon... edrych ymlaen, Jim?

– Wrth gwrs, syr.

– Wyt ti'n bwriadu neud ychydig o saethu draw 'na?

– Ydw. Mae helfa 'na ddydd Sadwrn, syr.

– Da iawn. Mae'r misus yn parshal iawn i ffesant neu ddau, cofia, os wyt ti'n 'y neall i, Jim.

– Deall yn iawn, syr, atebodd Jim wrth i'r ddau gyrraedd swyddfa'r Uwch-arolygydd.

– Reit, ddylai hyn ddim cymryd llawer o amser, ond mae'n rhaid i fi neud y gwaith papur. Protocol, meddai'r Uwch-arolygydd wrth gamu i mewn i'w swyddfa.

Gwenodd Jim wrth ddilyn ei fòs i mewn i'r swyddfa a phenderfynu ailedrych ar y nodiadau a wnaethai yn dilyn ei sgwrs â Paul a Llinos yn Angle y diwrnod cynt.

11

Cerddodd y pump drwy strydoedd culion Doc Penfro, Peter yn arwain y fintai a Nesbitt yn cerdded yn ufudd wrth ei ochr, nes iddynt gyrraedd Pont Cleddau. Wrth agosáu at y bont arhosodd Llinos i edrych ar fwrdd gwybodaeth am dref Doc Penfro.

– Mae'n dweud fan hyn mai Doc Penfro oedd y man cychwyn i'r rhan fwya o'r milwyr fu'n ymladd yn Rhyfel y Crimea, meddai wrth Tom a safai yn ei hymyl hi a Paul.

– Ie, 'The Charge of the Light Brigade', esiampl wych o ddewrder milwyr Prydain. 'Forward, the Light Brigade! Was there a man dismayed?' meddai Tom gyda balchder, cyn i Llinos dorri ar ei draws.

– Cyflafan lwyr. Chwe chant yn marchogaeth i 'ddyffryn marwolaeth' a dim ond tri ohonyn nhw'n fyw ar ddiwedd y dydd. Dyw hynny ddim yn argoeli'n dda. Dwi'n gobeithio newch chi well job o bethau na'r Arglwydd Raglan, meddai gan edrych i fyw llygaid Tom cyn camu ymlaen at y bont.

Yn ôl ei harfer, roedd Llinos wedi llwyddo i daflu cwmwl du dros y sefyllfa, meddyliodd Paul, ond am unwaith roedd e'n ddigon balch am ei fod yn ysu i roi iddi'r neges a ysgrifenasai pan oedd yn nhoiledau gorsaf yr heddlu.

Roedd Peter a Nesbitt erbyn hyn tua dau gan llath o flaen pawb arall, ac ar ôl iddo gael ei geryddu gan Llinos roedd Tom ryw ugain llath o flaen Paul a Llinos.

Edrychodd Paul yn ôl a gweld bod Simon yn cerdded

a'i gefn atynt. Dyma'i gyfle. Yn gyflym, gafaelodd yn llaw chwith Llinos a rhoi'r nodyn ynddi.

Edrychodd hi arno a'i weld yn rhoi ei fys wrth ei geg er mwyn iddi gadw'n dawel.

O'r diwedd, cyrhaeddodd y pump Bont Cleddau. Safai traffig trwm y bore ger y tollbyrth wrth i'r fintai gerdded ar hyd ochr chwith y bont. Gan ei bod yn ddiwrnod oer a chymylog o Ebrill a'r gwynt yn gryf yn eu herbyn, bu'n rhaid i bawb gerdded â'u pennau i lawr. Erbyn hyn roedd Peter a Nesbitt tua hanner ffordd ar draws y bont, oedd yn fil o lathenni o hyd, a cherddai Simon tua hanner canllath y tu ôl i'r gweddill. Dechreuodd Paul sgwrsio â Tom ac arafodd Llinos rywfaint nes ei bod rai camau y tu ôl iddynt. Cerddodd â'i phen i lawr a dechrau darllen neges Paul.

> Dwi'n credu bod ein dillad wedi'u bygio. Ddylen ni ddim dweud dim o werth wrth ein gilydd. Dy'n nhw ddim yn ein trystio ni, felly ddylen ni ddim eu trystio nhw. Tria feddwl am ffordd inni allu cyfathrebu 'da'n gilydd heb siarad. Dwi'n gwbod sut gallwn ni gael gafael ar ddamcaniaeth Mansel heb eu help nhw. Ydy câs y CD roddodd Mansel i fi'n anrheg ben-blwydd yn dal yn y fflat? Tria gael gwared â'r neges yma heb iddyn nhw dy weld ti.
> Paul.

Edrychodd Llinos yn ôl a gweld bod Simon yn dal i edrych yn ôl. Camodd yn gyflym at ochr y bont gan wasgu'r neges yn belen fach yn ei llaw chwith, yna pwysodd dros y bont a gadael i'r belen ddisgyn i afon Cleddau islaw.

12

Ar ôl croesi'r bont, dim ond taith fer o tua milltir a wynebai Paul, Llinos, Tom a Simon cyn iddynt gyrraedd Neyland. Erbyn hyn roedd Peter wedi diflannu i wneud yn siŵr nad oedd Carla wedi gosod trap ar eu cyfer. Cerddodd y grŵp heibio i'r plinth lle safai cerflun sylfaenydd y dref, Isambard Kingdom Brunel, ar un adeg, cyn iddo gael ei ddwyn flwyddyn ynghynt.

Wrth iddynt gerdded ar hyd y promenâd sylwodd Llinos fod toiledau cyhoeddus gerllaw. Yn sydyn cafodd syniad.

– Dwi bron â byrstio, rhaid i fi fynd i'r toiled, meddai gan edrych ar Paul a chodi'i haeliau rhyw fymryn.

– Syniad da. Dwi angen mynd hefyd. Mae'n stumog i'n teimlo braidd yn od, meddai hwnnw gan ddeall bod Llinos wedi taro ar gynllun.

– Wow, wow, wow, meddai Tom gan gamu o'u blaenau.

– Bydd yn rhaid i fi fynd i mewn i'r toiledau'n gynta i wneud yn siŵr ei bod yn ddiogel i chi fynd yno. Wedyn bydda i'n aros y tu allan i'r ciwbicl a bydd Simon y tu allan i'r adeilad, ychwanegodd.

– Ond dwi angen mynd ar frys, meddai Paul.

– Bydd yn rhaid i chi aros nes y bydd Ms Burns wedi gorffen, meddai Tom yn awdurdodol.

– Dy'ch chi ddim yn meddwl dod i mewn i doiledau'r merched, ydych chi, y mochyn? sgyrnygodd Llinos cyn i Paul ymyrryd.

– Mae 'da fi syniad. Fe alla i a Llinos fynd i mewn i doiledau'r dynion. Gallwch chi sefyll y tu allan i'r ddau giwbicl a gall Simon rwystro unrhyw un dieithr rhag dod i mewn.

– Wel..., dechreuodd Tom, ond roedd Paul a Llinos ar eu ffordd i'r toiledau'n barod.

Wedi i Tom wneud yn siŵr fod y toiledau'n wag, cysylltodd â Simon ar ei *intercom*.

– Popeth yn iawn tu allan, Simon?

– Popeth yn iawn, meddai Simon.

– Reit... byddai'n well i fi ddweud wrth Peter beth sy'n digwydd.

– Ms Burns, gallwch chi fynd i giwbicl un a Dr Price, gallwch chi fynd i giwbicl dau, meddai Tom gan swnio'n hynod o broffesiynol.

– Pa un yw rhif un? gofynnodd Paul.

– Dim ond dau giwbicl sy 'na, does dim ots. I mewn â chi, meddai Tom yn swrth wrth iddo geisio cysylltu â Peter, heb unrhyw lwc.

Camodd y ddau i mewn i'r ddau giwbicl a chau'r drysau. Cyn gynted ag roedd y drws ar gau eisteddodd Paul ar y toiled ac estyn am ddarn o bapur toiled cyn tynnu beiro o boced ei got ac ysgrifennu'n frysiog arno, gan gofio gwneud y synau priodol ar gyfer rhywun sy'n defnyddio'r toiled.

> Wyt ti'n gwbod ble mae'r CD roddodd Mansel i fi
> bnawn Gwener?

ysgrifennodd, cyn pasio'r darn papur trwy'r bwlch rhwng y ddau giwbicl.

Clywodd Paul riddfan hir yn dod o'r ciwbicl nesaf cyn derbyn neges yn ôl gan Llinos rai eiliadau'n ddiweddarach.

Es i â dy CDs i gyd i siop elusen Tenovus fore Sadwrn i ddial arnat ti. Pam wyt ti eisiau gwbod?

Daeth sŵn griddfan o giwbicl Paul y tro yma.

– Blydi hel. Beth yn y byd y'ch chi'ch dau wedi bod yn ei fwyta? gofynnodd Tom.

– Spaghetti Hoops, gwaeddodd y ddau ar yr un pryd wrth i Llinos dderbyn neges arall.

Esboniodd Paul fod rhifau K y darnau o gerddoriaeth Mozart ar y CD yn cyfateb i leoliad rywle yn sir Benfro ond na allai gofio'r union rifau.

– Dewch mlân, does dim trwy'r dydd 'da ni, gwaeddodd Tom yn ddiamynedd. Doedd e ddim wedi llwyddo i gysylltu â Peter felly cysylltodd â Bob a Jean Runcie.

– Dwi'n methu cysylltu â Peter. Ble mae'r tag yn dweud mae e? gwaeddodd.

Wrth glywed hynny, sylweddolodd Paul a Llinos eu bod nhw'n bendant wedi'u tagio hefyd.

– Beth wyt ti'n feddwl 'Dyw e heb symud ers dwy funud'? Reit, ewch chi ato fe ac fe gariwn ni mlân, meddai Tom, cyn trafod y broblem gyda Simon ar yr *intercom*.

Pasiodd Llinos ei neges olaf i Paul cyn rhoi gweddill y negeseuon yn y toiled a thynnu'r tsiaen.

Darllenodd Paul y neges.

Gad i fi feddwl am y peth. Os caiff un ohonon ni syniad, fe drefnwn ni i gysylltu eto.

Taflodd Paul negeseuon Llinos i lawr y toiled a thynnu'r tsiaen.

13

Yn ôl Tom, byddai'n rhaid i'r grŵp gerdded dros filltir i gyrraedd y man lle roedd signal tag Peter wedi'i leoli. Cerddodd pawb allan o Neyland a thrwy'r rhwydwaith o adeiladau oedd yn gysylltiedig â'r diwydiant olew.

Cerddasant ar hyd cyrion deheuol hen burfa olew cwmni Gulf gan syllu ar y tyrau anferth i'r gogledd, y pibellau di-rif a'r lanfa hir lle byddai'r tanwydd yn cael ei ddadlwytho'n ddyddiol. O'r diwedd daethant at res o risiau'n arwain at bont a groesai bibellau olew anferth.

Wrth iddynt gerdded ar hyd y bont gwelson nhw Jean a Bob Runcie i lawr ar y dde'n sefyll uwchben cyrff Peter a Nesbitt ger un o'r pibellau, tua deugain llath i ffwrdd.

— Wedi'u saethu. Un fwled yr un i'r pen yn agos, meddai Bob wrth Tom dros y ffôn.

Teimlai Paul ias oer yn lledu trwy'i gorff a chyfog yn codi i'w wddf. Edrychodd ar Llinos. Roedd hithau hefyd wedi troi'n welw.

— Iawn, cysyllta â'r heddlu. Fe ga nhw ddelio â'r cyrff. Bob, bydd yn rhaid i ti ymuno â ni. Ceith Simon fynd yn ei flaen ond o fewn golwg ac fe gei di ddilyn y tu ôl inni, meddai Tom.

— Dy'ch chi ddim yn awgrymu y dylen ni fynd yn ein blaenau? meddai Llinos.

— Does gennyn ni ddim dewis, Ms Burns. Nid fi sy'n gwneud y penderfyniadau, atebodd Tom gan edrych ar Paul.

Ni ddywedodd Paul air wrth iddo droi a dechrau dilyn Simon tuag at Aberdaugleddau.

14

Ymhen hanner milltir gwyrai'r llwybr oddi wrth yr arfordir a dilyn cyrion purfa olew cwmni Texaco cyn dod at ffordd y B4325. Cerddodd y pump yn agos at ei gilydd ar hyd y ffordd heb dorri gair, yn meddwl am farwolaeth Peter.

Ar ôl teithio am filltir cyrhaeddodd y grŵp bentref Pîl, sydd tua milltir a hanner o Aberdaugleddau. Yn sydyn, clywodd Paul sŵn crawcian ac edrychodd i fyny a gweld aderyn yn hedfan uwch ei ben. Ni wyddai beth oedd enw'r aderyn ond cofiodd am Lotte Spengler yn ceisio dysgu enwau Cymraeg yr adar. Yna cofiodd rywbeth pwysig iawn am Lotte Spengler a phenderfynodd fod angen cyfarfod arall â Llinos cyn gynted â phosib.

Gwelodd eglwys pentref Pîl o'i flaen a sylwi bod toiled ger yr eglwys. Gwelodd ei gyfle.

Stopiodd a gafael ym mraich Llinos.

– Mae'n rhaid i fi fynd i'r toiled eto, gwaeddodd.

– Allwch chi ddim aros nes i ni gyrraedd Aberdaugleddau? Hanner awr arall o gerdded sy gennyn ni, erfyniodd Tom.

– Na, dwi angen mynd nawr. Dwi'n siŵr fod 'na doiled tu allan yn yr eglwys 'na, meddai Paul gan agor gât y fynwent a dechrau rhedeg tuag at yr eglwys gan dynnu Llinos ar ei ôl.

Dilynodd Tom, Simon a Bob Runcie nhw ond erbyn iddynt gyrraedd y toiled roedd Paul a Llinos wedi mynd i mewn a chloi'r drws.

– Gewch chi gwpwl o funudau'n unig, gwaeddodd Tom.

Tynnodd Simon declyn o'i fag a nodio'i ben.

– Alla i glywed popeth maen nhw'n ddweud, sibrydodd.

Yn y cyfamser cafodd Paul a Llinos sioc wrth weld nad oedd papur toiled ar gael. Cododd Paul ei ddwylo mewn rhwystredigaeth cyn i Llinos dynnu'i lipstic a'i drych llaw allan o'i rycsac.

– Tyn dy grys, dwi angen ti nawr, meddai, cyn wincio ar Paul gan wybod y byddai'r lleill yn clustfeinio.

Ufuddhaodd Paul, gan ddeall y gêm, a dechreuodd Llinos ysgrifennu'n araf ar draws ei frest a'i fol.

– Www, ti erioed wedi gwneud 'na i fi o'r blaen, meddai Paul.

Gorffennodd Llinos ei neges cyn codi a rhoi'r drych i Paul.

Rhoddodd yntau'r drych o'i flaen a darllen y neges.

Beth sy'n bod?

Yna tynnodd Llinos ei thop ac ysgrifennodd Paul ei ateb ar ei bol hithau.

Rhaid cael gafael ar Lotte Spengler.

– Www, ie, meddai Llinos gan gymryd y drych a darllen y neges.

Yna plygodd a thynnu trowsus Paul i lawr at ei bengliniau.

– Mmmm, lyfli, merch ddrwg, meddai Paul wrth i Llinos ysgrifennu gair ar ei glun chwith.

– Mmmm, ffantastig, ychwanegodd Paul, oedd wir yn mwynhau'r profiad erbyn hyn.

Edrychodd i lawr ar ei glun chwith a gweld y gair 'Pam?'

– O ie, ie, ie, ti yw'r gorau, meddai, cyn gafael ym mraich chwith Llinos ac ysgrifennu

Lotte yn dysgu cerdd.

Yna, ar ei braich dde, ysgrifennodd

Hi ac Otto ym mharc antur Prenderw heddiw.

Nodiodd Llinos ei phen cyn ysgrifennu ar ei fraich chwith yntau.

Dianc oddi wrth y rhain?

Nodiodd Paul ei ben, yna'n sydyn cofleidiodd Llinos a'i chusanu'n frwd.

Wrth i'r ddau adael y toiledau, roedd yr olwg ar wynebau Tom a Simon yn ddigon o dystiolaeth ynddi'i hun iddynt fod yn clustfeinio ar y cyfan.

15

Cerddodd y pump trwy Aberdaugleddau a Hakin cyn dechrau ar bum milltir olaf taith y diwrnod i bentref Herbrandston. Dilynon nhw'r llwybr heibio i'r safle LNG cyn cyrraedd glanfa cwmni olew Elf Murco.

— Dim syniad eto? gofynnodd Tom i Paul wrth iddyn nhw gerdded ar hyd cyrion safle Elf Murco.

— Na, dim byd, meddai Paul, oedd heb feddwl o gwbl am chweched pos Mansel.

— Gobeithio bod Ms Burns wedi rhoi ychydig o ysbrydoliaeth i chi, sibrydodd Tom yn ei glust rhag ofn i Llinos, a gerddai rai camau y tu ôl iddynt, ei glywed.

Daeth y pump at adfeilion caer South Hook, garsiwn a adeiladwyd tua 1860. Wrth i Paul ryfeddu at yr adeilad siâp cylch, meddyliodd pa mor ddelfrydol fyddai'r lle i Carla guddio ynddo yn barod i ymosod arnyn nhw.

Yn sydyn, clywyd sŵn tanio a rhewodd Paul am eiliad cyn i Tom ei dynnu i'r llawr.

Disgwyliai deimlo poen yn lledu drwy ei gorff unrhyw eiliad, ond agorodd ei lygaid a sylweddoli nad oedd wedi'i anafu. Roedd Tom wedi tynnu Llinos ac yntau y tu ôl i ddarn anferth o goncrit fu'n dal un o ynnau mawr y garsiwn ar un adeg. Gwelodd Paul fod Bob Runcie wedi ymuno â nhw a bod Bob a Tom wedi tynnu'u drylliau allan.

– Beth ti'n feddwl? gofynnodd Bob.

– Dyw e ddim yn symud. Daeth y fwled o draw fan'na. Ti'n gwbod beth i neud, meddai Tom cyn cropian allan o'r tu ôl i'r darn concrit.

Dilynodd Paul ef â'i lygaid a gweld bod Simon yn gorwedd ar y llawr tua deg llath ar hugain i ffwrdd.

Eiliadau ar ôl i Tom gyrraedd Simon trodd a gweiddi,

– Mae e'n dal yn fyw, jest.

Tynnodd Bob Runcie ei rycsac oddi ar ei gefn ac estyn am becyn parafeddyg.

– Arhoswch fan hyn, meddai cyn dechrau cropian tuag at Tom a Simon.

Trodd Paul at Llinos.

– Beth ddiawl y'n ni'n mynd i neud, Llinos? meddai'n grynedig.

Edrychodd hithau arno am eiliad cyn ateb.

– Hmmm, gofynna'r cwestiwn yma i ti dy hun. Petai Carla eisiau dy ladd di, fe allai fod wedi gwneud hynny jest nawr, felly pam wnaeth hi saethu Simon? A pham lladd Peter?

– Dwi ddim yn gwbod, Llinos.

– Am nad ydy hi eisiau dy ladd di. Mae rhywbeth o'i le fan hyn a does dim ots gen i os ydyn nhw'n gwrando arnon ni. Dwi ddim yn eu trystio nhw a dwi'n credu dylen ni neud beth wnaethon ni drafod gynne.

– Na, Llinos, mae'n rhy beryglus.

– Wyt ti'n ymddiried yn'o i?

– Wel, ydw, ond…

– Wel, dwi'n credu mai fi 'di'r unig berson alli di ymddiried ynddo ar hyn o bryd. Pa mor bell ydyn ni o'r briffordd?

– Dwi ddim yn siŵr, dau gan llath, mwy falle. Pam?

Tynnodd Llinos ei lipstic a'i drych allan ac ysgrifennu

MAS O 'MA. DILYNA FI.

Cododd a dechrau rhedeg. Heb feddwl mwy am y peth, cododd Paul a rhedeg ar ei hôl.

Trodd Tom a Bob Runcie eu pennau a gweld y ddau'n rhedeg nerth eu traed, ond ni ddywedodd Tom air am ei fod wrthi'n ceisio achub bywyd Simon ac yn gwybod bod tagiau GPS wedi'u gosod yn nillad Paul a Llinos.

Wrth i Paul a Llinos redeg clywson nhw sŵn gynnau'n tanio, ond edrychodd 'run ohonyn nhw 'nôl i weld beth oedd yn digwydd.

16

Cyrhaeddodd Paul a Llinos garej Pembroke Motors am ddau o'r gloch y prynhawn hwnnw. Pan gerddon nhw i mewn i swyddfa'r garej roedd y perchennog ar ganol rhoi llond pen i un o'r tri mecanic am beidio â chysylltu pibell egsôst yn gywir.

Trodd i edrych ar Paul a Llinos a gofyn sut y gallai eu helpu.

Gwenodd Llinos wrth iddi sylweddoli nad oedd perchennog y garej yn eu nabod. Roedd hynny, o bosib, am fod Llinos yn gwisgo wig melyn, sbectol haul a chot wen hir, a Paul yn gwisgo het Burberry, crys tîm pêl-droed Arsenal a throwsus Adidas.

Dim ond awr ynghynt roedd y ddau wedi dechrau rhedeg am eu bywydau o gaer South Hook. Rhedon nhw'n ddi-stop am bron i hanner milltir nes cyrraedd y briffordd. Yn fuan wedi hynny llwyddon nhw i ddal bws oedd yn teithio'r deuddeg milltir yn ôl i Benfro.

Yno, bu'r ddau'n prynu dillad mewn siop elusen cyn mynd i doiled cyhoeddus i newid, gan adael y dillad roedd Tom wedi'u rhoi iddynt a'r ddau tag GPS yn y toiled. Gobeithiai y byddai hynny'n golygu na allai neb eu dilyn. Ar ôl iddynt brynu map OS o sir Benfro, y cam nesaf oedd prynu ffôn symudol yr un cyn dod o hyd i'r garej oedd yn trwsio car Llinos.

Tynnodd Llinos ei sbectol haul gan wenu'n siriol.

– Ry'n ni wedi dod i gasglu'r car, meddai.

Edrychodd perchennog y garej yn syn ar y ddau cyn cymryd cam yn nes at Llinos.

– O, chi, yr un heb frêcs. Ydy, mae e'n barod. Mae e rownd yr ochr, meddai gan dynnu allweddi'r car oddi ar fachyn y tu ôl i'r cownter a'u taflu at Llinos, cyn ychwanegu,

– Ac roeddech chi'n iawn, roedd rhywun wedi torri cêbl y brêcs.

– Hmmm, dy'ch chi ddim yn dweud, meddai Paul gan edrych ar Llinos.

Talodd Paul â'i garden debyd tra aeth Llinos i nôl y car.

Gwyliodd y perchennog y ddau'n gyrru i ffwrdd cyn estyn am ei ffôn symudol a galw'r rhif oedd wedi'i ysgrifennu ar ddarn o bapur o'i flaen.

– Maen nhw newydd gasglu'r car, meddai'r perchennog, oedd wedi cytuno i roi gwybod i'r ddau ddyn a ddaethai i'r garej gyda dau heddwas y noson cynt i edrych ar gar y ferch.

– Drygs, mwy na thebyg, ychwanegodd yn hunangyfiawn, yn hapus ei fod wedi gwneud rhywbeth i helpu cymdeithas ac ennill dau gan punt am ei drafferth.

17

Ugain munud yn ddiweddarach roedd Paul a Llinos wedi gyrru'r pymtheg milltir i barc hamdden Prenderw, sydd wedi'i leoli rhwng Arberth a Hwlffordd.

Ar ôl parcio'r car, talu am eu tocynnau a chael map yr un o'r parc, daliodd y ddau'r trên bach sy'n teithio'r chwarter milltir o'r fynedfa i ganol y parc ei hun. A hithau'n dri o'r gloch y prynhawn, ychydig o bobl oedd ar y trên: dau gwpwl ifanc, teulu swnllyd o ardal Abertawe, hen wraig a'r ddau ohonyn nhw. Felly manteisiodd y ddau ar y cyfle i drafod eu cynlluniau.

– Ond beth os nad y'n nhw yma, Paul? gofynnodd Llinos.

– Awn ni i Abergwaun. Dwedodd Grünwald taw nos Fercher y bydden nhw'n dal y cwch i Iwerddon ar ôl bod ym mharc Prenderw. Fe fydden nhw 'di archebu eu tocynnau oesoedd yn ôl a dwi'n cael yr argraff fod trefn yn bwysig iawn i Herr Grünwald, atebodd Paul.

– A sut wyt ti'n mynd i'w perswadio nhw i dy helpu di? Dy'n nhw ddim yn or-hoff ohonot ti, ydyn nhw?

– Dwi ddim yn gwbod, Llinos, ond dim ond atyn nhw gallwn ni droi ar hyn o bryd, meddai Paul.

Gyda hynny cyrhaeddodd y trên bach ganol y parc.

Gadawodd y ddau'r trên ac ymuno â'r cannoedd o bobl o bob oedran oedd wedi penderfynu mynychu'r parc adeg gwyliau'r Pasg, yn hytrach na rhewi ar un o draethau sir Benfro.

– Gwell i ni wahanu. Fe ffoniwn ni'n gilydd cyn gynted ag y bydd un ohonon ni'n eu gweld nhw. Chwilia i amdanyn nhw ger y Pendroffobia a Chwch Môr-ladron Harri Morgan, a chwilia di ger y Fertigo, y Rapids a'r Bowns, meddai Paul.

– Pob lwc, meddai Llinos.

– Diolch, ac i ti, atebodd Paul gan glosio ati a'i chusanu ar ei boch cyn dechrau chwilio.

Yn ddiarwybod i'r ddau, roedd rhywun wedi'u dilyn oddi ar y trên bach ac yn eu gwylio'n ofalus.

18

Cerddai Paul ymysg y teuluoedd di-ri oedd wrthi'n mwynhau eu hunain yn y parc antur. Cododd ei galon rywfaint o weld y fath fwrlwm a hwyl diniwed ar ôl digwyddiadau erchyll y dydd.

Cyn hir safai o dan y Pendroffobia, un o reidiau mwyaf anturus y parc. Gwenodd Paul wrth wylio'r cerbydau'n chwyrlïo rownd a rownd, i fyny ac i lawr, gan feddwl bod ei berthynas ef a Llinos yn ddigon tebyg. Beth bynnag ddigwyddai, roedd yna ryw rym mewngyrchol yn ei dynnu 'nôl ati.

Aeth yn ei flaen at Gwch Môr-ladron Harri Morgan. A dyna lle roedden nhw, Otto Grünwald a Lotte Spengler, wrth eu boddau yn siglo o'r naill ochr i'r llall yn y cwch anferth.

Gwenodd, gan obeithio y byddai Lotte'n gallu'i helpu. Rhewodd y wên pan deimlodd rywbeth caled yn gwasgu yn erbyn ei gefn, ac yna clywodd lais cyfarwydd yn dweud,

– Dwi'n credu y dylet ti ddod gyda fi os wyt ti eisiau byw.

19

Cerddodd Llinos ar draws y parc i'r cyfeiriad arall ac ymhen dim cyrhaeddodd y Bowns – reid oedd yn codi pobl yn araf i'r awyr cyn eu hyrddio i fyny ac i lawr am ychydig, yna eu gollwng yn ôl i'r ddaear.

Penderfynodd y byddai'n syniad da iddi fynd ar y reid, oherwydd o'r top gallai weld y rhan fwyaf o'r parc, a Grünwald a Spengler o bosib.

Ymunodd â phymtheg person arall oedd wedi'u clymu'n ddiogel yn eu seddi'n barod ar gyfer yr antur. Teimlodd gyffro'r disgwyl wrth iddi godi'n araf i'r awyr. Caeodd ei llygaid wrth iddynt esgyn yn sydyn i dop y twr. Clywodd gymysgedd o chwerthin a sgrechfeydd cyn iddi agor ei llygaid. Teimlai binnau bach yn ei thraed wrth iddi sylweddoli ei bod hi hanner can metr i fyny yn yr awyr. Edrychodd ar draws y parc yn chwilio am gyplau yn cerdded gyda'i gilydd er mwyn ceisio dod o hyd i Otto a Lotte. Yna rhewodd pan welodd Paul yn cerdded yn gyflym tuag at bentre'r plant a rhywun yn cerdded wrth ei ochr. Dim ond o'r cefn y gwelai Llinos y person ond adnabu'r osgo ar unwaith.

Disgynnodd Llinos yn araf i'r ddaear a chyn gynted ag y rhyddhawyd hi o'i sedd dechreuodd gerdded yn gyflym tuag at bentre'r plant. Ond cyn iddi fynd ymhell, teimlodd hithau rywbeth caled yn gwasgu yn erbyn ei chefn a chlywed llais cyfarwydd yn dweud,

– Dwi'n credu y dylet ti ddod gyda fi.

20

Mae siop Bobi Burum y pobydd wedi'i lleoli yng nghanol pentre'r plant ym mharc Prenderw, rhwng siop Eidion Ffowls y cigydd a siop lyfrau Myfyr Dodd.

Er bod siop Bobi Burum yn edrych yn ddeniadol iawn o'r tu allan, does dim y tu mewn iddi ond dau fetr sgwâr o ofod.

Yno yr eisteddai Paul yn groesgoes gyferbyn â Carla Peel, a oedd hefyd yn eistedd yn groesgoes ac yn pwyntio dryll tuag ato.

– Felly, fan hyn mae popeth yn gorffen, ife? meddai Paul gan siarad â hi yn Saesneg.

– Yn siop Bobi Burum ym mhentre plant parc Prenderw. Mae pawb yn meddwl tybed ble fyddan nhw'n marw ond fyddwn i byth wedi dychmygu hyn. Paul Guinness Price, ganed Pont-iets, 15 Ebrill 1981, hunodd yn siop fara Bobi Burum, 20 Ebrill 2011. Dyw e ddim yn cymharu â marw wrth geisio dringo Everest rywsut, ychwanegodd cyn i Carla dorri ar ei draws.

– Pwy ddwedodd mod i am dy ladd di? gofynnodd gan wenu.

– Cywira fi os dwi'n anghywir ond dwi'n credu dy fod ti'n pwyntio dryll ata i.

– O, hwn. Defnyddies i hwn i wneud yn siŵr y byddet ti'n dod gyda fi i… wel… i drafod pethau. Does dim bwled ynddo fe. 'Co ti, meddai Carla gan daflu'r dryll at Paul.

Gadawodd Paul i'r dryll fwrw'i frest heb geisio'i ddal. Cwympodd i'r llawr heb iddo edrych arno.

– O, Paul, o'n i'n meddwl ein bod ni… wel, dy fod ti'n fy hoffi i.

– Carla, mae MI5 neu pwy bynnag herwgipiodd fi'n dweud dy fod ti'n asasin. Ydy hynny'n wir?

Gwenodd Carla'n wan gan edrych i fyw llygaid Paul.

– Ydy.

– Ac fe ddefnyddiest ti fi i geisio darganfod beth oeddwn i'n ei wbod am ddamcaniaeth Mansel?

– Do, ond…

– Paid â dweud dim byd, ti'n ffiaidd.

– Os felly, pam wyt ti'n dal i wisgo'r pendant Sant Christopher? gofynnodd Carla gan edrych ar frest Paul.

Teimlodd Paul y pendant cyn ei dynnu dros ei ben a'i daflu at Carla.

Daliodd e gan wincio arno.

– Wyt ti'n cofio be ddwedes i wrthot ti pan rois i hwn i ti?

– Wrth gwrs, 'bydda i wastad gyda ti'.

– Ac ro'n i'n ei feddwl e. Tu mewn i'r pendant mae 'na declyn sy'n golygu mod i 'di gallu dy ddilyn di o Angle i swyddfa'r heddlu yn Noc Penfro, i gaer South Hook, i Benfro ac i'r fan yma.

– A lladd dyn, ac, fel dwi'n deall, gyda'r bwriad o'n lladd i hefyd.

– Hanner y gwir. Fe laddais i ddau o'th herwgipwyr di.

Mae Simon wedi marw hefyd, mae arna i ofn, ac fe esbonia i hynny mewn eiliad, ond dwi ddim am dy ladd di, ddim o gwbl.

– Pam dylwn i dy gredu di?

– Paul, gwranda. Roedd yn rhaid i fi gadw golwg arnat ti er mwyn dy warchod.

– O, plis, dwi 'di clywed hyn yn barod. Ti ydy fy angel gwarcheidiol i, meddai Paul gan deimlo fel cyfogi wrth iddo sylweddoli iddo fod bron â syrthio mewn cariad â rhywun oedd wedi lladd dau ddyn mewn gwaed oer ychydig oriau ynghynt.

– Wyt ti wedi meddwl pam wnes i eu lladd nhw pan fyddai wedi bod yn haws o lawer i fi dy ladd di?

Cododd Paul ei ysgwyddau.

– Rwyt ti wedi dweud celwydd wrtha i, wedi gosod tag arna i, wedi lladd dau ddyn, tri mwy na thebyg, yn cynnwys Max Talbot, ac rwyt ti eisiau i fi gredu dy fod ti ar fy ochr i! Pwy uffern wyt ti, Carla?

Gyda hynny, er mawr syndod i'r ddau, curodd rhywun deirgwaith ar y drws yn araf.

Mewn fflach roedd Carla wedi codi'r dryll a'i bwyntio at Paul.

– Agor y drws, meddai'n awdurdodol.

– Pam dylwn i? Does dim bwled yn y dryll.

– Fel dwedest ti, dwi'n gelwyddog. Agor y drws, meddai Carla eto.

Cripiodd Paul at y drws gan ddisgwyl gweld dryll arall yn pwyntio at ei ben.

Ond beth welodd e pan agorodd fymryn ar y drws oedd merch fach tua chwe blwydd oed yn sefyll o'i flaen.

– Ydy Bobi Burum yma? Roedd Mami'n clywed pobl yn siarad a dwedodd hi dyliwn i gnocio cyn dod i mewn, meddai'r ferch wrth i'w mam blygu i lawr ac ychwanegu,

– Mae'n flin gen i, ond ydych chi'n gweithio yma? Ry'n ni 'di bod yn siopau Eidion Ffowls a Myfyr Dodd, a does dim byd ynddyn nhw. Braidd yn siomedig. Wedyn clywais i rywun yn siarad, felly dwedes i wrth Megan am gnocio ar y drws gan obeithio mai chi oedd Bobi Burum.

Cyn i Paul ateb, clywodd Carla'n hisian,

– Rhaid i ti gael gwared arnyn nhw nawr, Paul.

Gan wybod bod dryll yn pwyntio at ei gefn, dywedodd Paul,

– Yn anffodus, dyw Bobi Burum ddim ar gael. Mae'r siop wedi mynd i'r wal, yr un fath â siopau Eidion a Myfyr. Ni yw'r gweinyddwyr ac mae Bobi, Eidion a Myfyr ar y clwt bellach, mae arna i ofn. Effaith y dirwasgiad a'r toriadau, meddai, a gweld dagrau'n cronni yn llygaid y plentyn.

– Ond maen nhw 'di cael eu hailhyfforddi ac yn gweithio yn yr adran TG yn Techniquest, y parc hwyl gwyddonol yng Nghaerdydd, erbyn hyn, ychwanegodd, er doedd hynny ddim yn ddigon i gysuro'r ferch, oedd yn crio'n arw erbyn hyn.

Tynnodd y fam y plentyn o'r drws cyn bytheirio,

– Dwi'n edmygu'r defnydd o realaeth yn eich actio ond, bobl bach, oes rhaid i blant gael gwbod y fath ffeithiau? Cywilydd arnoch chi, meddai, gan dywys ei merch oddi yno.

– Paul, Paul, be ddigwyddodd i Roger Poll-Rice? Fe fyddai e 'di llwyddo i gael y ddwy ohonyn nhw i feddwl y byd ohono fe ond mae Dr Paul Price yn fethiant, a dweud y gwir, meddai Carla gan chwifio'r dryll fel gorchymyn i Paul eistedd gyferbyn â hi unwaith eto.

Ufuddhaodd Paul.

– Fe fues i'n weddol onest 'da ti o'r dechrau, Paul, meddai Carla.

– Ond anghofiaist ti ddweud dy fod ti'n asasin i Mossad cyn i ti ddechrau gweithio i'r cwmni technoleg plasma.

– Ac fe ddwedest ti gelwydd am dy enw, atebodd Carla fel chwip.

– Gwych! Dwi'n dweud celwydd am fy enw ac rwyt ti'n lladd tri pherson, a fi ydy'r person drwg.

– Nid fi laddodd Max Talbot, Paul, ac mae'n hen bryd i fi esbonio i ti beth sydd wedi bod yn digwydd, meddai.

– Dwi'n glustiau i gyd.

– Y gwir yw y bydd yn rhaid i ti benderfynu pwy yw'r bobl ddrwg, ti a Mansel neu fi? Caiff llawer mwy o ddifrod ei achosi gan bobl sy'n meddwl eu bod nhw'n gwneud daioni na rhywun fel fi, sy'n hollol anfoesol.

– Ond...

– Na, Paul, gad i fi orffen. Dwi'n gweithio i'r prif gwmni sy'n datblygu'r dechnoleg plasma, ond nid fi, nac unrhyw un arall sy'n gweithio i'r cwmni, oedd yn gyfrifol am farwolaeth yr Athro Edwards. MI5, dy ffrindiau di, neu'n fwy cywir, dy herwgipwyr di, oedd yn gyfrifol.

Syllodd Paul yn syn arni heb ddweud gair.

– Rwyt ti'n wyddonydd ac yn meddwl bod y byd go iawn yn dilyn yr un rheolau â gwyddoniaeth. Rwyt ti'n anghywir. Mae rhannau o'r CIA wedi'u preifateiddio er 2005 ac mae cwmnïau fel Blackwater yn gwneud y gwaith y byddai adrannau'r CIA yn arfer ei neud.

Esboniodd Carla fod yr un peth yn wir bellach am wasanaethau cudd Llywodraeth Prydain. Awgrymodd nad Technotrust UK oedd yn gweithio ar ran y Llywodraeth i greu swyddi ym Mhrydain, ond yn hytrach fod MI5 yn gweithio i gwmni rhyngwladol, ac mai nhw oedd piau cwmni Technotrust UK.

– Yn anffodus, am nad oedd yr Athro Edwards wedi cyhoeddi unrhyw waith gwreiddiol am flynyddoedd, roedd telerau cytundeb eich grant ymchwil yn rhai tila iawn. Pan sylweddolodd yr Athro bwysigrwydd eich darganfyddiad, roedd e'n gwbod na fyddech chi'n cael ceiniog ychwanegol am ddatblygiad fyddai'n gwneud biliynau o bunnoedd o elw i Technotrust UK. Felly, fe gysylltodd â chwmni technoleg plasma, y cwmni dwi'n gweithio iddo, i drafod gwerthu'r syniad i ni.

– Na, fyddai Mansel byth wedi gwneud hynny. Mae e... roedd e'n ddyn moesol.

– Fel dwedes i, fe ddechreuodd drafod gwerthu'r syniad i ni, ond nid er mwyn i ni'ch talu chi. Doedd e ddim yn credu mewn gwneud elw personol. Ei syniad ef oedd y dylen ni esgus mai ein gwyddonwyr ni ddatblygodd y syniad eu hunain, ar yr amod ein bod ni'n buddsoddi arian i gadw adran Gemeg Prifysgol Aberystwyth ar agor. Byddai wedi bod yn ddigon rhwydd i ni drefnu bod rhyw noddwr dienw yn rhoi rhodd hael iawn i'r brifysgol.

Edrychodd Paul yn ansicr ar Carla gan feddwl am ymddygiad od Mansel y tro olaf iddynt siarad yn ei swyddfa y prynhawn Gwener cynt.

– Meddylia am y peth, Paul. Fe fyddai hynny'n golygu na fyddai'n cael ei erlyn am dorri'i gytundeb gyda Technotrust UK ac ar yr un pryd yn sicrhau dyfodol yr adran oedd mor agos at ei galon.

– O'r gore, os ydy hyn yn wir, beth aeth o'i le?

– Roedd Technotrust UK wedi gweld bod canlyniadau cynnar eich gwaith yn llwyddiannus. Gan wbod bod telerau'r cytundeb yn llai na hael, fe benderfynon nhw y dylai MI5 gadw llygad arnoch chi, trwy fygio swyddfa'r Athro Edwards a'r labordy, a rhyng-gipio pob neges e-bost roeddech chi'n ei hanfon a'i derbyn.

– Ond allen nhw ddim gwrando ar bob sgwrs gefaist ti a Mansel, felly allai MI5 ddim bod yn hollol siŵr nad oeddet ti'n gwbod digon i ddatblygu'r ddamcaniaeth ar dy liwt dy hun petaen nhw'n cael gwared â'r Athro Edwards. Felly, y syniad oedd i Jean a Bob Runcie dy ladd ar y nos Wener, ond, yn ffodus i ti, roedd Max Talbot yn edrych yn debyg iawn i ti ac yn gwisgo dy ddillad. Dwi'n amau iddyn nhw ladd Mansel cyn y bore Llun am ei fod yn disgwyl ateb oddi wrth fy nghwmni i.

– Yn amlwg, bu Mansel yn ddyfeisgar iawn a damcaniaeth ffug oedd yr un yn y neges e-bost. Pan soniest ti wrth Jean a Bob Runcie am y posau, sylweddolodd MI5 ei fod wedi gwneud hynny ac wedi rhoi cliwiau i ti eu datrys i ddod o hyd i'r ddamcaniaeth gywir. Penderfynodd y cwmni fod y ddamcaniaeth mor bwysig fel bod angen dy gadw di'n fyw er mwyn iti ddod o hyd iddi, a dyna pam y gwnaeth MI5 dy herwgipio di neithiwr. Ond cyn gynted ag y byddi di'n datrys y cliwiau a rhoi'r ddamcaniaeth iddyn nhw, dwi'n credu y byddan nhw'n dy ladd di. Ti'n gwbod gormod, Paul. Nid ti na Mansel fydd y cynta.

– Ond pam dylwn i ymddiried ynot ti, Carla?

– Ry'n ni angen y ddamcaniaeth i wneud yn siŵr na fydd y cwmni'n colli biliynau o bunnoedd. Ry'n ni'n fodlon talu am y ddamcaniaeth, digon i achub yr adran, fel y cytunwyd gyda Mansel, a digon i dy helpu di i ddiflannu i ble bynnag rwyt ti am fynd gyda phwy bynnag rwyt ti am ddiflannu, meddai Carla gan godi'i haeliau.

– Mae hwn yn gyfle i fi hefyd, Paul. Rwy'n dri deg un nawr ac yn y proffesiwn hwn rhaid ymddeol cyn y bydd rhywun ifancach a chyflymach yn cymryd fy lle. Os penderfyni di ddechrau bywyd newydd mewn gwlad arall, falle bydd angen gwarchodwr personol arnat ti.

– Ond pam dylwn i dy gredu di yn hytrach nag MI5? Os, a dwi'n golygu os, gwna i lwyddo i ddatrys y cliwiau a rhoi'r ddamcaniaeth i ti, sut ydw i'n gwbod na fyddi di'n fy lladd i?

– Dwyt ti ddim, ond os dwedi di 'na' fe ddiflanna i, a dim ond ti a Ms Burns fydd yn eu herbyn nhw wedyn. Wel, beth yw eich ateb, Dr Price? Dwi'n gwbod beth fyddai ateb Roger Poll-Rice.

21

Roedd Otto Grünwald a Lotte Spengler wedi cyffroi'n llwyr wrth iddynt eistedd yn eu seddi i aros eu tro am reid arall ar y Pendroffobia ym marc antur Prenderw. Roedden nhw ar ben eu digon. Bu eu taith i Gymru eleni'n un llwyddiannus iawn, a nawr, fel y bydden nhw'n ei wneud bob blwyddyn, roedden nhw'n mwynhau diwrnod o adloniant pur ym marc Prenderw cyn iddynt deithio i Abergwaun i ddal y llong i Iwerddon y noson honno.

Daeth aelod o'r staff heibio i wneud yn siŵr fod pawb wedi'u clymu'n ddiogel yn eu seddi.

Roedd y ddau wedi bod ar y reid arbennig yma bum gwaith yn barod y diwrnod hwnnw ac yn gwybod, felly, y byddai'n rhaid iddynt aros am funud neu ddwy arall cyn i'r reid ddechrau. Yna clywodd y ddau gyfarchiad o'r tu cefn iddynt.

– Prynhawn da, meddai Carla.

– Prynhawn da, meddai Paul.

Trodd Otto a Lotte a gweld Carla a Paul yn gwenu arnyn nhw. Roedd gan Paul iPod yn ei law ac roedd Carla'n dal dryll yn ei llaw chwith. Cafodd Paul sioc pan glywodd ymateb Otto.

– Ro'n i'n hanner disgwyl i hyn ddigwydd, ond does dim angen i chi fod mor annymunol, meddai gan edrych ar y dryll.

– Roeddet ti'n iawn, Otto. Roedd e hefyd ar ôl yr wyau, meddai Lotte gan edrych ar Paul.

– Cau dy geg, Lotte, fe ddelia i â hyn, meddai Otto'n swrth, ond aeth Lotte yn ei blaen, wedi'i chynhyrfu'n llwyr.

– Fe ddwedais i wrthot ti am beidio â chwarae un yn erbyn y llall, Otto. Roedd Slattery wedi cynnig pris teg am yr wyau, ond na, roedd yn rhaid i ti fod yn farus a gofyn am fwy gan O'Brien.

Darlithwyr cerdd yn Vienna oedd Otto a Lotte, ac yn eu hamser hamdden roedden nhw'n ddringwyr brwd. Er hynny, roedden nhw bob amser yn chwilio am fwy o gyffro a phan ddaethant ar draws nyth hebog tramor yn llawn wyau ar ochr un o glogwyni sir Benfro bum mlynedd ynghynt penderfynodd Otto ddwyn yr wyau. Llwyddodd i'w gwerthu i ddeliwr anghyfreithlon yn Iwerddon. Cafodd y ddau gymaint o wefr nes iddynt benderfynu dychwelyd i sir Benfro bob gwanwyn i geisio dwyn mwy o wyau.

– Am y tro ola, Lotte, cau dy geg, sibrydodd Otto yn gas.

Sylweddolodd Paul ar unwaith beth oedd gêm y ddau.

– Na, Herr Grünwald, dy'n ni ddim…, dechreuodd esbonio cyn i Carla dorri ar ei draws.

– Dy'n ni ddim eisiau'ch brifo chi. Fe gewch chi gadw'r wyau ac fe fyddwch chi'n dal yn fyw ar ddiwedd y reid os gwnewch chi'n helpu ni. Dwi'n deall eich bod chi, Frau Spengler, yn ddarlithydd cerdd?

– Ydw, atebodd Lotte'n dawel wrth i'r cerbyd ddechrau symud yn araf.

– Faint y'ch chi'n wbod am Mozart?

– Wel, Wagner a Schubert yw fy arbenigedd ond…, dechreuodd Lotte ateb yn nerfus, cyn i Otto ddweud yn llawn balchder,

– Mae ei gwybodaeth am waith Wolfgang Amadeus heb ei hail.

– Diolch, Otto, meddai Lotte gan deimlo'i chalon yn suddo.

Rhoddodd Paul yr iPod i Lotte wrth iddynt ddechrau dringo'n araf tuag at grib gyntaf y reid.

– Mae gennych chi tan ddiwedd y reid i enwi'r pedwar darn o gerddoriaeth. Maen nhw'n barod i'w chwarae a dwi angen gwbod rhif Köchel pob darn. Os na lwyddwch chi, fe saetha i'r ddau ohonoch chi, a pheidiwch â meddwl sgrechian am help achos fe fydd pawb arall yn sgrechian hefyd ymhen eiliadau, meddai Carla.

Wrth i Lotte roi clustffonau'r iPod yn ei chlustiau a dechrau gwrando ar y darn cyntaf o gerddoriaeth, cyflymodd y cerbyd yn frawychus o sydyn wrth fynd ar i lawr. Wrth iddynt gael eu taflu o'r naill ochr i'r llall ar waelod y llethr cyntaf gwaeddodd Lotte,

– K138, cyn i'r cerbyd arafu eto wrth ddringo'r ail grib. Trodd Lotte ei phen.

– K138 yw'r darn cynta a K550 yw'r ail ddarn, gwaeddodd ar Paul cyn dechrau gwrando ar y trydydd darn wrth i'r cerbyd saethu i lawr yr ail lethr a'u taflu o'r naill ochr i'r llall wrth iddynt fynd heibio'r Lagŵn Glas lle roedd ymwelwyr yn teithio mewn cychod pedal ar wyneb y dŵr.

Roedd y cerbyd yn symud ar gyflymder o 60 milltir yr awr, bron, erbyn hyn a daeth clustffonau'r iPod yn rhydd o glustiau Lotte. Wrth iddi geisio'u hailosod, taflwyd y cerbyd o'r naill ochr i'r llall unwaith eto a hedfanodd yr iPod drwy'r awyr cyn suddo i waelod y Lagŵn Glas.

– Y blydi ffŵl, gwaeddodd Otto, wrth i'r cerbyd arafu tua diwedd y daith.

Trodd Lotte i wynebu Paul a Carla.

– Mae'n flin gen i, damwain lwyr. Rhif y trydydd darn oedd K239 ond chefais i ddim amser i wrando ar y pedwerydd darn, meddai, wrth i'r cerbyd gyrraedd yr orsaf.

Closiodd Paul at Lotte gan geisio cofio rhan o'r pedwerydd darn o gerddoriaeth.

– Gwrandewch, beth yw'r darn yma? meddai, gan ddechrau chwibanu.

Gwenodd Lotte a dechrau chwibanu'r darn gydag ef, cyn dweud,

– Mae'n rhwydd: Symffoni Rhif 41, y Jupiter, yn C.

– Ond beth yw'r rhif K? gwaeddodd Otto'n ddiamynedd.

– K551, meddai Lotte heb betruso wrth i'r cerbyd ddod i stop.

– Beth sy'n digwydd nawr? gofynnodd Otto wrth i'r bobl yn y cerbydau eraill godi o'u seddi.

– Arhoswch fan'na ac ewch am reid arall, meddai Carla.

Ddwy funud yn ddiweddarach roedd Paul a Carla'n eistedd mewn caffi, a Paul yn edrych ar fap o sir Benfro. Dilynodd y rhifau i lawr ochr chwith y map â'i fys nes iddo gyrraedd rhif 138550, ac yna ar draws hyd at 239551.

– Wel, ble mae e? holodd Carla.

– Hostel Ieuenctid Pwllderi, rhwng Tyddewi ac Abergwaun, meddai Paul gan dynnu'i ffôn symudol o'i boced.

– Beth ti'n neud? gofynnodd Carla.

– Rhaid i fi ffonio Llinos.

– Wyt ti'n siŵr?

– Dwi ddim yn credu bod llawer o ddyfodol i ti a fi, Carla. Fe gawson ni amser da yn Bosherston ond dyna'r cyfan.

Atebodd Llinos y ffôn a dywedodd Paul wrthi am ei gyfarfod yn ôl wrth y car ymhen pum munud.

22

Wrth i Paul a Carla nesáu at y car, sylwodd Paul fod Llinos eisoes wedi cyrraedd ac yn sefyll yn ymyl y car. Cofiodd fod allweddi'r car ym mhoced ei drowsus ac ofnai y byddai Llinos yn flin, ond llyncodd ei boer pan welodd fod rhywun yn sefyll y tu ôl iddi, sef Tom.

Stopiodd Paul am eiliad cyn i Carla ei dynnu ymlaen gan gerdded wrth ei ochr.

– Mae'n rhaid i ti ymddiried yn'o i nawr, Paul. Fe fydda i'n gofyn cwestiwn i ti a paid â chymryd mwy nag eiliad cyn dweud 'ie', hyd yn oed os wyt ti eisiau dweud 'na', sibrydodd wrth iddynt gerdded.

O'r diwedd cyrhaeddon nhw'r car ac wynebu Llinos a Tom, a safai ryw bum llath o gefn y car.

– Mae pob dim drosodd, Carla. Mae gen i ddau swyddog â'u drylliau'n pwyntio at dy ben, meddai Tom gan wenu a dal ei ddryll yng nghefn Llinos.

Trodd Paul ac edrych o amgylch y maes parcio i weld a oedd e'n dweud y gwir ai peidio. Ond heblaw am ambell deulu'n ymlwybro 'nôl at eu ceir i adael y parc yn gynnar, doedd neb i'w gweld.

– Dwi ddim yn credu hynny rywsut. Fyddech chi ddim yn cymryd y fath risg yng nghanol maes parcio gyda chymaint o'r cyhoedd o gwmpas. Na, dwi'n siŵr eu bod nhw'n aros y tu allan i'r parc rhag ofn na fyddwch chi'n gallu gorffen y job, meddai Carla cyn camu o flaen Paul a chodi'i dryll.

– Mae gennych chi broblem. Ry'ch chi mewn sefyllfa anffodus, ychwanegodd.

– Pam? holodd Tom yn swrth.

– Ry'ch chi'n meddwl na fydda i'n saethu rhag ofn i chi saethu Ms Burns. Ond y broblem sydd gennych chi yw nad yw Paul yn caru Ms Burns; yn wir, mae wedi bod eisiau cael gwared arni ers oesoedd. Fe fyddech chi'n gneud ffafr â'r ddau ohonon ni petaech chi'n ei saethu hi, ac felly does dim byd yn fy atal i rhag eich saethu chi, meddai Carla.

– Na, Paul, dweda rywbeth, erfyniodd Llinos. Edrychai Tom hefyd ar Paul gan aros am ei ymateb.

Ond allai Paul ddim dweud gair. A ddylai ymddiried yn Carla? Os felly, byddai hynny'n golygu ei fod yn ei chredu hi.

– Ydw i'n dweud y gwir, Paul? gofynnodd Carla heb symud ei phen.

Agorodd Paul ei geg ond cyn iddo yngan gair clywodd sŵn ergyd dawel a sylweddolodd fod Carla wedi saethu Tom yn ei goes. Roedd y fwled wedi taflu Llinos yn rhydd o afael Tom. Yna, fel petai mewn breuddwyd, gwelodd Carla'n camu tuag at Tom, a chyn iddo ddisgyn i'r llawr roedd wedi rhoi tair neu bedair bwled arall yn ei gorff. Yna gwelodd fod Llinos ar fin dechrau sgrechian, ond erbyn hynny roedd Carla'n sefyll ger corff Tom a thrawodd Llinos ar draws ei hwyneb i'w thawelu cyn troi at Paul.

– Gwthia hi i'r sedd gefn. Agora'r car ac fe roia i hwn yn y bŵt, meddai, gan edrych o amgylch y maes parcio i wneud yn siŵr nad oedd unrhyw un wedi'i gweld na'i chlywed gan iddi ddefnyddio teclyn i bylu sŵn yr ergydion.

Gwyliodd Paul Carla'n agor bŵt y car ac yn codi corff Tom a'i osod yn ddestlus ynddo. Gwyddai nad dyma'r tro cyntaf iddi wneud y fath beth. Yna tynnodd Carla declyn o'i rycsac a'i bwyntio at y car. Clywodd Paul sŵn bipian ac ymhen chwinciad gorweddai Carla o dan y car. O fewn eiliadau roedd darn o fetel yn ei llaw.

– Cyn i ti ofyn sut roedd MI5 yn gwbod ble roeddech chi, dyma'r ateb. Mae'n siŵr iddyn nhw osod y tracyr 'ma dan y car rhag ofn i chi fod mor naïf â chasglu'r car o'r garej… a gyda llaw, does dim bom o dan y car, meddai wrth gerdded at ddrws y sedd gefn.

Gyda hynny, gwelodd Carla gwpwl ifanc yn cyrraedd eu car, oedd wedi'i barcio tua ugain llath i'r chwith ohonyn nhw. Arhosodd nes roedd y ddau wedi mynd i mewn i'r car cyn rhedeg yn ei chwrcwd a gosod y teclyn tracio dan bibell egsôst eu car nhw er mwyn camarwain y rhai fyddai'n eu dilyn.

– Mae'n debyg y bydd mwy o asiantiaid yn aros amdanon ni'r tu allan. Wel, pam wyt ti'n aros? Ydyn ni am fynd i Bwllderi neu beidio? gofynnodd Carla, oedd erbyn hyn yn eistedd yn sedd flaen car Llinos.

Gyrrodd Paul yn araf allan o'r maes parcio ac anelu am yr A40 i Hwlffordd cyn cymryd y briffordd am Abergwaun.

Clywodd sŵn Llinos yn dechrau adfywio yn y cefn.

– Y bastard!

– Llinos, na, roedd hi'n dweud celwydd. Roedd yn rhaid i fi ymddiried ynddi, doedd 'da fi ddim dewis. Dyna'r unig ffordd y gallai Carla achub dy fywyd, meddai Paul gan geisio cadw'i lygaid ar y ffordd a gweld ymateb Llinos ar yr un pryd.

– Ymddiried ynddi? Welaist ti be wnaeth hi i Tom?

– Carla, esbonia iddi, plis, meddai Paul wrth geisio canolbwyntio ar yrru'r car, er ei fod yn crynu drwyddo ar ôl gweld Tom yn cael ei ladd o flaen ei lygaid.

Erbyn i Carla adrodd ei stori wrth Llinos, roedden nhw wedi cyrraedd cyrion Hwlffordd.

– Wel, wyt ti'n ei chredu hi? gofynnodd Paul.

– Does dim llawer o ots be dwi'n feddwl. Ti wedi penderfynu droston ni, yn do, Paul?

– Damio, meddai Carla, fu'n edrych yn ôl trwy ffenest gefn y car bob hyn a hyn yn ystod y siwrnai.

– Beth? gofynnodd Paul yn bryderus wrth iddynt agosáu at ffordd osgoi Hwlffordd.

– Cer yn gyflymach, mae car yn ein dilyn ni, meddai Carla.

Edrychodd Llinos drwy'r ffenest gefn cyn gweiddi ar Paul,

– Tro i'r chwith nawr.

Heb feddwl ddwywaith, trodd Paul y car i'r chwith a chymryd y ffordd i mewn i Hwlffordd.

– Beth ti'n neud? Cer 'nôl i'r ffordd osgoi, gwaeddodd Carla.

– Na, Paul, gwranda, meddai Llinos.

– Mae gennyn ni lond tanc o betrol. Peugeot 306 ydy hwn sy'n neud tua 55 milltir i'r galwyn ac maen nhw'n gyrru Ford Mondeo sy ddim ond yn neud rhyw 42 milltir i'r galwyn. Os daliwn ni i yrru ar 30 i 40 milltir yr awr fe redan nhw allan o betrol cyn ni.

Edrychodd Carla'n syn ar Llinos.

– Sut yn y byd wnest ti weithio hynny allan? gofynnodd.

– Am fod ei thad yn rhedeg garej, atebodd Paul, yn edmygu dull rhesymegol Llinos o feddwl.

– Ond dwi'n anghytuno. Ein siawns gore fyddai mynd ar hyd y ffordd agored ac fe saetha i'r teiers o'r sedd gefn, meddai Carla.

– Dwi'n anghytuno. Mae eu car nhw'n fwy pwerus o lawer ac fe allen nhw ein gwthio ni oddi ar y ffordd yn weddol rwydd, oedd ymateb Llinos.

Yn y car tu ôl iddynt trodd Jean Runcie at Bob.

– Mae e bownd o roi ei droed ar y sbardun unrhyw funud nawr. Bydd yn barod. Yr unig ddewis sydd gennyn nhw ydy'r ffordd osgoi, meddai, cyn gweld Paul yn troi'r car tuag at ganol tref Hwlffordd ac yna'n cyflymu ac yn arafu bob yn ail wrth i Carla a Llinos geisio'i ddarbwyllo beth fyddai orau i'w wneud.

– Beth uffern sy'n digwydd? holodd Jean.

Yn y Peugeot 306 roedd Paul yn dal i wrando ar y ddwy fenyw'n dadlau.

– Mae'r ddau syniad yn wych ond dwi'n credu mai syniad Llinos yw'r gorau am y byddai'n llai tebygol y byddai rhywun diniwed yn cael dolur, meddai Paul gan lywio'r car tuag at ganol y dref.

Gwenodd Llinos ar Carla wrth i honno edrych yn ôl yn swrth arni cyn rhoi'r dryll ym mhoced ei chot.

Yn y cyfamser roedd Bob a Jean wedi dechrau dadlau yn y Ford Mondeo.

– Beth uffern maen nhw'n neud? gofynnodd Bob.

– Mae hon yn system unffordd, allen ni fynd ymlaen fel hyn am oriau, meddai Jean.

– Ac o'n i'n edrych ymlaen am y crash senario. Dwi wastad yn hoffi'r crash senario, meddai Bob.

– Nid ar ugain milltir yr awr, meddai Jean.

– A beth yw'r golau 'na sy 'di bod yn fflachio ers hanner munud? gofynnodd Bob gan bwyso ar draws y sedd flaen.

– Damio, dim petrol, meddai Jean.

Ac ar ôl dilyn y Peugeot 306 am ugain munud arall yn teithio 20 milltir yr awr o gwmpas Hwlffordd, daeth y Ford Mondeo i stop. Allan o betrol.

– Alli di fynd ar y ffordd osgoi nawr, Paul, meddai Llinos yn fuddugoliaethus gan wenu ar Carla.

– Mae Pwllderi tua ugain milltir i ffwrdd.

Ond gwyddai Carla y byddai'n dial ar Llinos cyn i'r diwrnod ddod i ben.

RHAN 4

1

Teithiodd y Peugeot 306 ar hyd yr A40 rhwng Hwlffordd ac Abergwaun am ddeng munud, yna trodd i gyfeiriad Pwllderi ac ymlwybro ar hyd heolydd cefn gwlad sir Benfro a thrwy bentrefi bychain Abercastell, Tremarchog a Threfaser cyn dilyn llwybr cul y filltir olaf i Bwllderi.

Cyrhaeddodd y car ben ei daith ger Hostel Ieuenctid Pwllderi. Safai'r adeilad uwchben clogwyn serth, â'r môr yn chwyrlïo'n ffyrnig ddau gan llath oddi tano ac yn ymosod yn ddi-baid ar draethell fach tua ugain llath o hyd.

Camodd y tri allan o'r car gan edrych o'u hamgylch a gweld bod yr hen adeilad Fictoraidd oedd bellach yn hostel ieuenctid wedi'i amgylchynu gan fryn y tu ôl iddo a chlogwyni anferth ar bob llaw. Rhedai llwybr yr arfordir ger yr hostel, trwy'r maes parcio a heibio i danc olew rhyw ddeg llath ar hugain o'r adeilad.

– Faint o amser sy gennyn ni i ddod o hyd i'r ddamcaniaeth, Carla? gofynnodd Paul gan edrych ar ei wats a gweld ei bod hi bron yn chwech o'r gloch.

– Dwi ddim yn gwbod. Dwi ddim yn credu bod tracyr arall ar y car, ond alla i ddim bod yn hollol sicr. Oes gen ti unrhyw syniad ble fyddai'r Athro Edwards wedi cuddio'r ddamcaniaeth?

– Duw a ŵyr. Dwi ddim yn gwbod am beth ry'n ni'n chwilio amdano chwaith, atebodd Paul gan ryfeddu at brydferthwch yr olygfa o'i flaen. Yna trodd a gweld Llinos yn brysio tuag at yr hostel.

– Ble ti'n mynd? gwaeddodd arni.

– Ble ti'n meddwl? Dwi'n mynd i'r hostel. Waeth inni ddechrau chwilio fan'na. Dewch mlaen... neu ydych chi wedi anghofio bod MI5 ar ein holau ni? meddai Llinos gan gamu heibio i'r ddau gar arall oedd wedi'u parcio ger y fynedfa.

Yn yr hostel gwelodd Llinos dderbynfa fach o'i blaen. Y tu ôl i'r ddesg roedd silffoedd yn llawn bwydydd a manion eraill megis matsys, plastrau a ffaniau bach ar werth. Ar y chwith roedd cyfrifiadur ac i'r dde roedd drws yn gilagored ac yn arwain at ystafell fechan. Clywodd Llinos lais croch Anne Robinson: roedd rhywun yn amlwg yn gwylio *The Weakest Link* ar y teledu. Sylwodd fod cloch ar y ddesg, a phenderfynodd ei chanu.

Wrth i Paul a Carla ddod trwy ddrws y fynedfa cerddodd gwraig fach dwt yn ei saithdegau i mewn o'r cefn i'r dderbynfa.

– Ma'n flin 'da fi... helô. Rhona ydw i. Sut galla i'ch helpu chi? meddai gan gamu at y ddesg.

– Hoffwn i a dau ffrind aros yma dros nos. Oes gennych chi le? gofynnodd Llinos.

– Ry'ch chi'n lwcus. Mae'n ganol wythnos ar ddechrau'r tymor, felly mae'n dawel iawn 'ma heno. Mae 'da fi un teulu i mewn, Keith a Norma Fletcher a Nigel, eu mab, o ardal Dudley. Pobl hyfryd sy'n dod yma dros wyliau'r Pasg bob blwyddyn. Ond heblaw amdanyn nhw, neb arall. Ydych chi'n aelodau o Gymdeithas yr Hostelau Ieuenctid?

– Na, dwi a 'nghymar ddim yn aelodau. Ydych chi'n aelod? gofynnodd Llinos i Carla.

– Nac ydw, atebodd honno'n swrth, yn flin fod Llinos wedi penderfynu aros yn yr hostel.

– Petaech chi'n ymaelodi, byddech chi'n cael gostyngiad wrth aros mewn hostel ieuenctid unrhyw le ym Mhrydain, meddai Rhona.

– Am faint mae'r aelodaeth yn para?

– Blwyddyn, fe fydd e'n werth e.

– Dy'ch chi ddim yn cynnig aelodaeth am noson, ydych chi? Dwi ddim yn siŵr a fyddwn ni o gwmpas mewn blwyddyn, meddai Llinos, cyn ychwanegu,

– Na fory chwaith, dan ei hanadl.

– Jiw jiw, nag y'n wir.

– O'r gore, fe dalwn ni am dri thocyn aelodaeth blwyddyn.

– A'ch enwau?

– Fy enw i yw…, dechreuodd Llinos, cyn sylweddoli y byddai'n annoeth rhoi'i henw'i hun.

– Spengler, Lotte Spengler, meddai gan wenu.

– Mae fy rhieni'n dod o'r Almaen yn wreiddiol, ac enw fy nghymar yw Grünwald, Otto Grünwald. Mae ei rieni e hefyd yn dod o'r Almaen yn wreiddiol, ychwanegodd yn ansicr, cyn troi at Carla a dweud yn Saesneg,

– Dy dro di yw hi i dalu, dwi'n credu.

– Â phleser, meddai Carla gan gamu mlaen at y dderbynfa a rhoi cerdyn credyd ar y bwrdd o'i blaen.

– A pwy wyt ti'n mynd i fod heddiw? meddai Llinos dan ei gwynt.

– A'ch enw chi? gofynnodd Rhona.

– Llinos Burns, atebodd Carla, oedd newydd ddwyn waled Llinos o boced ei throwsus.

Gwenodd Carla a rhoi waled Llinos 'nôl iddi.

2

– Pam yn y byd roist ti fy enw iawn iddi? sgyrnygodd Llinos yn dawel wrth Carla wrth i'r tri gerdded i fyny'r grisiau i'r ystafelloedd gwely.

– I ddysgu gwers i ti. Fi sydd wrth y llyw, ac os wyt ti a Paul eisiau parhau i fod ar dir y byw mae'n rhaid i'r ddau ohonoch chi ddilyn 'y nghyfarwyddiadau i. Deall? meddai Carla wrth gyrraedd pen y grisiau a cherdded i mewn i ystafelloedd gwely gwag y merched.

Edrychodd Llinos ar Paul am eiliad a nodiodd hwnnw i gytuno â Carla.

– O, olréit, ond beth os bydd MI5 neu'r heddlu'n cysylltu â hostelau ieuenctid yr ardal? Mae'r hen fenyw 'na wedi cymryd f'enw i nawr, meddai Llinos gan eistedd ar wely bync.

– Fydd MI5 ddim eisiau i'r heddlu chwilio amdanoch chi. Fe fyddan nhw'n gweithio'n galed iawn i sicrhau na fyddan nhw, meddai Carla.

– Ta beth, dwi ddim yn trystio'r hen fenyw 'na. A pwy yw'r Fletchers sy'n aros 'ma? gofynnodd Llinos.

– Wyt ti'n meddwl bod MI5 yn hyfforddi pobl yn eu saithdegau i ddysgu acen sir Benfro? Dwedodd hi bod y Fletchers wedi bod yma ers ddoe, meddai Paul.

– Hmmm, sori Paul. O'n i 'di anghofio dy fod ti'n arbenigwr ar ysbïwyr. Welaist ti trwy Bob a Jean Runcie a Carla'n syth, on'd do? meddai Llinos yn sarcastig.

– Doniol iawn, Llinos, ond y peth pwysig yw ein bod ni'n dod o hyd i ddamcaniaeth Mansel cyn gynted â phosib, meddai Carla.

– Cywir, cytunodd Paul.

– Ond be fydd yn digwydd wedyn? gofynnodd Llinos.

– Dwi wedi gwneud y paratoadau. Mae llong yn aros ym mhorthladd Abergwaun ac fe allwn ni fynd ar ei bwrdd hi o draeth Strwmbwl, sydd tua hanner milltir oddi yma. Yna ymlaen i Iwerddon i drafod eich dyfodol, meddai Carla.

– Hmmm, meddai Llinos yn amheus.

– Mae hi'n dweud y gwir. Fe glywais i hi'n gneud yr alwad ffôn cyn inni gerdded 'nôl at y car ym mharc Prenderw, meddai Paul.

Gyda hynny clywodd y tri sŵn traed yn nesáu. Gwelodd Llinos fod Carla wedi estyn am ei dryll a'i roi o dan glustog.

Agorwyd y drws gan Rhona.

– Dwi wedi dod â'ch cardiau aelodaeth i chi, meddai cyn sylwi bod Paul yn yr ystafell.

– O, mae'n flin 'da fi ond stafell wely'r merched yw hon. Dy'n ni ddim yn caniatáu i ddynion fod yn y stafell yma, mae arna i ofn. Braidd yn hen ffasiwn, dwi'n gwbod, ond dyna reolau'r gymdeithas, chi'n gweld.

– Mae'n flin 'da fi. Ddo i lawr gyda chi nawr, meddai Paul cyn troi at Llinos a Carla.

– Wela i chi yn y lolfa mewn chwarter awr. Falle dylech chi gymryd cipolwg o gwmpas y lle, os ydy hynny'n iawn 'da pawb.

Nodiodd Carla a gadawodd Paul yr ystafell yng nghwmni Rhona.

Ar eu ffordd i lawr y grisiau gofynnodd Paul i Rhona ers faint roedd hi'n gweithio yn yr hostel.

Esboniodd Rhona iddi ymddeol o'i gwaith fel athrawes yn ysgol gynradd Wdig ddeng mlynedd ynghynt. Am ei bod hi'n weddw ac yn byw yn y pentref agosaf at Bwllderi, sef Trefaser, tua dwy filltir i ffwrdd, bachodd ar y cyfle i weithio fel warden yr hostel.

– Dwi'n cymryd yr awenau oddi ar y warden nos am hanner dydd ac yna'n aros yma tan naw o'r gloch y nos pan ddaw un o'r wardeiniaid eraill, ychwanegodd wrth i'r ddau gyrraedd y dderbynfa.

Dywedodd Paul, yn gelwyddog, fod ffrind iddo wedi argymell y dylai aros yn yr hostel.

– Pwy, tybed? Mae 'da fi gof da am bobl. Canlyniad deugain mlynedd o ddysgu plant, mwy na thebyg, meddai Rhona.

– Mansel Edwards.

Meddyliodd Rhona am rai eiliadau cyn ysgwyd ei phen.

– Na, dyw'r enw ddim yn canu cloch.

Rhoddodd Paul ddisgrifiad o Mansel, gan ychwanegu ei fod wedi aros yn yr hostel rywbryd yn ystod y misoedd cynt.

– O, arhoswch funud, meddai Rhona gan gamu y tu ôl i'r dderbynfa ac agor y llyfr ymwelwyr.

– Dyma ni. Na, nid Mansel Edwards ond Mr Neil Young ry'ch chi'n sôn amdano. Dwi'n 'i gofio fe'n iawn. Roedd e'n dod o Abergwaun, a diddordeb mawr 'da fe yn Dewi Emrys.

– Dewi Emrys?

– Y bardd. Enillodd e bedair cadair a choron genedlaethol. Fe ysgrifennodd y gerdd enwog 'Pwllderi'. Mae 'na gofgolofn iddo ryw hanner canllath i lawr yr hewl, meddai Rhona.

– Diolch, diolch yn fawr, meddai Paul gan redeg allan trwy'r drws.

– Ar yr ochr dde, gwaeddodd Rhona ar ei ôl.

3

Rhedodd Paul nerth ei draed i lawr y ffordd cyn gweld bwlch yn y clawdd. Camodd drwyddo a gweld carreg fawr tua saith troedfedd o uchder a thair troedfedd o led o'i flaen. Roedd y geiriau 'Dewi Emrys 1879–1952' wedi'u hysgrifennu ar blac ar y gofgolofn ac yna, oddi tanynt, ar blac arall, roedd y geiriau

> A thina'r meddilie sy'n dwad ichi
> Pan foch chi'n ishte uwchben Pwllderi.

Cofiodd Paul fod Dewi Emrys yn dipyn o arwr i Mansel, yn arbennig am iddo gythruddo'r sefydliad a gwrthod ildio iddynt trwy gydol ei fywyd. Ceisiodd feddwl am unrhyw gliw o'r sgyrsiau a gawsai gyda Mansel am Dewi Emrys fyddai o help iddo ddod o hyd i'r ddamcaniaeth.

Eisteddodd a meddwl yn ddwys am funudau hir, ond heb lwyddiant. Penderfynodd feddwl am rywbeth arall, yn y gobaith y byddai hynny o help i ddatrys y broblem.

Dechreuodd bendroni a ddylai ymddiried yn Carla ai peidio. A fyddai hi'n cadw at ei gair petai Paul yn cael gafael ar y ddamcaniaeth? Teimlai ym mêr ei esgyrn na allai ymddiried ynddi. Roedd hi wedi lladd tri dyn, ac roedd y ffordd y lladdodd hi Tom wedi argyhoeddi Paul na ddylai fod ag unrhyw ffydd ynddi o gwbl. Yna cofiodd beth roedd Carla wedi'i ddweud ychydig funudau ynghynt.

– Fydd MI5 ddim eisiau i'r heddlu chwilio amdanoch chi. Fe fyddan nhw'n gweithio'n galed iawn i sicrhau na fyddan nhw.

Os felly, meddyliodd Paul, y peth rhesymegol i'w wneud i'w ddiogelu'i hun a Llinos oedd cysylltu â'r heddlu, ac yn benodol â rhywun na fyddai'n gysylltiedig ag aelodau MI5. Tynnodd ei waled o boced ei drowsus ac estyn cerdyn PC Jim Marshall allan ohoni. Tynnodd ei ffôn symudol o'r boced arall a deialu'r rhif.

Roedd PC Jim Marshall yn gyrru cerbyd cymunedol yr heddlu ar hyd yr A40 rhwng Hwlffordd ac Abergwaun, ac wedi dechrau ar ei daith i Abergwaun i ddal y llong i Iwerddon y noson honno. Edrychai ymlaen at bythefnos o waith hamddenol yng nghwmni'i gyfoedion yn Iwerddon. Roedd wedi cuddio'i wn hela dan ei sedd gan ei fod yn bwriadu treulio'r penwythnos yn hela gyda grŵp o heddweision y tu allan i Cork. Ac fel pob heliwr gwerth ei halen, mynnai ddefnyddio'i wn ei hun yn hytrach nag un anghyfarwydd. Penderfynodd ei bod hi'n haws cuddio'i wn yn y cerbyd yn hytrach na mynd trwy'r holl ffwdan o esbonio'r cyfan i swyddogion y tollau. Wedi'r cwbl, roedd e'n nabod y swyddogion yn dda a doedden nhw byth yn archwilio bws cymunedol yr heddlu.

Pan ganodd ffôn PC Jim Marshall roedd wedi cyrraedd Trefwrdan, rhyw wyth milltir o Abergwaun. Bwriadai gael pryd o fwyd yn y bwyty Indiaidd yno a gorffen darllen nofel am y ditectif Lord Peter Wimsey, *The Unpleasantness at the Bellona Club*, cyn hwylio ar y fferi a adawai'r porthladd am hanner awr wedi naw y noson honno.

– Paul Price sy 'ma, PC Marshall. Dwi ddim yn gwbod a ydych chi'n 'y nghofio i, ond naethon ni gwrdd yn Angle bnawn ddoe, meddai Paul.

Roedd Jim yn cofio Paul yn iawn, yn enwedig gan iddo'i weld yng nghwmni aelodau'r gwasanaeth cudd yng ngorsaf heddlu Doc Penfro y bore hwnnw.

– Cofio chi'n iawn, Paul. Sut galla i helpu?

– Wel, dwi'n gwbod bod hyn yn anodd ei gredu, ond mae siawns go dda y bydda i'n cael fy lladd yn ystod yr oriau nesa, meddai Paul cyn esbonio'n fras beth oedd wedi digwydd iddo.

Esboniodd iddo gael ei herwgipio gan ysbïwraig ddiwydiannol oedd am gael ei dwylo ar ddamcaniaeth gwerth miliynau o bunnoedd oedd yn eiddo iddo ef a'i bennaeth, a'i bod hi eisoes wedi lladd tri aelod o'r gwasanaethau cudd fu'n ei warchod.

Atebodd Jim ei fod yn credu pob gair roedd yn ei ddweud am iddo weld Paul a Llinos gydag aelodau o'r gwasanaeth cudd yng ngorsaf heddlu Doc Penfro y bore hwnnw.

– Ble wyt ti? gofynnodd.

– Pwllderi.

– Dwi ar fy ffordd, meddai gan lywio'r cerbyd oddi ar yr A40 a dechrau ar ei daith saith milltir ar draws gwlad i Bwllderi.

4

Ar ôl i Paul adael ystafell wely'r merched yng nghwmni Rhona, penderfynodd Carla y dylai hi a Llinos chwilio am unrhyw gliw fyddai'n eu helpu i ddod o hyd i ddamcaniaeth Mansel Edwards.

– Edrycha di'n fanwl ar y llawr yma ac fe a' i i lawr stâr i gael cipolwg yn y gegin a'r lolfa, meddai.

– Wrth gwrs, beth bynnag yw eich dymuniad, eich mawrhydi, atebodd Llinos gan foesymgrymu.

Edrychodd Carla'n swrth arni cyn troi ar ei sodlau a gadael yr ystafell.

Treuliodd Llinos y pum munud nesa'n chwilio am unrhyw beth anarferol yn ystafell wely'r merched, ystafell wely'r dynion, toiledau'r dynion a thoiledau'r merched, ond heb gael unrhyw lwc.

Penderfynodd chwilio am Paul, ac wrth iddi fynd lawr y

grisiau clywodd leisiau'n dod o'r lolfa. Closiodd at y drws a chlywed llais Carla.

– Ac ym mha ardal o Dudley y'ch chi'n byw? Ro'n i'n fyfyrwraig yn Birmingham ac roedd gen i ffrindiau'n byw yn Dudley, meddai Carla.

– Yn Sidney Street. Lle tawel, yn ein siwtio ni i'r dim, atebodd y fenyw, sef Mrs Fletcher.

– A beth y'ch chi'n ei feddwl o sir Benfro? gofynnodd Carla.

– Ry'n ni wrth ein bodd yn sir Benfro, ac wedi dod 'ma'r amser hyn o'r flwyddyn ers blynyddoedd, ac mae Nigel yn mwynhau cerdded gymaint â ni, meddai llais y dyn, Mr Fletcher.

– Pan fyddwn ni'n llwyddo i'w lusgo i ffwrdd oddi ar ei gyfrifiadur, ychwanegodd Mrs Fletcher.

– Hmmm, meddai llais bachgen.

– Ac am faint y'ch chi'n aros yma? gofynnodd Carla.

– Tan ddydd Sadwrn, atebodd y dyn.

– Oes gennych chi rywbeth ar y gweill heno?

– O na, ry'n ni 'di bod yn cerdded yn ardal Abereiddi heddiw, felly noson dawel heno, ontefe, Nigel?

– Hmmm, meddai'r bachgen.

Penderfynodd Llinos ymuno â'r pedwar yn y lolfa.

– Helô, Llinos, ro'n i'n dechrau meddwl ble roeddet ti, meddai Carla gan godi o'i sedd gyferbyn â'r dyn a'r fenyw yn eu pedwardegau a'u mab.

Edrychodd Llinos yn hir ar y bachgen. Eisteddai'n gefnsyth yn ei gadair, ac iddi hi roedd yn edrych yn hŷn o lawer na'i oedran. Yn wir, ar ryw ystyr edrychai fel oedolyn byr mewn gwisg plentyn, meddyliodd.

Cyflwynodd Carla'r teulu iddi, sef Norma a Keith Fletcher a'u mab deng mlwydd oed, Nigel.

– Wyt ti 'di gweld Paul, Llinos? ychwanegodd.

– Na, na dim byd arall chwaith.

– O diar, gwell i fi fynd i chwilio amdano fe 'te, meddai Carla gan gerdded heibio Llinos a dweud yn ddistaw,

– Dwi ddim yn amau'r rhain o gwbl. Maen nhw'n *kosher*...

Daliodd Llinos fraich Carla a sibrwd yn ei chlust,

– Fe benderfyna i drosta i'n hunan, diolch yn fawr.

Gadawodd Carla'r ystafell ac eisteddodd Llinos a dechrau holi'r teulu Fletcher a honnai eu bod yn dod o Dudley.

5

Gyrrodd PC Jim Marshall gerbyd cymunedol yr heddlu'n bwyllog ar ei daith ar draws gwlad i Bwllderi. Gwyddai fod ganddo benderfyniad mawr i'w wneud.

Yn ystod ei sgwrs ffôn roedd Jim wedi addo i Paul y byddai'n galw am gymorth gan heddweision eraill. Ond wedi i'r sgwrs ddod i ben sylweddolodd Jim fod hwn yn gyfle euraid iddo ddangos ei ddoniau ar ôl bron i ddeng mlynedd ar hugain o wasanaeth di-nod yn yr heddlu.

Wrth i'r cerbyd ymlwybro'n araf at Bwllderi, llifodd yr atgofion am un methiant ar ôl y llall yn ei yrfa a'i fywyd: y siom o orfod gadael uned saethu tactegol y Met oherwydd yr anaf i'w lygad, ysgaru oddi wrth ei wraig, a'r blynyddoedd o orfod derbyn agwedd nawddoglyd ei gyd-weithwyr. A dyma fe, yn 54 oed, yn gweithio fel dyn PR i'r heddlu am na fedrai wneud dim byd arall o werth fel heddwas.

Na, hwn oedd ei gyfle. Cyfle i ddal yr ysbïwr oedd wedi

herwgipio Paul a Llinos, a chyfle i ddangos i bawb nad oedd PC Jim Marshall yn fethiant. Gallai PC Jim Marshall ddelio â'r sefyllfa hon ar ei ben ei hun.

Gyrrodd Jim trwy bentref Trefaser a dechrau dilyn y ffordd gul am y ddwy filltir olaf i Bwllderi. Yna, stopiodd pan welodd rwystr ar draws y ffordd a dyn yn gwisgo het galed a siaced felen yn sefyll o'i flaen.

Cerddodd y dyn tuag at y cerbyd.

– Allwch chi ddim mynd i fyny'r hewl 'ma, mae arna i ofn. Mae nwy'n gollwng yn yr hostel. Oeddech chi angen mynd yno am reswm penodol?

Doedd Paul ddim wedi dweud yr un gair am nwy'n gollwng ar y ffôn bum munud ynghynt a go brin y byddai gweithiwr wedi cyrraedd yno mor gyflym, meddyliodd Jim.

– Na, ar fy ffordd i Abergwaun o'n i ac wedi meddwl bachu ar y cyfle i fynd i Bwllderi i fwynhau'r olygfa. Mae'n noson hyfryd, meddai gan wenu, cyn ychwanegu,

– Ta waeth, rhywbryd eto. Allwch chi helpu fi i droi'n ôl, plis?

– Wrth gwrs, meddai'r dyn gan wneud yn siŵr fod y ffordd yn glir tu ôl i'r cerbyd.

Diolchodd Jim i'r dyn a throi yn ei ôl tuag at Abergwaun. Ond ar ôl gyrru am lai na hanner milltir parciodd y cerbyd mewn cilfan, tynnu ei wn o'i guddfan dan sedd y gyrrwr a dechrau cerdded dros y caeau i gyfeiriad Pwllderi.

Roedd Jim yn siŵr iddo weld y cyfaill a'i rhwystrodd rhag mynd i Bwllderi yn rhywle arall y diwrnod hwnnw.

6

Cyn gynted ag y gadawodd Carla'r lolfa i fynd i chwilio am Paul, dechreuodd Llinos holi Norma a Keith Fletcher am eu cefndir i geisio darganfod a oedden nhw'n dweud y gwir ai peidio.

Ond ni chafodd fawr o gyfle i'w holi oherwydd daeth Rhona, y warden, i mewn a dweud bod galwad ffôn iddynt.

– Mae'n flin 'da fi, Mrs Fletcher, ond mae'r heddlu ar y ffôn, meddai.

Cododd Norma a Keith Fletcher gan edrych yn bryderus a'i dilyn i'r dderbynfa.

Cyn gynted ag y gadawodd y fam a'r tad gwelodd Llinos ei chyfle i holi Nigel. Cododd ac ymuno ag ef ar y soffa. Closiodd ato a sibrwd,

– Dwi'n gwbod dy gyfrinach, Nigel. Wyt ti'n gwbod beth yw *Chinese burn*? Dwi isio gwbod popeth. Wyt ti'n gweithio i Carla neu MI5? Ateba nawr neu fe fydd y munudau nesa'n rhai poenus iawn i ti.

Edrychodd y plentyn yn syn ar Llinos.

– Ond dwi'n gwbod dim…, meddai.

– O diar, meddai Llinos gan ystwytho'i bysedd i ddechrau arteithio Nigel.

– Os cyffyrddwch chi â fi, fe saetha i chi, meddai Nigel gan dynnu dryll o'i boced a'i anelu at ben Llinos.

– O diar, meddai Llinos unwaith eto.

7

Cerddodd Paul yn araf 'nôl oddi wrth y gofgolofn. Teimlai'n hapusach nawr wedi iddo ffonio PC Jim Marshall. Gobeithiai y byddai'r heddlu'n cyrraedd cyn gynted â phosib. Roedd e'n sicr ei fod wedi gwneud y penderfyniad cywir i beidio ag ymddiried yn Carla. Roedd hi'n llofrudd a gwyddai y byddai'n debygol o'i ladd ef a Llinos petai'n cael ei dwylo ar ddamcaniaeth Mansel Edwards.

Cyrhaeddodd at ymyl yr hostel a chodi'i ben i weld yr haul yn dechrau diflannu y tu ôl i'r adeilad. Fe'i dallwyd am eiliad gan rywbeth a ddisgleiriai yn yr haul ar y to. Gwelodd mai erial teledu oedd yno. Safodd yn ei unfan gan gofio'r geiriau ar y gofgolofn:

A thina'r meddilie sy'n dwad ichi
Pan foch chi'n ishte uwchben Pwllderi.

– Mmm, tybed…? meddyliodd Paul gan syllu ar yr erial ar do hostel Pwllderi. 'Uwchben Pwllderi'? Pam lai? Doedd ganddo ddim i'w golli. Dechreuodd redeg at ochr yr adeilad a gefnai ar glawdd uchel fel y gallai neidio ar y rhan o'r to lle safai'r erial.

Sgrialodd i fyny'r clawdd cyn neidio ar y to fflat a chropian tuag at yr erial. Gwelodd fag bach plastig clir wedi'i glymu'n dynn wrth waelod yr erial. Llwyddodd i dynnu'r bag yn rhydd a'i agor.

Y tu mewn roedd ffon gof wedi'i lapio mewn darn o bapur. Agorodd Paul y darn papur a darllen y neges oedd arno.

Os byddwch chi'n darllen hwn, a fyddech chi mor garedig ag anfon cynnwys y ffon gof o'ch cyfrifiadur at gerhardmaier@munchen.ger, at paulprice@aber.ac.uk ac at gdiffring@siliconvalley.org.
Diolch.
Mansel Edwards.

Rhoddodd Paul y darn papur yn ei boced cyn codi'r ffon gof ac edrych arni gan geisio dyfalu beth oedd ei chynnwys. Yna gwelodd gysgod y tu ôl iddo. Trodd a gweld Carla'n sefyll uwch ei ben.

– Gwych iawn, Paul. Sut doist ti o hyd iddi? gofynnodd Carla gan estyn ei llaw am y ffon gof.

Gwyddai Paul nad oedd dewis ganddo. Roedd yn rhaid iddo ei rhoi iddi.

Sylwodd Carla fod Paul yn oedi.

– Paid â phoeni, Paul. Dwi ddim yn mynd i dy saethu di, meddai.

Rhoddodd Paul y ffon gof iddi ac fe roddodd hithau'r ffon yn ei phoced cyn tynnu'i ffôn symudol o'i phoced arall a deialu.

– Helô. Mae e gen i. *Rendezvous* fel y cytunwyd, meddai cyn diffodd y ffôn.

– Dere mlân. Lawr â ni. Gwell i ti gael cip ar ddamcaniaeth yr Athro Edwards ar gyfrifiadur yr hostel, rhag ofn ei fod wedi dweud mwy o gelwydd.

8

Dychwelodd Norma a Keith Fletcher i'r lolfa a gweld eu mab yn pwyntio dryll at ben Llinos. Trodd Llinos i'w hwynebu.

– Does dim rhaid i chi esgus rhagor. Mae'r gath allan o'r cwd. Mae'r midjet wedi dangos ei gardiau. Pwy yn gwmws y'ch chi? MI5? meddai'n chwyrn gan ddal ei dwylo yn yr awyr.

Edrychodd Norma Fletcher yn syn ar Llinos cyn dweud,

– Nigel, rho'r dryll 'na i lawr. Faint o weithiau sy'n rhaid i fi ddweud wrthot ti i beidio â phwyntio'r tegan yna at oedolyn? Rhag dy gywilydd di.

– Roedd hi'n mynd i roi *Chinese burn* i fi, meddai Nigel gan roi'r dryll yn ei boced.

– Paid â dweud celwydd, Nigel. Cer i bacio dy bethau, ry'n ni'n gorfod gadael nawr, meddai Keith Fletcher wrth ei fab.

Ufuddhaodd hwnnw ar unwaith gan edrych yn gas ar Llinos cyn dweud dan ei wynt,

– Ond roedd hi'n mynd i roi *Chinese burn* i fi.

– Cer nawr, gwaeddodd ei dad cyn i Norma ddweud wrth Llinos,

– Diolch am ymuno yn ei gêm fach e. Mae e'n byw ym myd ffantasi y rhan fwya o'r amser.

– Deall i'r dim, atebodd Llinos yn dawel.

Esboniodd Norma Fletcher fod yr heddlu yn Dudley wedi ffonio i ddweud bod rhywun wedi torri i mewn i'w tŷ ac roedd yn rhaid iddynt ddychwelyd adref y noson honno i sortio pethau.

– Mae'n flin gen i am Nigel, mae ei ddychymyg yn drech nag e ambell waith. *Chinese burns* wir! meddai Norma.

– Plant yw plant, atebodd Llinos gan wenu'n wan. Ar yr un pryd cofiodd fod Carla wedi bod yn holi'r teulu'n dwll am fanylion lle roedden nhw'n byw rai munudau ynghynt.

9

Cerddodd Paul a Carla i mewn i'r dderbynfa a gweld Norma, Keith a Nigel Fletcher yn cerdded tuag atynt gan gario'u bagiau, ac yna Rhona a Llinos y tu ôl iddynt.

– Siwrne ddiogel i chi yn ôl i Dudley a gobeithio y bydd popeth yn iawn, meddai Rhona wrth i'r teulu yrru i ffwrdd yn eu car.

Dychwelodd i'r dderbynfa gan esbonio bod rhywun wedi torri i mewn i dŷ Norma a Keith Fletcher.

Cydymdeimlodd Paul â nhw cyn gofyn i Rhona a fyddai'n bosib iddo ddefnyddio'i chyfrifiadur am funud neu ddwy i brintio cyfeiriadau llwybr cerdded oddi ar ei ffon gof.

– Wrth gwrs, meddai Rhona gan dywys y tri i gefn y dderbynfa.

Edrychodd Llinos yn syn ar Paul.

– Gest ti afael ar y ddamcaniaeth? gofynnodd.

– Do, ac fe gafodd Carla afael yndda i 'fyd, sibrydodd Paul cyn ymuno â Carla wrth y cyfrifiadur.

Wrth i Carla lawrlwytho'r wybodaeth o'r ffon gof i'r cyfrifiadur dechreuodd Rhona esbonio mwy am ddigwyddiadau'r noson honno.

– Mae wedi bod fel ffair 'ma heno…, meddai, heb i'r un o'r tri gymryd fawr o sylw ohoni am eu bod yn aros yn eiddgar i weld damcaniaeth Mansel Edwards yn ymddangos ar y sgrin.

– … a dwi newydd gael galwad ffôn i ddweud bod y warden nos arferol yn sâl a bod warden arall yn cymryd ei le. Fe fydd hi'n cyrraedd yn gynnar er mwyn i fi gael dangos iddi be sydd angen ei wneud. Ond dyna fe, mae hynny'n golygu y galla i orffen awr a hanner yn gynharach, ychwanegodd, cyn clywed sŵn car yn agosáu.

– Diawch, dyma hi ar y gair. Fe fydda i 'nôl mewn chwinciad, meddai, a mynd allan i groesawu'r warden nos newydd.

– Iawn, diolch, meddai Paul wrth i ddamcaniaeth gywir Mansel ymddangos ar y sgrin.

– Wel, beth mae'n ei ddweud? gofynnodd Llinos gan geisio gwthio Carla o'r neilltu i gael gwell golwg ar y sgrin.

Cafodd Paul sioc wrth iddo ddarllen y sgrin o'i flaen a sylweddoli bod gwaith Mansel yn llawer mwy arloesol nag roedd e hyd yn oed wedi sylweddoli. Yn ffodus, roedd Mansel wedi ysgrifennu'r papur yn Gymraeg, felly ni allai Carla ddeall yr hyn oedd ynddo. Yn fras, roedd Mansel wedi darganfod ffordd o wylio teledu 3D heb sbectol. Ond ni feiddiai Paul ddangos unrhyw emosiwn i Carla. Sylweddolodd fod yna oblygiadau milwrol ac economaidd i'r gwaith yma fyddai'n llawer pwysicach na datblygiad teledu 3D hyd yn oed.

– Dwi ddim yn siŵr. Mae'r gwaith yn rhy gymhleth i fi ei ddeall hyd yn oed. Y peth pwysig yw ein bod ni'n gadael nawr, meddai Paul gan dynnu'r ffon gof o'r cyfrifiadur.

– Diolch, meddai Carla gan gymryd y ffon gof o'i law.

Gyda hynny clywodd y tri y warden yn dychwelyd yng nghwmni'r warden nos.

– Gadewch i fi ddangos eich stafell wely i chi a beth fydd angen i chi ei wneud heno, meddai Rhona wrth gyrraedd y dderbynfa.

Trodd a gweld Paul, Carla a Llinos yn sefyll ger y cyfrifiadur.

– O, dyma'r unig dri gwestai sy gennyn ni heno: Otto, Lotte a Llinos. Maen nhw wedi benthyg y cyfrifiadur i lawrlwytho cyfarwyddiadau ar gyfer eu taith gerdded, meddai cyn troi a chyflwyno'r ddau wrth ei hochr.

– A dyma'r warden nos, Jennifer, a'i ffrind Geoffrey sy'n mynd i gadw cwmni iddi.

– Mae'n bleser gen i eich cyfarfod, meddai Jean Runcie.

– Ie wir, pleser llwyr, meddai Bob Runcie.

– Reit, gwell i fi ddangos popeth i chi, Jennifer, meddai Rhona gan droi tuag at y lolfa yng nghwmni Jean Runcie.

– Dwi'n credu yr arhosa i fan hyn i gadw cwmni i Lotte, Otto a Llinos, meddai Bob Runcie gan aros i Rhona a Jean ddiflannu cyn tynnu'i ddryll o boced ei got.

– Peidiwch â meddwl trio gneud unrhyw beth gwirion neu fe fydd hi ar ben ar yr hen fenyw. Wedi iddi adael, fe gawn ni drafod sut ry'n ni'n mynd i ddatrys y sefyllfa anffodus hon, meddai Bob.

Ddeng munud yn ddiweddarach camodd Rhona i mewn i'w char a gadael yr hostel. Yn nrych y car gwelai'r tri gwestai'n chwifio'u dwylo arni gyda'r warden nos a'i ffrind yn sefyll y tu ôl iddynt.

Bu'n ddiwrnod hir. Traed i fyny a swper o flaen y teledu heno, meddyliodd yn fodlon.

10

Cyn gynted ag y diflannodd y car o'r golwg sgyrnygodd Jean Runcie.

– Arhoswch ble rydych chi. Dwylo yn yr awyr, nawr.

Camodd Jean a Bob o'r tu ôl i Llinos, Paul a Carla a'u hwynebu.

Wrth i Bob sefyll yn pwyntio'i wn at y tri, tynnodd Jean ffôn symudol o'i phoced a deialu.

– Rhif 1. Popeth yn glir fan hyn. Mae'r hen fenyw ar ei ffordd. Cuddiwch y rhwystr tan iddi fynd heibio, meddai.

Safodd pawb yn yr unfan am funud neu ddwy nes i ffôn Jean ganu.

– Ydy hi 'di mynd heibio eto? Da iawn, rhowch y rhwystr 'nôl ar draws yr hewl a dewch draw.

Diffoddodd y ffôn cyn deialu rhif arall.

– Rhif 2. Popeth yn glir. Ydych chi wedi gweld unrhyw gerddwyr? Da iawn. Gadewch y rhwystr ar draws y llwybr cerdded a dewch draw.

Diffoddodd y ffôn cyn deialu unwaith eto.

– Rhif 3. Popeth yn glir. Ydych chi wedi gweld unrhyw gerddwyr? Da iawn. Gadewch y rhwystr ar draws y llwybr cerdded a dewch draw.

Tua hanner munud yn ddiweddarach gwelodd Paul a Llinos ddyn yn nesáu at yr hostel ar hyd llwybr yr arfordir o gyfeiriad y gogledd. Yr un pryd roedd dyn arall yn nesáu ar hyd llwybr yr arfordir o gyfeiriad y de. Yna clywsant sŵn cerbyd yn nesáu ar hyd y ffordd o gyfeiriad Trefaser. Gobeithiai Paul mai PC Jim Marshall a'r heddlu oedd yno, ond wrth i'r cerbyd gyriant pedair olwyn droi i mewn i faes parcio'r hostel, suddodd ei galon pan welodd mai dyn yn gwisgo siaced felen a het galed ar ei ben oedd yn y cerbyd.

Erbyn hyn roedd y ddau ddyn arall wedi cyrraedd y maes parcio. Roedden nhw hefyd yn gwisgo hetiau caled a siacedi melyn.

Oherwydd ei bod hi bron yn wyth o'r gloch y nos yng nghanol mis Ebrill, roedd yr haul bron â diflannu dros y gorwel. O ganlyniad, ni allai Paul weld wynebau'r tri'n glir am fod yr haul yn ei lygaid.

Ond wrth iddynt agosáu teimlodd ei ben yn dechrau troi pan sylweddolodd pwy oedden nhw.

– O na, sut? sibrydodd Llinos, oedd hefyd wedi sylweddoli pwy oedd y tri dyn.

– Ry'ch chi'n edrych yn welw iawn, Dr Price, a chithau

hefyd, Ms Burns. Ro'n i wedi gobeithio y byddech chi'n hapus iawn ein bod ni'n dal yn fyw, meddai Tom gan wenu.

– Siomedig iawn, meddai Peter gan ysgwyd ei ben.

– Siomedig iawn, yn wir, cytunodd Simon.

11

Roedd meddwl Paul yn rasio wrth iddo geisio dygymod â'r ffaith nad oedd Tom, Peter na Simon wedi'u saethu gan Carla.

Ond roedd Llinos wedi deall yn iawn beth oedd wedi digwydd.

– Y bitsh. Roeddet ti'n gweithio iddyn nhw drwy'r amser, sgyrnygodd gan gymryd cam tuag at Carla.

– Tyrd yn dy flaen, dwi'n ysu i gael gwared arnat ti. Plis, cymer gam arall tuag ata i, meddai honno gan wenu'n gam a dryll yn ei llaw.

– Does dim angen bod yn annymunol. Cofia, Carla, mae'n rhaid i ni gadw at ein cynllun gwreiddiol, meddai Tom.

Cymerodd Llinos gam yn ôl a throdd Carla at Paul.

– Mae'n flin gen i, Paul, ond fe addewais i y bydden ni gyda'n gilydd tan ddiwedd y daith gerdded, a dyma'r diwedd, mae arna i ofn, meddai gan ymuno â Tom, Peter, Simon a Jean a Bob Runcie.

Tynnodd y ffon gof o'i phoced a'i rhoi i Tom.

Cymerodd hwnnw'r teclyn oddi arni a'i roi ym mhoced ei got, cyn dweud,

– Ry'ch chi'n dawel iawn, Paul.

– Beth sy'n mynd i ddigwydd i ni? gofynnodd Paul yn

syfrdan wrth iddo geisio dod i delerau â'r cyfan oedd wedi digwydd yn ystod y pum diwrnod diwethaf.

Closiodd Tom ato a sibrwd,

– Petawn i'n meddwl na fyddech chi'n dweud gair wrth neb, fe fydden i'n gadael i chi ddianc nawr, ond yn anffodus dwi ddim yn credu y galla i ymddiried ynoch chi na'ch cymar cegog. Felly, dwi'n ofni nad oes dim arall amdani ond...

Trodd Paul i'w wynebu.

– Ond dwi wedi ffonio'r heddlu. Fe ddylen nhw fod yma unrhyw funud.

Rhoddodd Tom ei law wrth ei glust chwith.

– Dwi ddim yn clywed sŵn seiren, Paul. Yn anffodus, ry'n ni ychydig yn fwy grymus na'r heddlu. Ry'n ni wedi'u hysbysu nhw, ar lefel uchel iawn, eich bod chi'n un o'n dynion ni sydd wedi mynd ar gyfeiliorn, ac na ddylen nhw gymryd unrhyw sylw o alwad ffôn gennych chi neu Ms Burns yn honni eich bod chi mewn perygl. *Checkmate*, Dr Price.

– Man a man i chi ddweud wrtha i, felly, pam roedd yn rhaid i Mansel a Max Talbot gael eu lladd, meddai Paul.

– Heb eich anghofio chi a Ms Burns, wrth gwrs, sibrydodd Tom yng nghlust Paul, cyn ychwanegu,

– Yn syml, dyw'r Llywodraeth ddim yn rheoli bellach. Mae'r gwir rym yn nwylo'r cwmnïau rhyngwladol sy'n penderfynu ym mha wlad maen nhw'n sefydlu'u busnesau. Dymuniad pob llywodraeth ym Mhrydain er 1979 yw gweld y sector cyhoeddus yn diflannu am fod y farchnad rydd a'r cwmnïau rhyngwladol, sy'n rhedeg y system honno, yn mynnu hynny. Mae'r cwmnïau rhyngwladol mor gryf nes bod gwledydd yn hollol ddibynnol arnyn nhw i greu a chynnal swyddi. Mae hyn yn wir am Brydain, bellach. O ganlyniad, felly, mae amddiffyn y wladwriaeth bellach yn gyfystyr ag amddiffyn gofynion y cwmnïau rhyngwladol.

– Dwi'n deall hynny, ond ro'n i'n meddwl eich bod chi am wneud yn siŵr na fyddai damcaniaeth Mansel yn mynd i ddwylo'r cwmni rhyngwladol sy'n cynhyrchu sgriniau plasma, meddai Llinos, gan geisio dyfalu sut y gallai hi a Paul ddianc o'r sefyllfa anobeithiol yma.

– Mae'r ateb yn un syml iawn, Ms Burns. Mae'r prif gwmni sy'n cynhyrchu sgriniau crisial hylifol a'r prif gwmni sy'n cynhyrchu sgriniau plasma ill dau'n rhan o gwmni rhyngwladol anferth sy'n rheoli masgynhyrchiad holl sgriniau teledu a chyfrifiaduron y byd mwy neu lai..., meddai Tom cyn i Paul dorri ar ei draws.

– ... ac oherwydd bod y cwmni am wneud cymaint o elw â phosib, roedd yn rhaid i chi gael eich dwylo ar ddamcaniaeth Mansel i reoli pryd ac ar ba raddfa y byddai'r datblygiad yn y dechnoleg yn cael ei ryddhau i'r farchnad, meddai Paul.

– Da iawn, Paul, dylech chi fod wedi bod yn economegydd. Byddech chi wedi byw ychydig yn hirach wedyn, meddai Tom.

– Ond pam roedd yn rhaid i chi ladd Mansel Edwards os oedd e'n ceisio gwerthu'i ddamcaniaeth i'r cwmni oedd yn creu sgriniau plasma? Fe fyddech chi wedi cael yr wybodaeth ta beth, meddai Llinos.

– Roedd yn rhaid i Mansel farw am nad oedd e'n bwriadu gwneud hynny. Dyna'r gwir, ontefe, Tom? awgrymodd Paul gan weld yr haul yn prysur fachlud o'i flaen.

– Cywir. Anfonodd Mansel ei ddamcaniaeth trwy e-bost at nifer o wyddonwyr annibynnol ac at wyddonwyr sy'n gosod damcaniaethau tebyg ar y we fel y gallai pawb ei gweld. Fe wnaeth hynny nos Wener diwethaf pan oeddech chi'n cael eich parti pen-blwydd cofiadwy, meddai Tom.

– Wrth gwrs, byddai hynny wedi golygu na fyddai'r cwmni ry'ch chi'n gweithio iddo'n rheoli'r datblygiadau arloesol hyn yn y dyfodol, awgrymodd Paul.

– Cywir eto. Llwyddon ni i ryng-gipio'i e-byst, ond roedden ni'n gwbod hefyd y byddai e'n disgwyl atebion i'w negeseuon y bore Llun canlynol pan fyddai'r gwyddonwyr 'nôl wrth eu gwaith. O ganlyniad, doedd dim dewis gennyn ni. Roedd yn rhaid inni...

– ... niwtraleiddio'r sefyllfa, meddai Llinos yn dawel.

– Diolch, Ms Burns. Yn hollol. Y syniad gwreiddiol oedd cael gwared â Dr Price ar y nos Sadwrn, yna gwneud yn siŵr y byddai sioc ei farwolaeth yn ormod i'r Athro Edwards oherwydd ei bwysedd gwaed uchel.

– Ond fe wnaeth rhywun draed moch o bethau trwy ladd Max Talbot, meddai Llinos.

– A bod yn deg, roedd y ddau'n edrych yn debyg iawn i'w gilydd, yn enwedig am fod Max yn gwisgo dillad Paul, meddai Jean Runcie cyn i Tom ychwanegu,

– Ta beth, ddaethon nhw ddim o hyd i gorff Max tan y bore canlynol, ac roedd hi'n ganol y prynhawn erbyn inni sylweddoli ein bod ni wedi cael gwared ar y dyn anghywir. Felly bu'n rhaid inni chwilio meysydd pebyll yr ardal tan i Carla, Jean a Bob ddod o hyd i chi, Dr Price, yn Freshwater East. Ein cynllun oedd gwneud yn siŵr fod Carla'n swyno Dr Price, ac fe lwyddodd hi, fel bydd hi'n gwneud bob tro, meddai gan wenu ar Llinos.

– Y bwriad oedd fod Jean a Bob Runcie yn rhoi lifft adre i Carla a Dr Price i'r maes pebyll ar ôl i Carla swyno Dr Price yn y Freshwater Inn. Tra bydden nhw yn y cerbyd byddai Carla'n rhoi chwistrelliad i Dr Price yn ei goes heb iddo deimlo unrhyw boen, bron. Byddai Dr Price yn marw yn ei gwsg a byddai'r crwner yn dod i'r casgliad fod cerdded llwybr yr arfordir wedi bod yn ormod o straen ar ei galon. Mater bach fyddai newid ei gofnodion meddygol i ddangos ei fod wedi dechrau dioddef o glefyd y siwgr.

– Ond arhosais i yn y dafarn gyda Roy Pen-bryn, felly achubodd e 'mywyd i. Ond pam na wnaethoch chi'n lladd i'n hwyrach y noson honno? gofynnodd Paul.

– Am ei bod hi'n nos Sul, sef y noson y gelwais i gyda'r Athro Edwards i drafod y sefyllfa, meddai Tom.

Gwasgodd Paul ei ddyrnau'n dynn wrth iddo sylweddoli mai Tom oedd wedi llofruddio'i ffrind. Gobeithiai gael cyfle o leiaf i osod dwrn yn ei wyneb hunangyfiawn cyn y câi ei ladd.

Cyfeiriodd Tom at gyfrwystra Mansel yn anfon damcaniaeth ffug yn y negeseuon e-bost a'r ffaith ei fod yn dioddef o Alzheimer's.

– Felly, fe benderfynon ni'ch cadw chi'n fyw i wneud yn siŵr y bydden ni'n cael ein dwylo ar y ddamcaniaeth gywir. Wrth gwrs, roedd yn rhaid inni fod yn gyfrwys a threfnu eich bod chi'n gorfod dewis rhyngon ni a Carla. Yn anffodus, cymhlethwyd y sefyllfa pan ddaeth Ms Burns i Bosherston nos Lun. Roedden ni'n sylweddoli nad oeddech chi'ch dau'n ymddiried ynon ni pan gawsoch chi'ch holi yng ngorsaf heddlu Doc Penfro. Felly, roedd yn rhaid inni ffugio'r marwolaethau i wneud yn siŵr eich bod chi'n ein harwain ni at y ddamcaniaeth. Roedd o gymorth eich bod chi, Paul, wedi eich swyno gan Carla, gorffennodd Tom gan droi i weld yr haul yn suddo'n gyflym i'r môr.

– Falle i mi fod yn wan, ond dyw Carla ddim yn yr un

cae â Llinos. Fe wnes i gamgymeriad mawr, meddai Paul gan edrych i gyfeiriad ei wir gariad.

– Nawr ti'n dweud wrtha i'r diawl! Diolch yn fawr, atebodd honno cyn troi yn ôl at Tom.

– A be sy'n digwydd nawr, felly? gofynnodd Llinos.

– Mae'n amlwg erbyn hyn na allwch chi fyw heb Paul. Mae digon o bobl yn gwbod eich bod chi wedi gwahanu a'ch bod chi, Ms Burns, wedi dod i chwilio am eich cyngariad am nad oeddech chi'n gallu byw hebddo, ac felly fod yn rhaid i'r ddau ohonoch chi farw. Dyna fydd pobl yn ei feddwl pan ddown nhw o hyd i'ch cyrff dan glogwyni Pwllderi fory.

– Ond beth am y warden, Rhona? Mae hi'n meddwl mai Jean a Bob Runcie oedd y wardeniaid nos. Mae hi wedi'u gweld nhw, meddai Llinos.

– Digon gwir. Ond pwy sy'n mynd i gredu hen wreigan yn ei saithdegau? Dechrau drysu, druan bach. Ac os bydd hi'n dechrau creu trafferth, wel, mae hi'n byw ar ei phen ei hun ac mae'n ymddangos bod ganddi hithau hefyd galon wan, meddai Tom gan wincio ar Llinos.

– A beth am y teulu o Dudley? Dwi'n cymryd mai chi ffoniodd yr hostel i ddweud bod rhywun wedi torri i mewn i'w tŷ ar ôl i Carla eu holi'n dwll, meddai Llinos.

– Da iawn, Ms Burns, ond erbyn hyn ry'n ni wedi trefnu bod rhywun yn torri i mewn i'w tŷ, atebodd Tom cyn ychwanegu,

– Wrth gwrs, fe fydd Mr a Mrs Fletcher yn cofio Carla ond ni fydd unrhyw gofnod ohoni yn y llyfr derbyn. Ta beth, fe fydd teulu'r Fletchers yn cael damwain car ymhen mis neu ddau, mae arna i ofn. Trist iawn, gorffennodd cyn tynnu dryll o'i boced a'i bwyntio at y ddau.

– Dewch mlaen, at y dibyn.

Ond cyn i Paul gael cyfle i symud clywodd ei ffôn symudol yn bipian. Roedd rhywun wedi anfon tecst ato.

– Gymera i'r ffôn, os gwelwch chi'n dda, meddai Tom.

Tynnodd Paul y ffôn o'i boced a gwasgu'r botwm i weld y neges.

Tafla dy hun i'r llawr nawr!

oedd y neges.

Gafaelodd Paul yn Llinos a'i thynnu i'r llawr gydag ef.

Cyn i Tom gael cyfle i ymateb, chwythwyd y gweddill oddi ar eu traed gan ffrwydrad anferthol.

12

Cododd Paul ei ben a gweld fflamau'n codi ryw ugain troedfedd i'r awyr o'r fan lle safai'r tanc olew ger mynedfa'r hostel.

Edrychodd o'i amgylch a gweld pawb arall yn gorwedd ar y llawr. Ni wyddai a oedden nhw wedi'u niweidio ai peidio, a doedd e ddim yn bwriadu aros i gael gwybod.

Cododd ar ei draed cyn helpu Llinos i godi a'i thynnu ar ei ôl gan redeg y pum llath at fynedfa'r hostel, cau'r drws a'i gloi y tu ôl iddynt.

– Beth uffern ddigwyddodd? gofynnodd Llinos yn syfrdan.

– Dim amser i esbonio, atebodd Paul gan afael yn ei llaw a'i harwain tuag at y gegin cyn cau'r drws hwnnw ar eu hôl hefyd. Roedd ymennydd Paul yn rasio wrth iddo geisio meddwl am ffordd o amddiffyn Llinos ac ef ei hun rhag y chwe asasin.

Gan anadlu'n drwm, tynnodd ei ffôn symudol o'i boced. Gwyddai mai Jim Marshall oedd wedi anfon y tecst a ffrwydro'r tanc olew.

Ffoniodd rif Jim a chamu at y ffenest.

– Jim, diolch i ti. Ry'n ni yn y gegin, ar ochr chwith yr adeilad. Fi sy'n chwifio 'mraich allan o ffenest y llawr gwaelod. Beth sy'n digwydd mas 'na?

Gwrandawodd ar ymateb Jim cyn griddfan am amser hir.

13

Roedd Jim Marshall wedi gorwedd yn dawel ar ben y bryn y tu ôl i'r hostel ers iddo gyrraedd yno ryw ugain munud ynghynt. Bu'n gwylio'r holl fynd a dod gan edrych drwy annel ei reiffl a theimlo'n fyw am y tro cyntaf ers blynyddoedd.

Ar ôl gweld Rhona'n gadael yn ei char gwelodd Paul a Llinos yn cael eu hamgylchynu gan bedwar dyn a dwy fenyw. Bu'n pendroni beth ddylai ei wneud. Oherwydd iddo benderfynu peidio â chysylltu â'i gyd-weithwyr yn yr heddlu hanner awr ynghynt, gwyddai ei bod hi'n rhy hwyr i gysylltu â nhw nawr ac y byddai'n rhaid iddo benderfynu sut i achub bywydau'r ddau. Ei broblem oedd fod o leiaf ddau ohonyn nhw'n pwyntio drylliau at Paul a Llinos. Felly, petai'n llwyddo i saethu un ohonyn nhw byddai'r llall yn siŵr o saethu Paul a Llinos cyn iddo ef gael cyfle i'w saethu yntau, heb sôn am y gweddill.

Yna gwelodd y tanc olew tua deg llath ar hugain i ffwrdd oddi wrthyn nhw a phenderfynodd saethu at y tanc gan obeithio bod digon o olew ynddo i greu ffrwydrad allai achub Paul a Llinos. Cofiodd hefyd ei fod newydd siarad â

Paul ar ei ffôn symudol a gobeithiai fod hwnnw ganddo o hyd.

Anfonodd y tecst a gweld Paul yn tynnu'i ffôn o'i boced. Arhosodd yn eiddgar gan sylweddoli nad oedd ei galon wedi dechrau cyflymu o gwbl. Fel petai'n gwylio ffilm wedi'i harafu, gwelodd Paul yn troi at Llinos a'i thynnu i'r llawr. Erbyn hyn roedd Jim wedi anelu'i wn at y tanc olew a gwasgu'r glicied, a lai na hanner eiliad yn ddiweddarach gwelodd y tanc yn ffrwydro. Anelodd ei wn at y grŵp o bobl unwaith eto gan weld Paul a Llinos yn dianc i mewn i'r hostel.

Roedd Jim ar ben ei ddigon gan fod ei gynllun wedi gweithio'n berffaith hyd yn hyn. Ei fwriad nawr oedd gweiddi ar y chwech i orwedd ar y llawr cyn ffonio'i gyd-weithwyr ac aros iddynt ddod i'w helpu, gan ddal i anelu'i wn atynt a bygwth eu saethu petaen nhw'n symud.

Cododd ar ei draed a gweiddi, gan bwyntio'i wn i'w cyfeiriad.

– Peidiwch â symud. Gorweddwch ar y llawr. Yr heddlu sydd yma ac mae gennyn ni ddrylliau. Fe saethwn ni chi os byddwch chi'n symud.

Ond er mawr syndod i Jim, gwelodd aelodau'r grŵp yn codi ac yn ymgynnull o gwmpas un aelod oedd heb godi.

Cyfarthodd ei orchymyn unwaith eto. Ond fe'i hanwybyddwyd am yr eildro. Erbyn hyn roedd y pump wedi llusgo'r chweched aelod y tu ôl i'r cerbyd gyriant pedair olwyn.

Sylweddolodd ei fod wedi colli rheolaeth ar y sefyllfa'n gyfan gwbl wrth gael ei anwybyddu am y drydedd waith. Yna gwelodd un o'r grŵp yn cropian tuag at ochr chwith yr adeilad, dau arall yn cropian o amgylch yr ochr arall, a dau arall yn saethu drws yr hostel a chamu i mewn trwy'r fynedfa.

Yn rhy hwyr, sylweddolodd nad oedd y grŵp wedi clywed ei orchmynion oherwydd ei fod dros ddau gan llath i ffwrdd a bod ei lais wedi'i foddi gan sŵn y fflamau a ddeuai o'r tanc olew. Hefyd, sylweddolodd nad oedden nhw'n gwybod mai ef oedd wedi saethu'r tanc hyd yn oed.

Eisteddodd i feddwl beth gallai ei wneud nesaf a chanodd y ffôn. Bu'n rhaid iddo esbonio wrth Paul fod ei gynllun wedi mynd ar chwâl.

14

Teimlodd Tom chwa o wynt crasboeth yn taro'i gefn cyn iddo gael ei hyrddio i'r llawr. O'i brofiad yn gweithio yn y Dwyrain Canol gwyddai fod ffrwydrad mawr newydd ddigwydd. Cododd ei ben a gweld Paul a Llinos yn rhedeg trwy ddrws yr hostel. Teimlodd am ei ddryll wrth sylweddoli ei fod wedi'i ollwng yn sgil y ffrwydrad.

Trodd a gweld fflamau'n codi o danc olew'r hostel, a'i gyd-weithwyr yn dechrau codi fesul un. Sylweddolodd fod Simon, oedd agosaf at y tanc olew, yn dal i orwedd ar y llawr.

Symudodd y pump fel un tuag at Simon a llwyddo i'w lusgo i loches y tu ôl i'r cerbyd gyriant pedair olwyn.

– Beth uffern ddigwyddodd? gwaeddodd Peter uwchlaw sŵn y tanc olew'n llosgi.

– Mae'n amlwg fod Price, rywsut neu'i gilydd, wedi llwyddo i osod dyfais ffrwydrol ar y tanc olew a gosod amserydd i anfon tecst i'w ffôn yn union cyn y ffrwydrad. Cyfrwys iawn; mae'n glyfrach nag oedden ni'n meddwl, atebodd Tom wrth i Bob Runcie nôl bocs cymorth cyntaf o'r cerbyd a dechrau archwilio anafiadau Simon.

– Ond sut cafodd e amser i wneud hynny? gofynnodd Jean Runcie yn gyhuddgar i Carla.

– Fe ddiflannodd am ryw bum munud gan fod yn rhaid i fi adael iddo gael digon o ryddid i ddod o hyd i'r ddamcaniaeth. Ro'n i'n cymryd yn ganiataol y byddech chi'n gallu cadw llygad ar yr hyn a ddigwyddai y tu allan, ar ôl i fi adael y bŵt ar agor i chi allu dod allan, meddai Carla gan edrych ar Tom.

– Cyfrifoldeb Simon a Peter oedd hynny, meddai Tom gan edrych ar Peter.

– A phwy anghofiodd gymryd y ffôn symudol oddi arno? gofynnodd Peter gan edrych ar Jean Runcie.

Cyn i bethau fynd yn ffradach rhyngddyn nhw, penderfynodd Tom ddangos ei awdurdod unwaith eto.

– Ta waeth am hynny nawr, sut mae e? gofynnodd i Bob Runcie gan edrych ar Simon.

– Bydd e byw. Ychydig o shrapnel o'r tanc wedi mynd i'w goes a'i gefn. Dwi wedi rhoi chwistrelliad o morffin iddo. Bydd e'n iawn fan hyn am ryw awr nes inni setlo pethau, meddai Bob gan edrych draw at yr hostel.

– Beth yw'r cynllun? gofynnodd Carla gan edrych ar Tom.

– Diolch byth nad oes neb yn byw'n ddigon agos i glywed y ffrwydrad. Y peth pwysicaf yw peidio â'u saethu nhw. Mae'n rhaid iddo edrych fel pact hunanladdiad.

– Mae'n rhaid inni gael gafael arnyn nhw gynta, meddai Peter, a deimlai braidd yn nerfus. Os oedd Paul yn ddigon cyfrwys i osod bom ar danc olew...

– Paid â cholli arnat, Peter, dwi ddim eisiau i beth

ddigwyddodd yn Karachi ddigwydd eto, meddai Tom gan afael ym mraich Peter am eiliad.

– Na. Fe fydda i'n iawn, syr, atebodd Peter heb lawer o arddeliad.

Penderfynodd Tom y dylai Peter fynd rownd ochr chwith yr hostel, Bob a Jean Runcie drwy'r brif fynedfa, a Carla ac yntau rownd yr ochr dde er mwyn amgylchynu Paul a Llinos a'u caethiwo yn yr adeilad.

– Cofiwch hyn, mae Price wedi creu dau wn Taser a ffrwydrad soffistigedig iawn, felly mae'n ddyn clyfar a chyfrwys. Byddwch yn ofalus, meddai wrth y pedwar arall cyn iddynt ddechrau symud yn araf tuag at yr hostel.

15

Tra oedd Tom a'r gweddill wrthi'n trafod eu cynllun, esboniodd Paul ei gynllun yntau i Llinos, ac edrychodd hithau'n syn arno am eiliad cyn ateb.

– Gad i fi ddeall hyn yn iawn. Ymhen eiliadau fe fydd chwe asasin sy'n gweithio i Lywodraeth Prydain yn dod i mewn i'r gegin yma i'n lladd ni. Ac rwyt ti'n dweud, ar ôl blynyddoedd o addysg a delio â chemegau, mai dyma gynllun Dr Paul Price? meddai gan godi tun o Marvel i'r awyr.

– Tun o laeth powdwr a bocs o fatsys. Beth ddigwyddodd i dy ddawn o greu Tasers allan o gamerâu tafladwy?

– Does dim haearn sodro 'da fi. Ta beth, dwi 'di edrych ymhobman a does dim byd yma y galla i ei ddefnyddio i geisio'u trechu nhw.

Caeodd Llinos ei llygaid.

– Y gwir, Paul.

– Mansel ddangosodd i fi sut i greu'r Tasers, Llinos. Cemegydd damcaniaethol ydw i a dwi'n heddychwr. Dwi ddim yn deall pethau ymarferol. 'Na pam dwi dy angen di, meddai Paul gan sylweddoli bod y gath allan o'r cwd.

– Hmmm. Dyw e ddim cweit yn 'ti yw fy ngwir gariad' ond fe wnaiff y tro am nawr. Dwyt ti ddim yn fy haeddu i, Paul Price. Dere â'r ffôn 'na 'ma. Os ga i ni allan o hyn yn fyw, fe wna i dy fywyd di'n uffern, meddai gan ddeialu rhif Jim.

16

Cripiodd Peter rownd ochr chwith yr hostel gan glosio at ffenest y gegin. Sylwodd fod y ffenest fach yn gilagored a chododd yn araf i edrych trwyddi. Gwelodd fod Paul a Llinos wedi symud bwrdd y gegin a'i osod fel rhwystr o flaen y drws. Trodd ei ben a gweld bod y ddau'n sefyll ym mhen pella'r ystafell wrth ddrws arall a arweiniai at risiau i'r ystafelloedd gwely ar ail lawr yr adeilad. Yn ffodus, roedd y ddau'n sefyll a'u cefnau tuag ato.

Agorodd y ffenest yn araf cyn codi'i hun yn arafach fyth ar sil y ffenest a dechrau gwthio'i hun ar ei bengliniau drwy'r ffenest gul. Roedd e hanner ffordd drwodd pan drodd Paul a Llinos tuag ato a rhoi eu dwylo yn yr awyr wrth weld Peter yn pwyntio dryll atynt.

Gwenodd Peter wrth sylweddoli pa mor rhwydd y bu hi i ddal yr amaturiaid hyn. Roedd mor falch fel na chymerodd fawr o sylw o'r ffaith fod gan y ddau hancesi poced dros eu cegau a'u trwynau.

– Popeth dan reolaeth. Maen nhw yn y gegin, meddai i mewn i'w set radio.

Yna'n sydyn diflannodd y wên o'i wyneb pan deimlodd boen angerddol yn ei ben-ôl a'i gyrrodd drwy'r ffenest. Syrthiodd bum troedfedd a bwrw'i ben ar y llawr nes ei fod yn anymwybodol.

– Beth sy'n digwydd, Peter? Peter! Peter! gwaeddodd Tom o ben arall y set radio, ond allai Peter ddim ateb erbyn hyn. Caeodd Paul a Llinos ffenest y gegin a llusgo Peter at waelod y grisiau cyn cau drws y gegin.

17

Edrychodd Jim trwy annel ei wn a gweld Paul a Llinos yn cau'r ffenest. Roedd cynllun Llinos wedi gweithio'n dda hyd yn hyn ac roedd Jim yn hynod falch nad oedd wedi colli'i ddawn i anelu'n gywir wrth iddo daro Peter â bwled rwber. Yna'n sydyn gwelodd Bob Runcie'n dod allan o fynedfa'r hostel a rhuthro rownd ochr yr adeilad cyn aros o dan ffenest y gegin.

Cododd Bob ei ben ac edrych drwy'r ffenest.

– Mae'r gegin yn wag. Dim golwg o Peter. Mae bwrdd o flaen drws y gegin ond fe fydd yn hawdd i ti ddod trwyddo. Maen nhw wedi mynd i'r ail lawr, meddai i mewn i'w set radio.

– Deall. Reit, i mewn â ni, meddai Jean.

Ar y gair torrodd Bob ffenest y gegin a neidio i mewn i'r ystafell. Yr un pryd gwthiodd Jean y drws gan symud y bwrdd a chamu i mewn. Sylwodd y ddau ar unwaith fod yr ystafell yn llawn nwy a lifai o'r ffwrn agored. Dechreusant besychu, ond cyn iddynt gael cyfle i gamu tuag at y ffwrn i'w diffodd clywodd y ddau sŵn ffôn symudol yn canu. Y dôn oedd 'Eine Kleine Nachtmusik' gan Mozart. Eiliad yn ddiweddarach aeth popeth yn ddu wrth i'r ddau gael eu chwythu oddi ar eu traed gan y ffrwydrad.

18

Edrychai Jim trwy annel ei wn gan wylio Bob a Jean Runcie'n mynd i mewn i'r gegin. Gwasgodd fotwm i ddeialu rhif ffôn symudol Llinos, oedd wedi'i gosod yn y ffwrn nwy. Wrth i'r ffôn ganu, taniwyd y nwy gan wreichionen yn y ffôn a dyna achosodd y ffrwydrad.

Gwyddai Jim y byddai'r ffrwydrad yn ddigon i niweidio'r ddau asasin ond y byddai'n annhebygol o'u lladd. Gwelodd Llinos a Paul yn rhedeg i mewn i'r ystafell yn cario rhaffau er mwyn clymu dwylo a choesau'r ddau.

19

Clywodd Carla'r ffrwydrad wrth iddi ddringo wal yr hostel i geisio cyrraedd yr ail lawr lle roedd Paul a Llinos yn debygol o fod, yn ôl Bob. Llwyddodd i gyrraedd ffenest ystafell wely'r merched. Edrychodd drwyddi a gweld nad oedd neb yno. Yn ffodus iddi hi, roedd y ffenest yn gilagored a chropiodd i mewn i'r ystafell gan gario'i dryll yn ei llaw dde.

Camodd ar draws yr ystafell yn dawel ac anelu am y drws a arweiniai at landin cul o flaen ystafell wely'r dynion.

Agorodd y drws a dechrau camu'n araf ar draws y landin gan sylwi bod llawer o lwch yn yr awyr, yn sgil y ffrwydrad yn y gegin, mae'n siŵr, meddyliodd.

Yn sydyn, agorodd drws ystafell wely'r dynion a chamodd Llinos drwyddo.

– Dwi wedi bod yn eich disgwyl chi, Ms Peel, meddai'n awdurdodol gan wenu arni.

– Ble mae Paul? gofynnodd Carla, a safai ryw bum llath i ffwrdd yn pwyntio'r dryll at ben Llinos.

– Dwi ddim am ddweud. Mae'r ddwy ohonon ni'n gwbod nad wyt ti'n mynd i'n saethu i am fod yn rhaid i'n marwolaethau ni edrych fel damwain. Hyd yn oed petaech chi'n ffugio'n marwolaethau ni mewn ffrwydrad nwy, byddai ôl bwled yn y sgerbwd yn codi cwestiynau.

– Efallai, atebodd Carla.

– Felly, beth amdani, Carla? Ti a fi.

– O'r gore. Pam lai, meddai Carla cyn rhoi ei dryll ar lawr, yn hyderus nad oedd unrhyw obaith gan Llinos i'w threchu.

Gwyliodd Llinos Carla'n rhoi'r dryll ar lawr cyn dweud,

– Cyn i ni ddechrau, ga i ddweud nad yw Paul yn haeddu 'run ohonon ni. Dwi'n dy barchu di, Carla, ti'n dda yn dy waith.

– Diolch yn fawr, Llinos. Yn anffodus, dwi ddim yn dy barchu di gan dy fod ti'n fenyw sydd wedi aberthu dy ddoniau i blesio dyn ac mae hynny, os ca i ddweud, yn hollol ddiddychymyg.

– Dwi'n cytuno, Carla. Wyt ti'n gwbod beth oedd cynllun y gwyddonydd talentog i'th drechu di? Gwasgaru cynnwys tun o laeth powdwr yn yr awyr a chynnau matsien oherwydd byddai hynny'n sicrhau y byddai'r fflam yn lledu ar draws landin tebyg i'r un yma. Dadleues i na fyddai hynny byth yn gweithio, meddai gan dynnu bocs matsys allan o'i bra.

Sylweddolodd Carla'n sydyn nad llwch oedd yn yr awyr ond gronynnau o bowdwr llaeth. Gwelodd Llinos yn agor y bocs matsys.

– Ond, yn anffodus, dwi'n ei garu fe ac mae pŵer cariad yn rhywbeth na fydd pobl fel ti byth yn ei ddeall, meddai gan danio matsien a'i thaflu i'r awyr.

Gwelodd Carla'r fflam yn lledu tuag ati cyn iddi gael ei dallu ganddi. Yna teimlodd rywbeth caled yn bwrw'i gên ac aeth popeth yn ddu iddi.

20

Clywodd Tom y ffrwydrad tra oedd yn sefyll ger y rhan o'r adeilad a gefnai ar y clawdd uchel lle roedd modd neidio ar y to. Sgrialodd i fyny'r clawdd a neidio ar y to fflat, a chropian tuag at yr erial ger y simnai.

Arhosodd i un o'i gyd-weithwyr gysylltu ag ef, ond heb unrhyw lwc. Roedd Bob a Jean Runcie a Peter yn gorwedd yn anymwybodol ar welyau bync ystafell wely'r dynion a Carla wedi'i chlymu'n dynn yn ystafell y merched.

Yn y cyfamser roedd Jim yn gwylio Tom yn dringo i'r to trwy annel ei wn. Hyd yn hyn bu cynllun Llinos yn llwyddiant ysgubol. Arhosodd i Paul gyrraedd y to er mwyn ceisio perswadio'r sawl oedd yno i ddod allan o'r tu ôl i'r simnai. Byddai hynny'n golygu bod Jim yn gweld y dihiryn yn glir pan fyddai'n defnyddio un o'i fwledi rwber i'w saethu.

Gwelodd Paul yn codi'i hun trwy ffenest y to ac yn sefyll i wynebu Tom.

Caeodd Jim un llygad a gosod ei fys ar y gliced gan ddechrau gwasgu wrth iddo weld Tom yn pwyntio dryll at Paul. Gwelodd Paul yn taflu'i ffôn symudol ar y llawr a chodi'i ddwylo yn yr awyr cyn dechrau symud i gyfeiriad Tom. Anelodd Jim ei ddryll at gorff Tom ac roedd ar fin ei saethu pan symudodd y tu ôl i'r simnai unwaith eto.

– Symudwch yn agosach at yr ymyl, Dr Price. Falle byddai neidio o'r to'n ddigon i orffen y gwaith, meddai Tom heb symud modfedd wrth i Paul symud yn araf at ochr y to a gweld patio carreg rhyw ddeugain troedfedd oddi tano.

– Bydd yn rhaid i chi 'ngwthio i drosodd, meddai Paul gan sylweddoli na allai Jim weld Tom yn ddigon clir y tu ôl i'r simnai i'w saethu.

– Pam lai, meddai Tom gan gamu tuag at Paul. Yn sydyn teimlodd rywbeth yn hedfan heibio'i drwyn.

Sylweddolodd Jim ar unwaith ei fod wedi methu a dechreuodd lwytho'i wn â bwled arall.

Safodd Tom yn ei unfan am eiliad, yn hanner meddwl bod rhywun wedi ceisio'i saethu. Suddodd calon Paul wrth iddo sylweddoli nad oedd Jim wedi llwyddo. Gwyddai nad oedd ganddo ddigon o amser i ail-lwytho'i wn mewn pryd a'i bod hi ar ben arno wrth i Tom gamu'n araf tuag ato.

Caeodd ei lygaid ac aros am y diwedd.

Roedd Tom, yr asasin profiadol, yn canolbwyntio cymaint ar gwblhau ei waith fel na sylwodd fod rhywun y tu ôl iddo. Yn sydyn teimlodd boen angerddol yn ei goes dde a disgynnodd ar ei bengliniau. Eiliad yn ddiweddarach teimlodd boen yn saethu ar draws ei fraich dde a gollyngodd ei ddryll.

Agorodd Paul ei lygaid i weld y dryll yn cael ei gicio o'r neilltu a chododd ei ben i weld wyneb cyfarwydd yn gwenu arno.

– *Burns by name, Burns by nature.* Beth wnelech chi hebddon ni ferched? meddai Llinos oedd wedi codi'n ddistaw drwy ffenest y to a chuddio y tu ôl i'r pot simnai cyn gweld ei chyfle i lorio Tom â'i hen ffefrynnau, y *dead leg* a'r *Chinese burn*.

21

Llwyddodd Paul, Llinos a Jim i glymu pob un o'r chwe asasin mewn ystafelloedd gwahanol yn yr hostel o fewn y chwarter awr nesaf – pob un ond Simon, a orweddai'n anymwybodol yn y cerbyd gyriant pedair olwyn. Cymerodd Paul y ffon gof o boced cot Tom. Ni thorrodd yr un o'r tri air â'i gilydd tra oedden nhw wrthi.

Ond wedi iddynt adael yr hostel dechreuodd y tri siarad yr un pryd. Bu cyfnod o ddiolch, llongyfarch a chofleidio wrth iddynt sylweddoli eu bod wedi ennill y dydd. Llongyfarchodd Jim y ddau am eu dewrder yn gorchfygu'u herwgipwyr a diolchodd Paul a Llinos iddo yntau am ddod i'r adwy ac achub eu bywydau ar y funud olaf.

– Dwi'n cymryd i chi benderfynu peidio â ffonio am gymorth? meddai Paul wrth i'r tri sefyll ger car Llinos.

Nodiodd Jim ei ben cyn esbonio'n fras am ei fethiant fel heddwas.

– Dwi'n gobeithio y gwnewch chi 'nghefnogi i trwy ddweud nad oedd 'da fi amser i ffonio. Ta beth, ry'n ni wedi dal y bobl wnaeth eich herwgipio chi a lladd yr holl aelodau 'na o MI5. Synnen i ddim nad oes trip bach i gartref Ei Mawrhydi ar y gweill i mi, meddai gan feddwl am ei MBE.

Edrychodd Paul a Llinos ar ei gilydd.

– Well i ti ddweud wrtho fe, meddai Llinos.

– Dweud beth? gofynnodd Jim â'i wen yn prysur ddiflannu.

Esboniodd Paul mai'r MI5 oedd eu herwgipwyr a bod PC Jim Marshall newydd saethu un ohonyn nhw yn ei ben-ôl a niweidio un arall yn eitha difrifol.

– Wrth gwrs. O'n i'n meddwl mod i wedi gweld y boi gwallt melyn 'na yn rhywle. Ie, dwi'n cofio nawr. Roedd e gyda chi yng ngorsaf heddlu Doc Penfro, meddai Jim.

– Dwi'n ofni mai chi sy'n fwya tebygol o gael trip bach i un o garchardai Ei Mawrhydi, meddai Llinos.

Eisteddodd Jim ar fonet car Llinos a'i ben yn ei ddwylo.

– Mae hi ar ben arna i. Beth ydw i'n mynd i neud? Pam na ddwedoch chi wrtha i? Ro'n i i fod i adael am Iwerddon heno. Beth ddaeth i 'mhen i? Dwi wastad wedi bod yn fethiant.

– Doedden ni ddim yn gwbod tan y funud ola, Jim. Dwi ddim yn gwbod beth gallwn ni neud chwaith, meddai Paul gan eistedd wrth ymyl Jim ar fonet y car.

– Hmmm. Ry'ch chi'ch dau'n ffodus mod i yma felly. Mae gen i syniad allai ryddhau'r tri ohonon ni o'r twll 'ma ond, yn anffodus i chi, Jim, bydd yn rhaid i ni'ch blacmelio chi i gyflawni'r cynllun, meddai Llinos gan edrych ar ei wats a gweld ei bod hi'n ugain munud wedi wyth.

22

Gorweddai Paul a Llinos yn dawel yng nghefn cerbyd cymunedol Heddlu Dyfed Powys yn gwrando ar sŵn byddarol injan y fferi oedd wedi gadael Abergwaun ar ei thaith i Rosslare am hanner awr wedi naw y noson honno.

Bellach roedd hi'n un o'r gloch y bore a syllodd Llinos ar wyneb Paul, oedd yn cysgu ers hanner awr bellach.

Roedd ei chynllun wedi llwyddo'n ysgubol hyd yn hyn. Llwyddodd i ddarbwyllo Jim Marshall i'w cuddio yng nghefn cerbyd cymunedol yr heddlu. Esboniodd wrtho na fyddai neb yn diolch iddo am ddinistrio cynlluniau MI5 petaent yn darganfod ei fod wedi cynorthwyo Paul a Llinos i drechu Tom, Carla a'r gweddill.

Esboniodd hefyd nad oedd yr un o'r chwe asasin wedi sylweddoli mai Jim oedd wedi saethu'r tanc nwy. Hefyd, doedd yr un ohonynt wedi gweld Jim y noson honno.

Doedd dim byd i gysylltu Jim ag antur Paul a Llinos, felly awgrymodd Llinos y dylai deithio i Abergwaun fel y trefnwyd. Ychwanegodd, petai Jim yn gwrthod helpu Paul a hithau, Duw a ŵyr beth fyddai'n digwydd iddynt. Gwyddai Jim, felly, nad oedd dewis ganddo, a gyrrodd gerbyd cymunedol yr heddlu i Abergwaun. Yn y cyfamser gyrrodd Llinos ei char i Abergwaun a'i barcio ym maes parcio un o archfarchnadoedd y dref.

Wrth iddi aros i Jim ei chasglu penderfynodd Llinos ddefnyddio un o'r blychau ffôn cyhoeddus yn y dref. Yn gyntaf, ffoniodd ei rhieni i esbonio ei bod hi a Paul yn bwriadu mynd ar wyliau hir i geisio adnewyddu eu perthynas a gofynnodd i'w thad gasglu ei char o Abergwaun y diwrnod canlynol.

Cafodd amser i wneud un alwad ffôn arall cyn i gerbyd cymunedol yr heddlu gyrraedd.

Gan fod Jim wedi bod yn blismon yn yr ardal cyhyd ac wedi teithio i Iwerddon mor aml yn ystod y flwyddyn cynt, ni chafodd unrhyw drafferth i fyrddio'r llong. Gwyddai na fyddai'r cerbyd yn cael ei archwilio.

Wrth iddynt aros yn y ciw i adael yn y llong, mynnodd Paul eu bod yn cysylltu â'r gwasanaeth ambiwlans i wneud yn siŵr fod y chwech yn cael triniaeth feddygol ar gyfer eu hanafiadau.

Ond roedd warden nos yr hostel wedi cyrraedd toc wedi

naw o'r gloch a gweld y llanast ac wedi ffonio am gymorth cyn gynted ag y gwelodd Simon yn gorwedd yn y cerbyd gyriant pedair olwyn.

Fel gweddill y teithwyr ar y llong, bu'n rhaid i Jim adael ei gerbyd a threulio gweddill y daith ar y dec uchaf lle roedd bar, bwyty a mannau i ymlacio.

Tra oedd Llinos a Paul yn gorwedd yng nghefn y cerbyd ar y dec isaf yn gwrando ar sŵn injan y llong yn rhuo'n ddi-baid, mwynhaodd Jim bryd o sglodion, selsig ac wy cyn penderfynu mynd allan ar y dec blaen i fwynhau'r olygfa am ychydig.

Wrth iddo gymysgu â'r teithwyr eraill ar y dec gwelodd ddau wyneb cyfarwydd.

– Herr Grünwald a Frau Spengler, shwd y'ch chi? gwaeddodd wrth i'r ddau gerdded tuag ato.

Safodd y ddau'n stond pan welson nhw lifrai'r heddlu.

– PC Jim Marshall, swyddog cymunedol yr heddlu. Ry'ch chi wedi galw i mewn i 'ngweld i yn y cerbyd cymunedol sawl tro, meddai Jim gan wenu.

– Wrth gwrs, wrth gwrs, PC Marshall, atebodd Otto Grünwald, gan edrych braidd yn anghyffyrddus, meddyliodd Jim.

Nodiodd Lotte heb yngan gair.

Yna cofiodd yr heddwas fod Paul wedi cyhuddo Otto a Lotte o adael iddo fe a Llinos groesi maes tanio Castellmartin y diwrnod cynt. Gwyddai y dylai'r ddau gael eu ceryddu am fod mor anghyfrifol ond sylweddolai hefyd na allai fentro corddi'r dyfroedd cyn iddynt gyrraedd Iwerddon.

– Eich gwyliau yng Nghymru drosodd felly? gofynnodd.

– Ydyn, ychydig ddyddie yn Wicklow ac yna 'nôl i Wien ar gyfer tymor arall o ddysgu, yn anffodus, meddai Otto, cyn esgusodi ei hun a Lotte.

– Wyt ti'n meddwl ei fod e'n ein dilyn ni? gofynnodd Lotte i Otto wedi i'r ddau gyrraedd y lolfa.

– Go brin y byddai heddwas cymunedol yn gyfrifol am archwilio'r math o beth ry'n ni 'i neud, atebodd Otto gan symud yn anghyffyrddus yn ei gadair.

23

Cyrhaeddodd tri ambiwlans a thri o gerbydau'r heddlu Hostel Ieuenctid Pwllderi chwarter awr ar ôl i'r fferi oedd yn cludo Paul a Llinos i Iwerddon hwylio o Abergwaun.

Cyn gynted ag y rhyddhawyd Tom o'r gawod yn ystafell wely'r dynion gwaeddodd ar yr heddweision i gysylltu â'r Prif Gwnstabl gan esbonio pwy oedd e.

Erbyn i'r Prif Gwnstabl gadarnhau pwy oedd Tom roedd y tri ambiwlans wedi mynd â Simon, Peter a Jean a Bob Runcie i'r ysbyty yn Hwlffordd.

Eisteddai Carla wrth ochr Tom yn ceisio meddwl i ble fyddai'r ddau wedi dianc. Doedd hi ddim wedi'i hanafu'n ddrwg, heblaw am ben tost o ganlyniad i ergyd Llinos. Er hynny, roedd y fflamau wedi llosgi'i gwallt a'i haeliau.

Roedd Tom ar y ffôn ag un o'i swyddogion yn Llundain.

– Mae'n rhaid inni gael gafael ar ddau berson o'r enw Dr Paul Price a Llinos Burns. Mae angen i chi gysylltu â phob maes awyr a phorthladd i wneud yn siŵr na fyddan nhw'n gadael y wlad, gwaeddodd gan hercian o gwmpas yr ystafell fel gwallgofddyn.

– Falle eu bod nhw wedi defnyddio'r enwau Otto Grünwald a Lotte Spengler, meddai Carla, cyn ychwanegu,

– Dyna'r enwau ffug a ddefnyddiodd Burns i archebu lle yn yr hostel. Mae hi mor ddiddychymyg, dwi'n siŵr y byddai hi'n defnyddio'r un enwau eto.

– Chwiliwch am yr enwau Otto Grünwald a Lotte Spengler hefyd, meddai Tom cyn eistedd wrth ymyl Carla.

– Ti'n sylweddoli y byddi di'n treulio'r degawd nesa yn swyddfa'r conswl yn Ulan Bator ym Mongolia os na ddown ni o hyd iddyn nhw, Carla, meddai.

Griddfanodd Carla cyn ateb.

– Ac fe fyddi di'n glanhau'r toiledau yn swyddfa'r conswl yn Port Stanley ar Ynysoedd y Falklands am ugain mlynedd.

– *Touché*, meddai Tom yn dawel.

Ond ddeng munud yn ddiweddarach cododd calonnau'r ddau pan gafodd Tom alwad ffôn yn dweud bod dau berson o'r enw Grünwald a Spengler wedi dal y fferi o Abergwaun i Rosslare y noson honno.

– Da iawn. Cysylltwch â'n ffrindiau yn Rosslare. Na, peidiwch â dweud gormod wrthyn nhw, dim ond bod ein dau ffrind yn cario rhywbeth pwysig iawn. Dwedwch wrthyn nhw am wneud yn siŵr eu bod wedi'u harfogi'n llawn, meddai Tom.

24

Cyrhaeddodd y fferi Rosslare am ddau o'r gloch y bore. Deffrodd Paul wrth i sŵn yr injan dawelu a disgwyliodd y ddau i Jim ddychwelyd i yrru'r cerbyd oddi ar y fferi.

Ond ni ddychwelodd Jim tan chwarter i dri o'r gloch y

bore. Agorodd ddrws cefn y cerbyd ac ymuno â'r ddau a gwên lydan ar ei wyneb.

– Ble yn y byd y'ch chi wedi bod? Pam ry'n ni'n dal ar y llong? sibrydodd Llinos yn bryderus.

– Chredwch chi byth, meddai Jim.

25

Hanner awr ynghynt roedd Otto Grünwald a Lotte Spengler wedi cerdded ar hyd y bont o'r fferi ac i adeilad y tollau yn Rosslare. Pan ddangosodd y ddau eu pasborts i'r swyddog, gofynnodd hwnnw iddynt fynd i mewn i swyddfa gyfagos.

Gwrthododd Otto'n chwyrn a phan welodd ddau swyddog arall yn nesáu atynt aeth i banig. Penderfynodd geisio dianc a dechreuodd redeg.

Ond wrth iddo redeg gwelodd ddau swyddog arall yn aros amdano ger yr allanfa.

– Stopiwch! gwaeddodd un o'r swyddogion, ond roedd Otto wedi colli arno'i hun yn lân.

– Stopiwch! gwaeddodd y swyddog yr eildro gan dynnu dryll allan a'i bwyntio at Otto, gan dybio mai ef oedd Dr Paul Price.

Arhosodd Otto yn ei unfan.

– Peidiwch â saethu. Edrychwch, meddai gan agor ei got a dangos y pecynnau swmpus o dan ei grys.

– Blydi hel, *suicide bomber*! gwaeddodd y swyddog.

– Beth? Na, na, wyau, dwsin o wyau'r hebog tramor, gwaeddodd Otto gan godi'i ddwylo i'r awyr.

26

Holwyd Otto Grünwald a Lotte Spengler gan wasanaeth cudd Iwerddon am dros awr a darganfuwyd bod y ddau wedi treulio'u gwyliau yn esgus bod yn ddringwyr er mwyn dwyn wyau prin yng Nghymru a'u gwerthu yn Iwerddon. Roeddent wedi gwneud hynny ers sawl blwyddyn bellach.

Roedd hi bron yn bedwar o'r gloch y bore erbyn i un o swyddogion gwasanaeth cudd Iwerddon gysylltu ag un o'i gyfoedion yn Llundain i ddweud eu bod nhw wedi dal y ddau roedd gwasanaeth cudd Prydain yn chwilio amdanynt.

Canodd ffôn Tom wrth iddo ef a Carla gael eu gyrru yn ôl i orsaf yr heddlu yn Noc Penfro.

– Wel, ydyn nhw wedi'u dal nhw? gofynnodd Carla wrth i Tom ddiffodd y ffôn.

– Maen nhw'n dweud bod Ulan Bator yn hyfryd iawn yr adeg yma o'r flwyddyn, oedd unig ymateb Tom.

27

Erbyn hynny roedd cerbyd cymunedol Heddlu Dyfed Powys gyda PC Jim Marshall wrth y llyw wedi hen adael porthladd Rosslare a dechrau ar ei daith tair awr i Cork.

– Wyt ti'n mynd i ddweud wrtha i pam ry'n ni'n mynd i Cork, Llinos? gofynnodd Paul wrth iddynt deithio yn ystod oriau mân y bore.

– Dim eto, atebodd Llinos cyn mynd ati i newid y pwnc.

– Ydy cliwiau gwreiddiol Mansel gyda ti o hyd? gofynnodd.

– Ydyn, atebodd Paul gan dynnu'r darn papur a'r cliwiau arno o boced ei got a'i roi i Llinos.

– Beth am drio gneud synnwyr ohonyn nhw? Does dim byd gwell 'da ni i'w neud am y ddwy awr nesa, awgrymodd Llinos.

Bu eu hymdrechion i ddatrys y cliwiau'n aflwyddiannus nes i Llinos edrych eto ar yr atebion i bob rhan o'r pedwerydd cliw:

> Ti yn iaith Roland Barthes,
> Dy hoff bryd bwyd a'i ddilyn gan ïodin,
> Fferm elfennol heb 100 AS,
> Dy hoff bryd bwyd a'i ddilyn gan ïodin.

sef Tu, π, I, Fr, U, π ac I.

– Mae'r rhain yn edrych fel petaen nhw'n sillafu 'Tutti Frutti', meddai.

– Beth? gofynnodd Paul gan gymryd y darn papur o'i llaw.

– 'Tutti Frutti'? Cân Little Richard? awgrymodd Jim.

– Yn hollol. 'A wam pam palwma a wam bam bw', cytunodd Llinos.

– Falle, ond be mae hynny'n ei olygu? gofynnodd Paul.

– Dim ond mai'r atebion i'r cliwiau yw teitlau hoff ganeuon Mansel.

– Nonsens, meddai Paul gan roi'r darn papur 'nôl i Llinos. Ond yn ystod yr hanner awr nesaf llwyddodd Llinos a Jim i ddatrys y cliwiau.

– Felly, yr ateb i'r pos cynta ydy 'Albatross', meddai Llinos.

– Gan Fleetwood Mac, ychwanegodd Jim.

– Cliw dau: 'fel Richards', sef fel Rolling Stone, meddai Llinos cyn i Jim ychwanegu,

– 'Like a Rolling Stone', gan Bob Dylan.

– Cliw tri: 'lluniau o lili'.

– 'Pictures of Lily', gan The Who.

– Cliw pump: 'Dŵr'.

– Gan Huw Jones.

– A cliw chwech: 'Rhywbeth', meddai Llinos.

– 'Something', gan y Beatles, gorffennodd Jim dan chwerthin.

– Da iawn. Biti na chawn ni byth gyfle i ddychwelyd i sir Benfro i ddatrys gweddill y cliwiau, meddai Paul yn benisel gan syllu drwy'r ffenest a gweld yr haul yn dechrau codi yn y dwyrain.

Wrth i'r cerbyd nesáu at orsaf betrol 24 awr ger Dungarvan gofynnodd Llinos i Jim stopio yno er mwyn iddi gael mynd i'r toiled.

– Syniad da, meddai Paul gan adael y cerbyd a rhuthro i doiledau'r dynion cyn gynted ag y stopiodd Jim y cerbyd.

Camodd Llinos allan o gefn y cerbyd a cherdded draw i siarad â Jim, oedd yn dal i eistedd yn y sedd flaen.

– Diolch yn fawr, Jim. Dwi'n addo na welwch chi ni byth eto a fyddwn ni ddim yn dweud gair wrth neb, meddai'n dawel gan roi cusan ar ei foch.

– Ond beth y'ch chi'n mynd i neud?

– Po leia byddwch chi'n 'i wbod, gore i gyd i chi, rhag ofn… Mae'n flin gen i am eich clymu chi wrth ein trafferthion ni, atebodd Llinos.

– Na, fi ddylai ddiolch i chi. Diolch am adael i fi fyw go iawn am ychydig oriau. Pob lwc, meddai Jim cyn tanio'r injan a gadael yr orsaf.

Ymhen hanner munud dychwelodd Paul o'r toiledau.

– Ble mae Jim a'r cerbyd, Llinos? gofynnodd yn ddryslyd.

– Mae e wedi gadael, Paul.

– Ond beth y'n ni'n mynd i neud? Does dim cynllun 'da ti, oes e?

– Nag oes, Paul. Dwedes i gelwydd, mae'n flin gen i. Dwi 'di penderfynu bod yn debycach i rywun fel Carla. Mae'n amlwg mai dyna'r math o ferch rwyt ti'n 'i hoffi.

– Na, dim o gwbl…, dechreuodd Paul, ond gyda hynny safodd car du, hir wrth ymyl y ddau. Camodd tri dyn mewn siwtiau du allan o'r car a cherdded tuag at Paul a Llinos.

– Dr Paul Price a Ms Llinos Burns? I mewn i'r car, os gwelwch chi'n dda, meddai un o'r dynion.

Teimlodd Paul ei holl nerth yn diflannu o'i gorff ac ufuddhaodd heb unrhyw brotest.

Eisteddai un o'r dynion rhwng Paul a Llinos yng nghefn y car a'r ddau arall yn y seddi blaen.

– Pwy y'ch chi? MI5 Iwerddon? MI6 Iwerddon? gofynnodd Paul.

– A gaf i'r ffon gof, os gwelwch yn dda? gofynnodd y gyrrwr.

Ufuddhaodd Paul a rhoi'r ffon gof yn llaw'r gyrrwr. Rhoddodd hwnnw'r ffon gof i'w gyfaill a eisteddai yn y sedd flaen a chyfrifiadur ar ei lin.

– Oes yna Wi-Fi fan hyn? gofynnodd y gyrrwr.

– Oes, atebodd y llall gan droi i wynebu Paul yn y sedd gefn unwaith eto.

– A'r darn papur a'r e-byst arno hefyd, os gwelwch yn dda? gofynnodd y dyn.

– Ond sut roeddech chi'n gwbod? Dim ond fi a Llinos

oedd yn... O na! Nid ti hefyd, Llinos! meddai Paul gan dynnu neges Mansel o'i waled a'i rhoi i'r dyn.

Ymhen rhai eiliadau trodd y dyn i wynebu Paul unwaith eto.

– Dyna ni, mae popeth ar y ffon wedi'i anfon at gerhardmaier@munchen.ger a gdiffring@siliconvalley.org.

Yna trodd at Llinos a dweud rhywbeth mewn Gwyddeleg.

– Beth sy'n digwydd? Beth ddwedodd e, Llinos? gofynnodd Paul yn ddryslyd.

– Dim byd llawer, dim ond dy groesawu di i deulu'r Burns. Gad i fi gyflwyno fy nghefndryd i ti: Liam, Patrick a Declan. Fe fyddwn ni'n ddiogel ymysg fy nheulu i yn Ballybunion, meddai Llinos.

– Dwi'n credu y dylen ni briodi cyn gynted â phosib. Beth ti'n feddwl? A dwi'n credu y dylet ti dyfu barf unwaith eto, rhag ofn i rywun dy nabod ti, ychwanegodd â gwên angylaidd.

Wrth i Paul edrych allan drwy ffenest y car cofiodd esbonio tair rheol anhrefn i Roy Pen-bryn yn Freshwater East.

– Mae'r rheol gynta'n dweud na allwch chi ennill y gêm; mae'r ail reol yn dweud mai'r unig ganlyniad posib fydd colli'r gêm; a'r drydedd reol yw na allwch chi ddianc rhag y gêm.

Ateb Roy Pen-bryn oedd fod hynny'n swnio'n debyg i briodas.

– Digon gwir, Roy, digon gwir, meddyliodd Paul gan hanner gwenu, ond dim ond hanner gwenu, cofiwch.

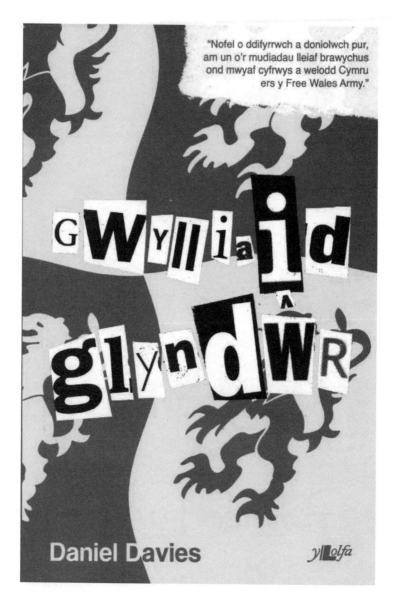

"Nofel o ddifyrrwch a doniolwch pur,
am un o'r mudiadau lleiaf brawychus
ond mwyaf cyfrwys a welodd Cymru
ers y Free Wales Army."

gWylliaid glyndŴr

Daniel Davies

*yl**L**olfa*

£7.95

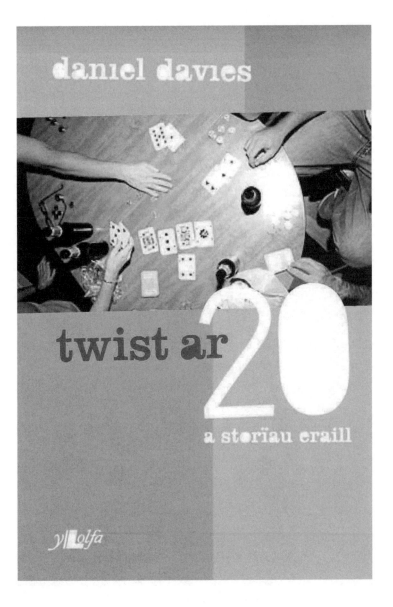

daniel davies

twist ar 20

a storïau eraill

y Lolfa

£6.95

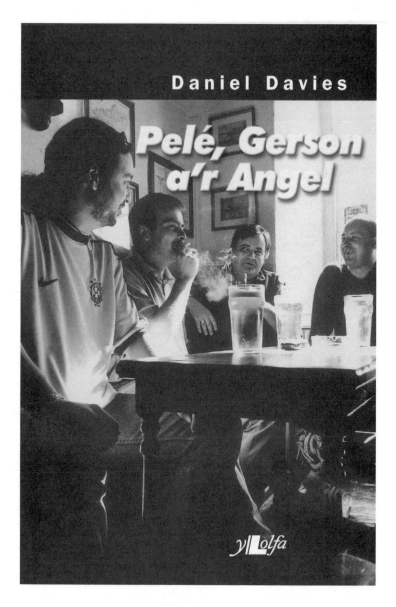

Daniel Davies

Pelé, Gerson a'r Angel

y Lolfa

£5.95

Am restr gyflawn o lyfrau'r Lolfa, mynnwch
gopi am ddim o'n catalog
neu hwyliwch i mewn i'n gwefan

www.ylolfa.com

lle gallwch archebu llyfrau ar-lein.

TALYBONT CEREDIGION CYMRU SY24 5HE
ebost ylolfa@ylolfa.com
gwefan www.ylolfa.com
ffôn 01970 832 304
ffacs 832 782